스크래치와
함께하는
컴퓨팅 사고
기초부터 프로젝트 완성까지

저자 약력

이진선 jslee@woosuk.ac.kr

우석대학교 정보보안학과 교수로 재직 중입니다. 전북대학교 컴퓨터공학부에서 학사와 석사, 박사학위를 받았고, ETRI에서 근무하였습니다. 주요 관심 분야는 인공지능, 영상처리, 컴퓨터 비전공자를 위한 소프트웨어 교육입니다. 저서로는 『파이썬으로 만드는 인공지능』(한빛아카데미, 2021년)이 있고 역서로는 『앱인벤터2』(한빛아카데미, 2015년)가 있습니다.

김아미 amikim@woosuk.ac.kr

우석대학교 교양대학 교수로 재직 중입니다. 전북대학교 컴퓨터공학부에서 학사와 석사(컴퓨터교육전공), 박사학위를 받았고, 전주대학교 기초융합교육원 교수로 근무하였습니다. 주요 관심 분야는 데이터 마이닝, 컴퓨터 그래픽스, 컴퓨팅 사고 융합교육입니다.

박지현 thinking@woosuk.ac.kr

우석대학교 교양대학 교수로 재직 중입니다. 전주대학교 컴퓨터공학과를 졸업하고 우석대학교 교육학과(컴퓨터교육)와 한국방송통신대학교 이러닝학과에서 석사학위를, 전북대학교 교육학과(교육과정및교육공학)에서 박사학위를 받았으며, 전북교육청에서 근무하였습니다. 주요 관심 분야는 컴퓨터교육, 원격교육, 교수설계, 뉴미디어기반교육, 지식공동체입니다. 저서로는 『회복중심지역공동체』(도서출판 서연, 2020)가 있습니다.

윤후병 hbyun9022@woosuk.ac.kr

우석대학교 교양대학 교수로 재직 중입니다. 전북대학교 컴퓨터공학부에서 학사와 석사학위를 받았고 박사과정을 수료하였으며, 벽성대학 교수로 근무하였습니다. 주요 관심 분야는 컴퓨터 프로그래밍, 게임 개발 등입니다.

정인숙 msisjung@woosuk.ac.kr

우석대학교 교양대학 교수로 재직 중입니다. 이화여자대학교 수학과를 졸업하고 포항공과대학교 수학과에서 석사학위를, 일본 게이오대학교 전기전자공학부에서 박사과정을 수료하고 전북대학교 컴퓨터공학부에서 박사학위를 받았으며, KIST/시스템공학연구소에서 근무하였습니다. 주요 관심 분야는 영상처리, 컴퓨터 비전, 인공지능, 데이터 마이닝입니다.

한준탁 jthan@woosuk.ac.kr

우석대학교 교양대학 교수로 재직 중입니다. 순천향대학교 전자계산학과를 졸업하고 한양대학교 전자계산학과에서 석사학위를, 동국대학교 컴퓨터공학과에서 박사학위를 받았으며, 한중대학교 교수로 근무하였습니다. 주요 관심 분야는 고성능 컴퓨팅과 분산 및 병렬 처리 시스템입니다. 저서로는 『컴퓨터게임 기술과 프로세스』(성안당, 2009년)가 있습니다.

이진선
김아미
박지현
윤후병
정인숙
한준탁

스크래치와 함께하는 컴퓨팅 사고

기초부터 프로젝트 완성까지

YD 연두에디션
Edition

이 교재는 대학혁신지원사업비 지원으로 개발되었음

스크래치와 함께하는 컴퓨팅 사고

기초부터 프로젝트 완성까지

발행일 2021년 2월 15일 초판 1쇄
지은이 이진선 · 김아미 · 박지현 · 윤후병 · 정인숙 · 한준탁
펴낸이 심규남
기 획 염의섭 · 이정선
표 지 김보배 | **본 문** 이경은
펴낸곳 연두에디션
주 소 경기도 고양시 일산동구 동국로 32 동국대학교 산학협력관 608호
등 록 2015년 12월 15일 (제2015-000242호)
전 화 031-932-9896
팩 스 070-8220-5528
ISBN 979-11-88831-75-3
정 가 24,000원

이 책에 대한 의견이나 잘못된 내용에 대한 수정 정보는 연두에디션 홈페이지나 이메일로 알려주십시오.
독자님의 의견을 충분히 반영하도록 늘 노력하겠습니다.
홈페이지 www.yundu.co.kr

※ 잘못된 도서는 구입처에서 바꾸어 드립니다.

우리는 놀라운 시대에 살고 있다. 스마트폰이나 테블릿이 항상 인터넷에 연결되어 있어 지리산 등반을 하면서도 멋진 풍경을 담은 동영상을 전세계에 전송할 수 있다. 학교나 사무실에서는 워드프로세서, 스프레드시트, 파워포인트 등을 일상으로 사용한다. 누구에게나 컴퓨터는 없어서는 안 될 필수 도구이다. 하지만 컴퓨터는 이런 일상적인 활용 이외에 여러 차원으로 활용 가능성을 확대할 수 있다. 이 책은 컴퓨팅 사고라는 주제를 통해 창의성 향상과 전공 융합이라는 두 가지 새로운 세상으로 독자를 이끌어줄 것이다.

기존 지식을 현장에 그대로 적용하는 사람보다 현장에서 눈썰미 있게 문제를 발굴하고 새로운 방식으로 문제를 해결하는 창의적인 사람이 더욱 필요한 시대이다. 창의성을 향상하는 좋은 방법이 컴퓨팅 사고에 있다. 누구나 쉽게 배울 수 있는 스크래치라는 프로그래밍 언어가 있고, 스크래치로 코딩하는 과정에서 무한한 상상력을 발휘할 수 있다. 이 책은 독자에게 흥미로운 문제를 다양하게 제시한다. 독자는 문제를 해결하는 과정에서 자신의 아이디어를 상상하고 스크래치로 구현함으로써 창의성을 기를 수 있다.

또한 학문 간의 융합의 한가운데에 컴퓨터가 있다. 컴퓨팅 사고는 컴퓨터와 여러 전공을 융합하는 연결고리 역할을 한다. 전공 공부에 활용할 수 있는 재미있는 게임, 퀴즈, 인공지능 프로그램 등 다양한 응용 프로그램을 개발해 봄으로써 전공 공부의 외연을 확장할 수 있다. 이렇게 개발한 프로그램으로 경진대회에서 발표하는 기회를 갖는다면 더할 나위 없이 귀중한 경험이 될 것이다.

이 책은 네 부분으로 구성된다. Part 1(컴퓨팅 사고와 문제해결)에서는 컴퓨터의 현대적인 응용을 살펴보고, 컴퓨팅 사고 교육의 현황과 중요성을 설명한다. 특히 코딩의 중요성을 강조하고 이 책이 사용할 스크래치 언어를 소개한다. Part 2(문제해결을 위한 스크래치 코딩 기초)에서는 스크래치의 핵심 요소인 블록을 하나씩 익혀가며 코딩의 기초 실력을 닦는다. 블록 각각에 대해 소개, 맛보기, 코딩 연습, 단계적 문제해결 순으로 설명함으로써 점증적으로 흥미를 불러일으키는 학습방식을 적용한다. Part 3(문제해결 응용)의 목적은 Part 2에서 익힌 코딩 기초 실력을 바탕으로 다양한 응용

문제를 해결하는 능력을 배양하는 것이다. 응용문제마다 제시되어 있는 확장해보기를 통해 응용의 폭을 넓힌다. Part 4(프로젝트를 통한 컴퓨팅 사고 향상)에서는 지금까지 배운 내용을 종합하여 프로젝트를 실행하는 능력을 학습한다. 먼저 체계적으로 프로젝트를 실행할 때 밟아야 하는 단계와 각 단계에서 해야 할 일을 설명한다. 게임, 재난 예방, 전공 융합, 인공지능 범주에 속하는 6개의 프로젝트 사례를 제시한다. 이들 프로젝트 사례가 독자에게 동기를 부여하여 스스로 프로젝트 주제를 고안하고 멋지게 프로젝트를 완성하도록 이끌어주기를 바란다. 완성품을 가지고 학내외에서 열리는 경진대회에 출전하고 상까지 받는다면 기쁨은 두 배가 될 것이다.

이 책을 출판하는데 도움을 주신 도서출판 연두에디션에 감사를 드린다.

2021년 2월

이진선, 김아미, 박지현, 윤후병, 정인숙, 한준탁

강.의.계.획

강의 계획은 한 학기 15주 수업을 기준으로 구성하였다.

책의 구성에 따라 강의 전반부에는 Part 1(컴퓨팅 사고와 문제해결)과 Part 2(문제해결을 위한 스크래치 코딩 기초)를 학습하여, 컴퓨팅 사고와 문제해결에 대해 이해하고 스크래치 코딩 기초를 익힌다. 강의 후반부에는 Part 3(문제해결 응용)의 다양한 응용문제와 Part 4(프로젝트를 통한 컴퓨팅 사고 향상)의 프로젝트 수행으로 컴퓨팅 사고를 향상할 수 있도록 한다.

주당 3시간 강의인 경우에는 학기말 과제로 프로젝트를 수행할 것을 권한다. 아래 강의계획표(3 시수 기준)는 프로젝트를 수행하고 14주차에 프로젝트 결과를 발표하는 순서로 작성하였다. 이때 11장 프로젝트 수행 방법을 중간고사 직후에 진행하여 학생들이 프로젝트 과제를 이해하고 미리 준비할 수 있도록 한다.

Part 3의 응용문제 실습은 난이도를 고려하여 선별적으로 진행해도 될 것이다. Part 4의 프로젝트는 학생들의 전공이나 관심 분야에 따라 주제를 선택하여 진행하되, 선택한 주제는 프로젝트 수행 절차에 맞춰 끝까지 진행하기를 권한다.

강의 계획표 (3 시수 기준)

주	장	내용
1	1장 컴퓨팅 사고 2장 문제해결	• 왜 컴퓨팅 사고인가?, 컴퓨팅 사고 교육, 읽을거리와 볼거리 • 일상생활에서 문제해결, 컴퓨터를 이용한 문제해결
2	3장 스크래치 소개 4장 블록 익숙해지기1 : 동작, 형태, 소리	• 스크래치 소개 • 동작, 형태, 소리 코딩 연습 및 단계적 문제해결
3	5장 블록 익숙해지기2 : 이벤트, 제어, 감지	• 이벤트, 제어, 감지 코딩 연습 및 단계적 문제해결
4	6장 블록 익숙해지기3 : 연산, 변수	• 연산, 변수 코딩 연습 및 단계적 문제해결
5	6장 블록 익숙해지기3 : 내 블록 7장 블록 익숙해지기4 : 확장 기능	• 내 블록, 음악 코딩 연습 및 단계적 문제해결
6	7장 블록 익숙해지기4 : 확장 기능	• 펜, 비디오 감지, 텍스트 음성 변환과 번역 코딩 연습 및 단계적 문제해결
7	8장 문제해결 응용 실습 1	• 풍경 산책, 공 쌓기, sine-cosine 파형 그리기, 움직이는 장애물을 피해 보자.
8	중간고사	
9	9장 문제해결 응용 실습 2 11장 프로젝트 수행 방법	• 작은별을 연주해!, 로봇 청소기, 영어 이름 맞히기 퀴즈, 보스를 잡아라!, 미세먼지를 줄이자 (선택) • 프로젝트 수행 절차, 분야 사례 소개
10	10장 문제해결 응용 실습 3	• 벽돌깨기 게임, 골프공 치기, 미니 그림판, 숫자맞히기 게임 (선택)
11	12장 프로젝트 1 : 미로 탈출하기 13장 프로젝트 2 : 도시 질주	• 프로젝트 준비와 계획, 프로젝트의 제작, 프로젝트의 평가 (프로젝트 1, 2 중 선택)
12	14장 프로젝트 3 : 전염병 예방을 위한 우리의 자세 15장 프로젝트 4 : 의학 용어 알아맞히기 퀴즈	• 프로젝트 준비와 계획, 프로젝트의 제작, 프로젝트의 평가 (프로젝트 3, 4 중 선택)
13	16장 프로젝트 5 : 로봇기자 만들기 17장 프로젝트 6 : mBlock을 이용한 감정인식	• 프로젝트 준비와 계획, 프로젝트의 제작, 프로젝트의 평가 (프로젝트 5, 6 중 선택)
14	프로젝트 발표	• 개인별/팀별 프로젝트 제작 결과 발표 및 보고서 제출
15	기말고사	

강.의.계.획

강의 계획표 (2 시수 기준)

주	장	내용
1	1장 컴퓨팅 사고 2장 문제해결	• 왜 컴퓨팅 사고인가?, 컴퓨팅 사고 교육, 읽을거리와 볼거리 • 일상생활에서 문제해결, 컴퓨터를 이용한 문제해결
2	3장 스크래치 소개 4장 블록 익숙해지기1 : 동작, 형태	• 스크래치 소개 • 동작, 형태 코딩 연습 및 단계적 문제해결
3	4장 블록 익숙해지기1 : 소리 5장 블록 익숙해지기2 : 이벤트	• 소리, 이벤트 코딩 연습 및 단계적 문제해결
4	5장 블록 익숙해지기2 : 제어, 감지	• 제어, 감지 코딩 연습 및 단계적 문제해결
5	6장 블록 익숙해지기3 : 연산, 변수	• 연산, 변수 코딩 연습 및 단계적 문제해결
6	6장 블록 익숙해지기3 : 내 블록 7장 블록 익숙해지기4 : 확장 기능	• 내 블록, 음악 코딩 연습 및 단계적 문제해결
7	7장 블록 익숙해지기4 : 확장 기능	• 펜, 비디오 감지, 텍스트 음성 변환과 번역 코딩 연습 및 단계적 문제해결
8	중간고사	
9	8장 문제해결 응용 실습 1	• 풍경 산책, 공 쌓기, sine-cosine 파형 그리기, 움직이는 장애물을 피해 보자. (선택)
10	9장 문제해결 응용 실습 2	• 작은별을 연주해!, 로봇 청소기, 영어 이름 맞히기 퀴즈 (선택)
11	9장 문제해결 응용 실습 2 10장 문제해결 응용 실습 3	• 보스를 잡아라!, 미세먼지를 줄이자, 벽돌깨기 게임 (선택)
12	10장 문제해결 응용 실습 3 11장 프로젝트 수행 방법	• 골프공 치기, 미니 그림판, 숫자맞히기 게임 (선택) • 프로젝트 수행 절차, 분야 사례 소개
13	12장 프로젝트 1 : 미로 탈출하기 13장 프로젝트 2 : 도시 질주 14장 프로젝트 3 : 전염병 예방을 위한 우리의 자세	• 프로젝트 준비와 계획, 프로젝트의 제작, 프로젝트의 평가 (프로젝트 1, 2, 3 중에서 선택)
14	15장 프로젝트 4 : 의학 용어 알아맞히기 퀴즈 16장 프로젝트 5 : 로봇기자 만들기 17장 프로젝트 6 : mBlock을 이용한 감정인식	• 프로젝트 준비와 계획, 프로젝트의 제작, 프로젝트의 평가 (프로젝트 4, 5, 6 중에서 선택)
15	기말고사	

C.O.N.T.E.N.T.S

PREFACE   v

강의 계획   vii

PART 1   컴퓨팅 사고와 문제해결   001

CHAPTER 1   컴퓨팅 사고   002

1. 왜 컴퓨팅 사고인가?   002

2. 정규 교육과정으로서 컴퓨터 교육   006

3. 무엇을 배울 것인가?   008

4. 책의 범위와 특성   010

5. 읽을거리와 볼거리   014

CHAPTER 2   문제해결   016

1. 소개   016

2. 일상생활에서 문제해결   017

3. 컴퓨터를 이용한 문제해결   020

4. 코딩   025

PART 2	문제해결을 위한 스크래치 코딩 기초	029

CHAPTER 3　　**스크래치 소개**　　030

1. 스크래치 시작하기　　030
2. 나만의 멀티미디어 만들기　　034
3. 프로젝트 공유하기　　036

CHAPTER 4　　**블록 익숙해지기 1 : 동작, 형태, 소리**　　037

1. 동작　　037
  1.1 소개　　037
  1.2 맛보기　　039
  1.3 코딩 연습　　043
  1.4 단계적 문제해결　　048
2. 형태　　051
  2.1 소개　　051
  2.2 맛보기　　053
  2.3 코딩 연습　　058
  2.4 단계적 문제해결　　062
3. 소리　　065
  3.1 소개　　065
  3.2 맛보기　　065
  3.3 코딩 연습　　067

C.O.N.T.E.N.T.S

CHAPTER 5 **블록 익숙해지기 2 : 이벤트, 제어, 감지** 069

1. 이벤트 069
   1.1 소개 069
   1.2 맛보기 070
   1.3 코딩 연습 078
   1.4 단계적 문제해결 081

2. 제어 087
   2.1 소개 087
   2.2 맛보기 088
   2.3 코딩 연습 095
   2.4 단계적 문제해결 099

3. 감지 101
   3.1 소개 101
   3.2 맛보기 103
   3.3 코딩 연습 107
   3.4 단계적 문제해결 110

CHAPTER 6 **블록 익숙해지기 3 : 연산, 변수, 내 블록** 114

1. 연산 114
   1.1 소개 114
   1.2 맛보기 115
   1.3 코딩 연습 126
   1.4 단계적 문제해결 128

2. 변수 131
   2.1 소개 131
   2.2 맛보기 132
   2.3 코딩 연습 137

2.4 단계적 문제해결   140

3. 내 블록   144

    3.1 소개   144

    3.2 맛보기   145

    3.3 코딩 연습   147

    3.4 단계적 문제해결   150

CHAPTER 7   **블록 익숙해지기 4 : 확장 기능**   156

1. 음악   156

    1.1 소개   156

    1.2 맛보기   158

    1.3 코딩 연습   159

    1.4 단계적 문제해결   165

2. 펜   169

    2.1 소개   169

    2.2 맛보기   170

    2.3 코딩 연습   171

    2.4 단계적 문제해결   173

3. 비디오 감지   176

    3.1 소개   176

    3.2 맛보기   176

    3.3 코딩 연습   178

    3.4 단계적 문제해결   183

4. 텍스트 음성 변환(TTS)과 번역   188

    4.1 소개   188

    4.2 맛보기   189

    4.3 코딩 연습   190

    4.4 단계적 문제해결   190

C.O.N.T.E.N.T.S

PART 3 | **문제해결 응용** | 195

CHAPTER 8 | **문제해결 응용 실습 1** | 196

1. 풍경 산책 | 196
2. 공 쌓기 | 198
3. sine-cosine 파형 그리기 | 202
4. 움직이는 장애물을 피해 보자 | 205

CHAPTER 9 | **문제해결 응용 실습 2** | 210

1. 작은별을 연주해! | 210
2. 로봇 청소기 | 214
3. 영어 이름 맞히기 퀴즈 | 218
4. 보스를 잡아라! | 222
5. 미세먼지를 줄이자 | 229

CHAPTER 10 | **문제해결 응용 실습 3** | 236

1. 벽돌깨기 게임 | 236
2. 골프공 치기 | 242
3. 미니 그림판 | 248
4. 숫자맞히기 게임 | 254

| PART 4 | 프로젝트를 통한 컴퓨팅 사고 향상 | 261 |

CHAPTER 11	**프로젝트 수행 방법**	262
	1. 컴퓨팅 사고와 프로젝트	262
	2. 프로젝트의 수행 절차	262
	3. 프로젝트의 분야 사례	265

CHAPTER 12	**프로젝트 1 : 미로 탈출하기**	266
	1. 프로젝트의 준비와 계획	266
	2. 프로젝트의 제작	269
	3. 프로젝트의 평가	276

CHAPTER 13	**프로젝트 2 : 도시 질주**	277
	1. 프로젝트의 준비와 계획	277
	2. 프로젝트의 제작	280
	3. 프로젝트의 평가	287

CHAPTER 14	**프로젝트 3 : 전염병 예방을 위한 우리의 자세**	288
	1. 프로젝트의 준비와 계획	288
	2. 프로젝트의 제작	289
	3. 프로젝트의 평가	301

C.O.N.T.E.N.S

CHAPTER 15 **프로젝트 4 : 의학 용어 알아맞히기 퀴즈**   302

  1. 프로젝트의 준비와 계획   302

  2. 프로젝트의 제작   306

  3. 프로젝트의 평가   320

CHAPTER 16 **프로젝트 5 : 로봇기자 만들기**   321

  1. 프로젝트의 준비와 계획   321

  2. 프로젝트의 제작   323

  3. 프로젝트의 평가   333

CHAPTER 17 **프로젝트 6 : mBlock을 이용한 감정인식**   334

  1. 프로젝트의 준비와 계획   334

  2. 프로젝트의 제작   336

  3. 프로젝트의 평가   343

INDEX   345

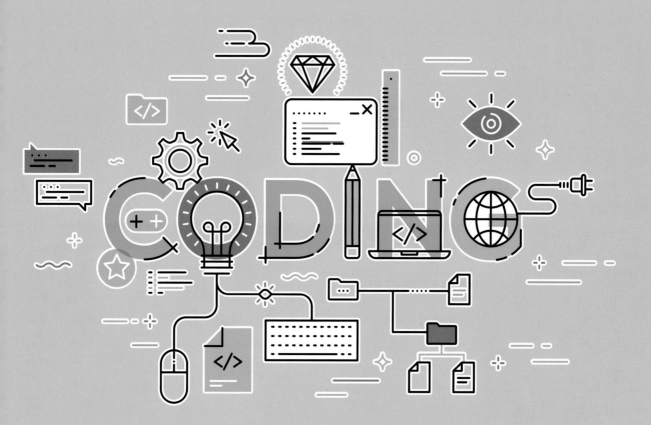

PART 1

컴퓨팅 사고와 문제해결

CHAPTER 1 컴퓨팅 사고

CHAPTER 2 문제해결

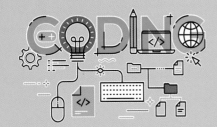

CHAPTER 1

컴퓨팅 사고

■ 컴퓨터는 누구에게나 유용한 보편 도구

컴퓨터는 아이부터 노인까지 누구나 사용하는 보편 도구가 되었다. 학생, 교사, 공무원, 예술가, 운동선수, 농부, 상인 등 직업에 상관없이 누구나 사용하는 필수적인 도구이다. 그림 1.1은 친구들과 게임을 즐기는 아이, 태블릿을 이용하여 화훼 농장에서 중요한 의사결정을 하는 농부, 의료 영상을 보고 진단을 하는 영상의학과 의사를 보여준다.

그림 1.1 보편 도구로서 컴퓨터

예전과 달리 컴퓨터의 형태가 매우 다양해졌다. 누구나 주머니에 넣고 다니는 스마트폰, 가방에 넣고 다니는 태블릿 컴퓨터와 노트북 컴퓨터, 책상에 올려놓고 쓰는 데스크톱 PC(personal computer) 등은 우리가 일상에서 자주 접하는 컴퓨터이다.

그림 1.2 일상에서 접하는 컴퓨터 (스마트폰, 태블릿, 노트북, 데스크톱)

이제는 몸에 부착하는 '입는 컴퓨터(wearable computer)'가 점점 확산되고 있다. 가장 간단한 형태로는 손목에 차는 시계 형태의 컴퓨터가 있다. 시간을 알려주는 기본 기능 외에 문자 보내기와 음성 통화가 가능하고 혈압, 맥박, 수면 상태, 산책한 거리 등을 기록하여 헬스케어 도우미 역할을 톡톡히 한다. 가상현실 도구는 가상으로 만든 인체 내부 영상을 디스플레이에 보여줌으로써 의사의 판단을 도와준다. 장애인의 몸에 부착되어 정상적인 생활을 돕는 입는 컴퓨터도 점점 보편화되고 있다. 특수한 직업인을 위한 입는 컴퓨터도 있다. 위험한 불길에 뛰어든 소방수의 목숨을 지켜주기 위해 주위 환경을 자동으로 인식하여 탈출로를 안내해주는 옷을 예로 들 수 있다. 이 경우에는 주위 환경을 자동으로 인식할 수 있는 인공지능 소프트웨어가 옷에 내장되어야 한다.

그림 1.3 입는 컴퓨터

전세계 사람을 대상으로 서비스하는 검색 사이트, 계산 속도가 매우 중요한 기상청의 날씨 예보 등을 위해서는 메인프레임 컴퓨터 또는 슈퍼컴퓨터를 사용한다. 그림 1.4의 왼쪽 그림은 프레임을 세 개 쌓은 IBM Z15 메인프레임 컴퓨터인데, 가격에 따라 1개부터 4개까지 쌓을 수 있다. 그림 1.4의 오른쪽 그림은 전세계에서 가장 빠른 슈퍼컴퓨터를 선정하는 TOP500이라는 대회에서 2020년에 1등을 차지한 일본의 후가쿠(Fugaku) 슈퍼컴퓨터이다. 속도는 대략 500페타플롭스이다.[1] 검색 서비스가 느리면 사용자가 떠날 것이고, 기상청의 경우 아무리 정확한 예보를 내놓더라도 시간이 지나버리면 쓸모없는 정보가 되기 때문에 빠른 계산은 무척 중요하다. 보통 사람이 이런 큰 용량의 컴퓨터를 직접 사용할 일은 거의 없다. 하지만 이런 컴퓨터가 처리해주는 정보를 사용하는 일은 거의 매일 매일 누구에게나 일어나고 있다.

그림 1.4 메인프레임과 슈퍼컴퓨터
(왼쪽은 IBM Z15 메인프레임 컴퓨터, 오른쪽은 후가쿠 슈퍼컴퓨터)

---

1   플롭스(FLOPS : floating-point operations per second)는 컴퓨터의 속도를 재는 단위로서 초당 실수 연산의 수를 뜻한다. kilo는 10^3(1000), mega는 10^6(100만), giga는 10^9(10억), tera는 10^{12}(1조), peta는 10^{15}(1000조)을 뜻한다. 따라서 500페타플롭스 컴퓨터는 초당 50경 개의 실수 연산을 수행한다.

■ 컴퓨터는 누구나 알아야 하는 보편 도구

우리가 일상에서 사용하는 도구는 잘 알아야 더 잘 쓸 수 있다. 좋은 목수는 연장의 원리와 나무의 성질을 이해하고, 뛰어난 카레이서는 자신이 타는 자동차의 원리와 특성을 속속들이 알고 있다. 잘 알아야 더 잘 활용할 수 있기 때문이다.

컴퓨터라는 도구도 마찬가지이다. 컴퓨터는 이제 누구나 사용하는 보편 도구이기 때문에 누구나 잘 알아야한다는 주장은 꽤 설득력이 있다. 이제 누구나 클라우드 컴퓨팅을 사용하게 되었고, 컴퓨터끼리 무선으로 메시지를 전달하는 무선 인터넷이 중요해졌고, 인공지능은 인류의 삶을 뒤흔들고 있다. 컴퓨터 교육을 보편화해야 하는 이유를 꼽아보자.

첫째, 우수한 인재가 컴퓨터 공학 분야로 진출하는 일이 전 인류를 위해 중요해졌다. 미국이나 유럽에 있는 국가들이 예전에 비해 초중고의 컴퓨터 교육에 더 많은 시간을 배정하고 더 많은 예산을 투입하는 이유이다. 컴퓨터 교육을 통해 상상력을 키우고 기초 소프트웨어 제작 기술을 갖춘 다음에 대학의 컴퓨터 공학 분야 전공에 진출하는 일을 매우 중요하게 보고 있다. 대표적인 초중고 컴퓨터 교육 연합체로 미국을 중심으로 활동하는 CSTA(computer science teachers association, https://csteachers.org/)를 들 수 있다. CSTA는 초중고 컴퓨터 교육의 중요성을 인식하고 실천하는 교사들의 모임으로서 컴퓨터 교육 콘텐츠 개발, 워크숍 개최 등의 다양한 활동을 펼치고 있다.

둘째, 물리나 생물, 농학, 경제학, 의학, 인문학, 예술을 전공하는 대학생이 컴퓨터라는 도구의 원리를 잘 이해하고 잘 활용한다면 자신의 업무를 훨씬 효율적으로 처리할 수 있을 뿐만 아니라 자신의 전공을 더욱 발전시킬 수 있다. 예를 들어, 인공지능 기술을 이용하여 태양광 발전량을 예측할 수 있다면 효율적으로 전력을 관리하는 길이 열린다. 인공지능 의료 기술을 잘 활용하는 의과대학 학생은 보다 훌륭한 의사로 성장할 수 있다. 컴퓨터 기술을 잘 활용하는 농과대학 학생은 스마트팜 농장을 성공적으로 운영할 수 있다. 경제학과 학생은 경기를 예측하여 수익률을 높이거나 어떤 정책이 국민에게 얼마나 좋은 효과를 낼지에 대한 추정을 꽤 정확하게 수행할 수 있다. 예술을 전공하는 학생은 인공지능이 작곡한 곡이나 인공지능이 그린 그림을 통해 자신만의 새로운 장르를 개척할 수 있을 것이다. 비디오가 보편화되는 시대로 전환되는 시기에 비디오아트라는 독특한 예술 장르가 탄생한 사례를 생각해볼 수 있다. 가령 수묵화에 인공지능이 그리는 패턴을 융합함으로써 새로운 장르를 개척할 수 있을 것이다. 그림 1.5는 사진에 인공지능을 이용하여 지정한 화풍을 섞어 예술적인 영상으로 변환한 그림이다. 이러한 융합 교육은 이미 대학에서 광범위하게 진행되고 있다.

셋째, 소프트웨어 중심 사회의 실현이다. 컴퓨터는 물리적 장치인 하드웨어보다 하드웨어 위에서 실행되는 소프트웨어가 더 중요한 시대가 되었다. 이제 누구나 스마트폰, 태블릿, 노트북에 캘린더, 메모장, 그림판, 건강관리, 게임, 교육, 유튜브 등의 응용 프로그램, 즉 앱을 설치하여 사용한다. 단지 사용자에 머물지 않고, 자신이 사용하는 앱의 제작 원리를 이해하거나 필요한 앱을

그림 1.5　예술 융합 사례: 인공지능을 이용하여 사진에 지정한 화풍을 섞어 변환한 그림

스스로 만들 수 있는 시민이 많은 사회를 소프트웨어 중심 사회라 부를 수 있다. 이런 사회적 인 프라는 그 사회의 소프트웨어 생산 능력을 증대시킬 것이고 결국 첨단 기술을 주도하게 되어 경제 발전의 원동력으로 작용할 것이다.

> **⊙ 실습문제**
>
> - 세계 최초의 전자식 컴퓨터인 에니악(ENIAC)과 후가쿠 슈퍼컴퓨터의 속도를 비교하시오.
> - 그림 1.5는 딥드림 사이트(https://deepdreamgenerator.com/)에서 제작한 그림이다. 딥드림 사이트에 접속한 다음 좋아하는 사진을 업로드하고 선호하는 화풍을 적용하여 그림을 제작해 보시오. 무료이지만 무료로 시도할 수 있는 회수가 제한되어 있으니 신중하게 적용한다.

전세계의 대부분 학교에서는 수학, 국어, 물리, 화학, 생물을 배우는 일을 중요하게 생각하고 많은 시간을 들여 교육한다. 이제는 컴퓨터 교육이 이들 과목 못지않게 중요한 시대가 되었다. 미국, 영국, 프랑스 등의 선진국은 이러한 상황을 인지하고 컴퓨터 교육에 많은 시간과 예산을 배정하고 있다. 이들 나라는 초중고에서 소프트웨어 교육을 필수 또는 선택으로 지정하여 소프트웨어 조기 교육을 실행하고 있다.

■ 초중고 소프트웨어 교육

우리나라도 소프트웨어 교육의 중요성을 깨닫고 초중고 소프트웨어 교육에 투자를 하고 있다. 이전에는 주로 전산 개론이나 컴퓨터 활용 교육에 치중했는데 최근에는 코딩 교육 또는 컴퓨팅 사고 교육으로 전환하고 있다. 하지만 2015년에 발표한 교육 과정에 따르면 초등학교에서는 실과 과목에서 소프트웨어 기초 교육 17시간 이상, 중학교에서는 정보 과목에서 34시간 이상, 고등학교는 정보 과목을 일반 선택으로 지정하고 있어 실효성에 한계가 있다는 평가이다. 방과 후 교육에서는 소프트웨어 교육을 선택하는 학생 비율이 비교적 높은 편인데, 주로 소프트웨어 활용 교육 또는 스크래치 또는 앱인벤터를 사용한 코딩 교육이 주류를 이루고 있다.

우리나라 정부는 2014년부터 초중고를 대상으로 소프트웨어 선도 학교를 선정하여 예산을 지원하고 있다. 2020년에는 2011개 학교를 선정하였는데 이중 247개교는 인공지능 조기 교육의 중요성을 감안하여 AI 시범학교로 지정하였다. 이런 내용을 포함하여 우리나라 초중고 소프트웨어 교육의 현황을 살피려면 http://www.software.kr에 접속하면 된다. 초중고에서 사용하고 있는 교과서와 교육 콘텐츠, 체험 활동 등의 다양한 자료를 구할 수 있다.

■ 대학에서 소프트웨어 교육

대학에서의 소프트웨어 교육은 비교적 활발한 상황이다. 전산 개론 위주의 교육이 스크래치, 앱인벤터, 파이썬, C 등의 언어를 이용한 코딩 교육으로 전환되었다. 특히 소프트웨어 중심대학 사업이 출범한 2015년부터 컴퓨팅 사고 교육의 중요성이 전국으로 확산되었다. 최근에는 융합 교육의 중요성이 확산되었는데, 소프트웨어 기술이 다른 학문 분야의 기술과 접합하여 새로운 경쟁력을 창출하는데 중심 역할을 수행해야 한다는 인식이 점점 커지고 있다. 이러한 인식에 따라 전교생이 소프트웨어 과목을 필수로 이수한다거나 기존 학과가 소프트웨어 융합 교육으로 전환하는 사례가 증가하고 있다. 그림 1.6은 이런 추세를 보여준다.

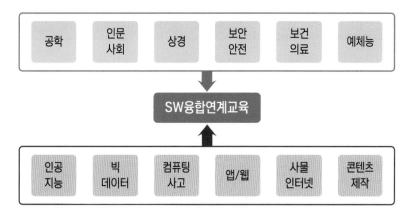

그림 1.6 소프트웨어 융합 교육의 확산

■ 하버드 대학교의 CS50

CS50은 하버드 대학교가 비전공자를 위해 개설한 컴퓨터 과학 과목이다. 2016년 기준으로 800명의 하버드 대학교 학생이 수강하는 하버드에서 수강 학생 규모가 가장 큰 유명한 과목이다. 강의 비디오가 edX에 공개되어 있어, 전세계 누구나 시청할 수 있고 강의 콘텐츠를 무료로 활용할 수 있다. 2016년부터는 미국 고등학생이 대학 교과과정을 미리 이수하는 AP(Advanced Placement) 코스로 활용되고 있다. 교육 내용은 표 1.1과 같다.

표 1.1 CS50의 교육 내용

수준	단원	내용
기본 과정	컴퓨터와 컴퓨팅	컴퓨터가 동작하는 원리와 최신 기술의 동향
	알고리즘 기초	정보를 효율적으로 처리하기 위한 정렬과 탐색 방법
	프로그래밍 기초	C언어를 이용하여 핵심적인 문법과 프로그래밍 방법
심화 과정	프로그래밍 응용	C언어를 이용한 효율적인 프로그래밍
	인터넷과 네트워크	전세계가 연결될 수 있게 만드는 인터넷 네트워크
	웹 프로그래밍	웹 프로그래밍을 하기 위한 기초

하버드 대학교 학생은 CS50을 수강한 이후에 CS50 웹 프로그래밍, CS50 파이썬을 이용한 인공지능 기초, CS50 게임 개발 기초, CS50 리액트 네이티브를 이용한 앱 개발 기초 과목을 추가로 수강할 수 있다.

국내에서는 네이버 커넥트 재단이 CS50 강의 콘텐츠를 한글로 번역하여 제공한다. 공부하려면 https://www.edwith.org/cs50에 접속하면 된다.

학교에서 이루어지는 교육은 현실적으로 교사, 장비, 수업 시수라는 측면에서 제한될 수 밖에 없다. 따라서 학생들이 무엇을 배워야 가장 효과적일지 면밀히 살펴야만 한다. 크게 컴퓨터공학 전반을 얕은 수준으로 훑어주는 전산 개론 위주, 워드프로세서나 스프레드시트 등 자주 사용하는 소프트웨어 사용법을 가르치는 OA 사용법 위주, 프로그래밍을 집중적으로 훈련하는 코딩 위주, 컴퓨터로 문제를 해결하는 방법을 가르치는 컴퓨팅 사고 위주로 구분할 수 있다. 대체적으로 컴퓨터 교육은 이들 순서에 따라 시대적인 흐름을 이어왔다고 볼 수 있다. 현재는 컴퓨팅 사고 위주의 교육이 주류를 이룬다.

▪ 전산 개론 위주의 교육

컴퓨터는 하드웨어와 소프트웨어로 구성된다. 이런 사실에 따라 하드웨어의 구성 요소와 작동 원리, 수의 표현과 연산 장치 등을 배운다. 소프트웨어 제작에 필요한 프로그래밍 언어, 자료구조와 알고리즘, 운영체제, 데이터베이스, 네트워크 등의 이론을 배운다. 이런 내용은 컴퓨터공학을 전공하는 학생이 4년 동안 배우는 것으로서, 전산 개론 위주의 교육은 컴퓨터공학의 4년 교육 과정을 축약한 내용을 가르친다고 볼 수 있다. 컴퓨터공학의 전반에 대한 기초적인 안목을 갖출 수 있다는 장점이 있다. 하지만 학생들이 가장 지루해하고 가장 싫어하는 교육 방식이다.

▪ OA 사용법 위주의 교육

가장 널리 사용되는 소프트웨어는 사무자동화(OA, office automation)와 관련이 있다. 문서 작성을 위한 워드프로세서, 표 계산을 주로 하는 스프레드시트 프로그램, 발표 자료를 만들 때 사용하는 프레젠테이션 프로그램, 데이터베이스를 만들 때 쓰는 데이터베이스 관리시스템 등이다. 이들 소프트웨어는 배우기 쉬워 거의 모든 학생이 다룰 수 있는데, 배워두면 유익한 숨겨진 기능들이 많다. 구입한 전자 제품을 한동안 무심코 사용하다가 나중에야 유용한 기능을 깨닫고 '이런 기능도 있네'하면서 그제서야 제대로 사용하게 되는 경우에 비유할 수 있다. OA 위주의 교육은 컴퓨터를 유용한 도구로 활용할 수 있게 된다는 장점이 있다. 하지만 컴퓨터 교육을 통해 학생들의 상상력을 키운다는 측면과 잠재적인 컴퓨터공학자를 양성한다는 측면에서는 부정적인 효과가 나타날 가능성이 있다.

■ 코딩 위주의 교육

컴퓨터 프로그래밍을 집중적으로 가르치는 방식이다. 데이터 표현과 변수, 연산 명령어, 입출력 명령문, 선택문, 반복문, 함수 등의 프로그래밍 구성 요소를 가르치며, 이들을 조합하여 특정 기능을 가진 프로그램을 코딩하는 실습을 한다. 코딩에 사용하는 언어는 크게 블록을 끌어다 서로 끼워 맞춤으로써 코딩하는 비주얼 언어와 문자열을 입력하여 코딩하는 텍스트 기반 언어로 나눌 수 있다. 비주얼 언어로는 주로 스크래치, 엔트리, 앱인벤터를 사용하고, 텍스트 기반 언어로는 파이썬을 주로 사용한다. 코딩 위주의 교육은, 주어진 문제를 코딩하려면 먼저 알고리즘을 구상해야하므로 논리적 사고력과 상상력을 키울 수 있는 장점이 있다. 또한 잠재적 컴퓨터공학자 양성에 도움이 되는 장점이 있다. 하지만 사고력보다 문법 위주의 교육에 치우칠 우려가 있다.

■ 컴퓨팅 사고 교육

컴퓨팅 사고(computational thinking)에서는 코딩보다 사고력 증진에 초점을 맞춘다. 예를 들어, 코딩을 완전히 배제한 채 간단한 교구를 사용하여 교육하는 언플러그드 방식을 사용할 수도 있다. 그림 1.7(a)는 언플러그드 방식의 교육을 보여준다.

그림 1.7(b)는 스크래치 언어를 이용한 컴퓨팅 사고 교육을 보여준다. 이때 중요한 점은, 스크래치 언어를 익숙하게 사용하는 수준에 도달하는 것이 목표가 아니라 스크래치 코딩은 단지 사

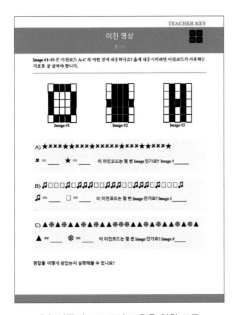
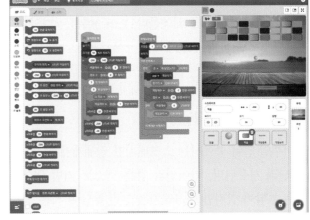

(a) 언플러그드 코딩 교육을 위한 교구	(b) 스크래치 언어를 이용한 교육

출처: https://curriculum.code.org/csf-20/coursed/16/

그림 1.7 컴퓨팅 사고를 위한 다양한 교육 방식

고력 증진을 위한 도구라는 인식이다. 학생은 문제를 해결해 나가는 과정에서 스스로 생각하고 해결책을 구상해야 한다. 코딩은 학생의 사고 과정을 돕는 역할을 하고, 자신이 구상한 아이디어를 실제 제품으로 만들어 봄으로써 성취감과 흥미를 돕는다. 컴퓨팅 사고 위주 교육의 장점은 문제해결력을 키움으로써, 자신의 전공에서 발생하는 문제를 컴퓨터를 활용하여 해결하는 능력을 갖추게 된다는데 있다.

이 책은 스크래치 언어를 도구로 사용하여 컴퓨팅 사고력을 증진하는데 초점을 맞추고 있다. 아주 다양한 문제를 제시하며, 문제를 해결해 나가는 과정, 즉 알고리즘을 설계하고 스크래치로 구현하는 과정을 중요하게 다룬다. 특히 프로젝트 문제를 해결해 봄으로써 자신의 전공과 융합하는 문제해결 능력을 키워준다.

> ## 실습문제

- 자신의 전공 또는 희망하는 향후 진로에 비추어 만들어보고 싶은 프로그램을 구상해 보시오. 프로그램의 이름을 제시하고 기능을 나열하시오. 대표적인 화면을 2~3장 스케치해 보시오.

④ ▸▸ • 책의 범위와 특성

3절 마지막 문단에서 언급했듯이, 이 책은 스크래치 언어를 도구로 사용하여 컴퓨팅 사고를 가르친다. 이 책의 Part 2에서는 스크래치가 제공하는 다양한 블록을 소개하고 코딩해봄으로써 컴퓨팅 사고력의 기초를 배양한다. Part 3에서는 다양한 문제를 제시하고 해결해 나가는 과정을 단계적으로 설명한다. Part 4에서는 프로젝트 수행을 통해 자신의 전공 분야에 컴퓨팅 사고를 융합하는 훈련을 한다.

▪ 스크래치 코딩

비주얼 언어 중에서는 스크래치가 전세계에서 가장 널리 사용된다. 컴퓨팅 사고 교육에서도 가장 널리 사용된다. 파이썬과 같은 텍스트 기반 언어는 사고력 증진 이전에 문법을 먼저 배워야 하는 부담이 있지만 스크래치는 그런 부담이 적은 장점이 있다.

또한 스프라이트라는 아이콘 영상, 배경 영상, 음향 효과를 내주는 소리 파일 등을 내부에 가지고 있어 게임이나 멀티미디어 소프트웨어를 쉽게 개발할 수 있는 장점이 있다. 나만의 영상이나 소리 파일을 편집할 수 있는 기능도 제공된다.

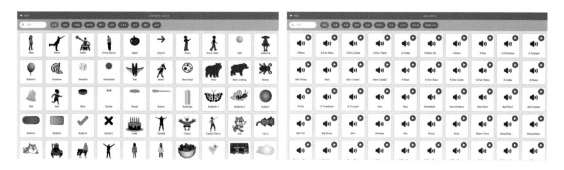

그림 1.8 스크래치 언어가 제공하는 다양한 멀티미디어 요소들

스크래치 언어는 블록이 제공하는 기능만 사용할 수 있는 한계가 있다. 따라서 섬세한 기능이 요구되는 소프트웨어를 제작할 때는 적절하지 않다. 반면 파이썬 언어는 스크래치에 비해 배우기 어려운 편인데, 섬세한 기능까지 코딩할 수 있는 장점이 있다. 스크래치 언어를 통해 컴퓨팅 사고와 코딩 스킬을 익힌 다음에 파이썬 언어를 배운다면 효과적인 배움의 길이 될 것이다.

■ 컴퓨팅 사고력 증진

Part 2에서는 프로그래밍 경험이 전혀 없는 학생이 소화할 수 있는 쉬운 수준의 문제를 가지고 컴퓨팅 사고력을 증진한다. 스크래치가 제공하는 블록은 기능별로 동작, 형태, 소리, 이벤트, 제어, 감지, 연산, 변수, 내 블록으로 구분되어 있는데, 이 순서대로 설명한다. 블록 기능 각각에 대해, 블록 소개 → 맛보기 → 코딩 연습 → 단계적 문제해결을 순서대로 제시한다.

블록 소개에서는 사용 가능한 블록과 기능을 나열한다. 맛보기에서는 블록의 기능을 이해하는 데 도움이 되는 간단한 실습을 수행한다. 몇 개의 실습 문제를 풀어봄으로써 반복 학습을 통해 블록에 익숙해지도록 한다. 코딩 연습에서는 여러 개의 블록을 사용해야 해결할 수 있는 수준의 연습 문제를 풀어봄으로써 문제해결의 기초 실력을 배양한다. 단계적 문제해결에서는 좀 더 높은 수준의 문제를 해결해봄으로써 문제해결 능력을 강화한다.

Part 3에서는 학생들의 흥미를 자극할만한 다양한 문제를 제시한다. 대표적인 몇 가지 문제를 요약하면 다음과 같다. 그림 1.9는 이들 문제에 해당하는 프로그램의 실행 화면이다.

- 보스를 잡아라 (나의 분신 Wizard Girl이 보스를 물리치는 슈팅 게임)
- 로봇 청소기 (센서를 사용해 이동 경로를 계산하며 청소하는 로봇 청소기)
- 미세먼지를 줄이자 (하늘에 있는 미세먼지를 잡고 나무를 심어 미세먼지를 줄이는 게임)
- 숫자맞히기 게임 (나와 로봇이 상대방이 생각한 숫자를 맞히는 게임)
- 골프공 치기 (골프채로 공을 치면 공이 날아가는 모습을 보여주는 시뮬레이션)
- 미니 그림판 (마우스로 펜의 굵기와 색깔을 선택하여 그리는 그림판)

보스를 잡아라

미세먼지를 줄이자

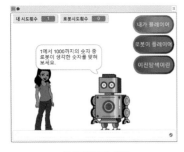
숫자맞히기 게임

골프공 치기

미니 그림판

그림 1.9   Part 3에서 배우는 프로그램의 실행 화면

■ 융합 프로젝트

Part 4에서는 몇 주의 시간을 들여 풀어야 하는 규모의 프로젝트 문제를 다룬다. 게임 영역, 재난 예방 영역, 전공 융합 영역, 4차 산업혁명 영역 등에서 주제를 찾고 일정을 짜서 프로젝트를 완성해가는 과정을 다룬다. 프로젝트의 준비와 계획 → 프로젝트의 제작 → 프로젝트의 평가 과정을 거친다. 프로젝트를 마무리하는 단계에서 문서화를 하도록 유도한다. Part 4에서 제시하는 프로젝트는 다음과 같다. 그림 1.10은 해당 프로젝트의 실행 화면이다.

- 미로 탈출하기 (게임 프로젝트)
- 도시 질주 (게임 프로젝트)
- 전염병 예방을 위한 우리의 자세 (재난 예방 프로젝트)
- 의학용어 알아맞히기 퀴즈 (전공 융합 프로젝트)
- 로봇기자 만들기 (전공 융합 프로젝트)
- mBlock을 이용한 감정인식 (4차 산업혁명 프로젝트)

미로 탈출하기

도시 질주

전염병 예방을 위한 우리의 자세

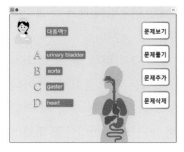
의학용어 알아맞히기 퀴즈

로봇기자 만들기

mBlock을 이용한 감정인식

그림 1.10 Part 4에서 배우는 프로그램의 실행 화면

융합 프로젝트의 목적 중 하나는 자신의 전공과 컴퓨팅 사고를 융합하는 능력을 배양하는 것이다. 중간고사 이후에 자신의 흥미 또는 전공 분야에 따라 프로젝트 주제를 선정하고 2~5주에 걸쳐 프로젝트를 완성하는 과정을 밟을 수 있다. 예를 들어 간호학과 학생은 코로나 감염을 예방하는 시나리오를 작성하고 스크래치로 코딩하여 프로젝트를 완성할 수 있다. 한의학을 전공하는 학생은 한의학 관련한 용어 목록을 만들고 스크래치로 퀴즈 프로그램을 만들 수 있다. 특수교육학과 학생은 시각 장애를 가진 학생들이 사용할 수 있는 다양한 음성과 음향 효과를 지원하는 게임 프로젝트를 제작할 수 있다.

▪ 읽을거리

- **<(월간)SW 중심사회> 소프트웨어정책 연구소:** 매월 발간되는 잡지로서 https://spri.kr에 접속하면 무료로 볼 수 있다. 소프트웨어에 관련된 국내외 뉴스를 시의성있게 전달하며, 소프트웨어 정책과 발전 방향에 대한 전문가 의견을 제공한다. 최근에는 인공지능 관련 기사를 많이 제공한다.

- **<미첼 레스닉의 평생 유치원> 미첼 레스닉:** 스크래치 언어를 개발한 MIT 연구팀의 레스닉 교수의 저술이다. 이 책의 소개는 KAIST 정재승 교수의 추천사로 대신한다.

  "우리나라 학교의 가장 심각한 문제는 '이제 더 이상 공부 안 해도 돼서 너무 좋다!'고 외치는 어른들을 세상에 내보내고 있다는 사실이다. 지식을 뇌에 주입하는 것이 중요한 게 아니라, 세상에 필요한 지식을 언제라도 습득할 수 있는 '평생 학습자'를 길러내는 것이 제 역할이다. 나만의 생각을 만들 줄 알고, 타인의 생각에 열려 있으며, 자신의 아이디어를 구체적으로 만들고 실행에 옮길 수 있는 지성인을 길러야 한다. 그게 가능하냐고? 너무 이상적이지 않냐고? 그것이 가능하다는 것을 보여준 증거가 바로 이 책에 담겨 있다. 우리는 이 책에서 '미래세대를 위한 교육'에 관해 그 대안과 철학을 발견할 수 있다."

- **<컴퓨터과학이 여는 세계> 이광근:** 서울대학교의 '컴퓨터과학이 여는 세계'라는 교양 과목에서 사용하는 교과서이다. 컴퓨터 탄생의 기원과 컴퓨터 동작의 근본 원리, 소프트웨어를 만드는데 필요한 알고리즘과 언어, 소프트웨어의 응용을 설명한다. 유튜브에서 '컴퓨터과학이 여는 세계'를 검색하면 한 학기 분량의 강의 동영상을 시청할 수 있다.

- **<AI 최강의 수업> 김진형:** 인공지능의 최신 기술을 대중이 이해할 수 있는 수준으로 설명한다. 인공지능이 우리 삶에 어떻게 영향을 미치는지, 인공지능은 어떻게 구현되는지, 인공지능이 경제와 일자리에 미치는 영향과 교육의 중요성, 인공지능 윤리 등을 설명한다.

▪ 볼거리

- **<Lets teach kids to code> 미첼 레스닉 교수의 TED 강연:** 스크래치 언어를 개발한 MIT 연구팀의 레스닉 교수의 유명한 비디오 강연이다. 스크래치가 학생뿐 아니라 일반인의 상상력 증진에 어떻게 기여하는지 사례를 가지고 설명한다. 일반인에게 읽기와 쓰기가 중요하듯 코딩이 중요하다는 사실을 강조한다.

- **<A 12-year-old app developer> 토마스 슈어즈의 TED강연:** 12살의 앱 개발자 슈어즈의 비디오 강연으로서 1200만 회 이상 시청한 아주 유명한 강연이다. 청중들의 웃음을 자아내는 "요즘 기술적인 부분에서는 선생님들 보다 학생들이 조금 더 잘 알고 있습니다"라는 대사는 시대 흐름을 잘 표현한다.

- <Why programming is important?> code.org 제공 비디오: 유튜브에서 검색하여 시청할 수 있다. 빌 게이츠, 마크 저커버그 등이 등장하여 프로그래밍의 흥미로움과 중요성을 이야기한다.
- **농업 인공지능**: 소프트웨어가 다른 산업과 융합하여 미래를 창조하는 사례로서 농업을 살펴볼 수 있다. 유튜브에서 다양한 비디오를 시청할 수 있다. 자율주행 트랙터 'The CNH Industrial Autonomous Tractor Concept', 딸기 따는 로봇 'Strawberry picking robot', 드론을 이용한 농업 'Agricultural drone'을 추천한다.

 실습문제

- 볼거리 중 하나를 시청하고 500자 가량의 에세이를 작성하시오.

CHAPTER 2

문제해결

① ▸▸ 소개

　인간의 삶은 문제해결(problem solving)로 가득 차 있다. 첫째, 일어나서부터 잠들기까지 일상생활에서 발생하는 문제를 해결한다. 아침에 일어나서 '세수하기'라는 문제를 해결하고 '아침 먹기'라는 문제를 해결한다. 학교에서는 '529의 제곱근은?'과 같은 수학 문제, 'April is the cruelest month'를 한글로 번역하는 영어 문제를 해결한다. 때로 난생 처음 해보는 요리로서 '소고기무국 끓이기'라는 문제를 해결해야하는 경우도 있다. 이런 일상생활 속의 문제해결은 아주 익숙하여 문제를 해결하는 방법이 몸에 밴 경우가 있다. 세수하기가 대표적이다. 하지만 방법을 새로 배우거나 고안해야만 하는 경우도 있다. 소고기무국 끓이기가 대표적이다.

　둘째, 현대에는 컴퓨터라는 도구를 사용하여 문제를 해결하는 경우가 점점 많아진다. 선생님은 엑셀을 사용하여 '성적처리'라는 문제를 해결하고, 학생은 워드프로세서를 사용하여 '보고서 작성'이라는 문제를 해결한다. 코딩을 배우는 학생은 '소수의 개수를 알아내는 프로그램을 작성'하는 문제와 '벽돌깨기 게임 프로그램을 작성'하는 문제를 해결하고, 인공지능 학자는 '자율주행차에 장착할 도로 인식 프로그램을 개발'하는 문제를 해결한다.

　첫 번째 경우는 인간의 특기인 논리적 사고를 통해 문제해결을 한다. 두 번째 경우는 인간의 논리적 사고에 컴퓨터 기술을 추가로 적용하여 문제를 해결하는데, 이 사고 과정을 컴퓨팅 사고

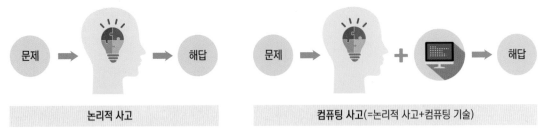

| 논리적 사고 | 컴퓨팅 사고(=논리적 사고+컴퓨팅 기술) |

(a) 논리적 사고를 통한 문제해결 　　　　　(b) 컴퓨팅 사고를 통한 문제해결

그림 2.1　문제해결 과정

라 부른다. 이 책은 컴퓨팅 사고(computational thinking)를 '컴퓨터를 이용하여 문제를 해결하는 사고 과정'이라고 정의한다. 그림 2.1은 논리적 사고를 통한 일상생활 속의 문제해결과 컴퓨팅 사고를 통한 문제해결을 비교하여 설명한다.

사람이 일상생활에서 발생하는 문제를 해결하는 과정과 컴퓨터를 이용하여 문제를 해결하는 과정, 즉 컴퓨팅 사고는 공통된 특성도 있고 서로 다른 특성도 있다. 2절에서 우리에게 익숙한 일상생활 속의 문제해결을 먼저 생각해본 다음, 3절에서 이 책의 주제인 컴퓨팅 사고에 대해 살펴본다.

② ·· ● 일상생활에서 문제해결

인간은 알게 모르게 하루 종일 아주 많은 문제를 해결하며 살아간다. 앞에서 예시한 '아침 먹기'에 대해 생각해보자. 아침 먹기는 일상적인 일이기 때문에 문제해결이라는 거창한 용어를 붙이는 것이 어색할 수 있지만, 우리가 해결해야할 문제이고 우리는 여러 가지 방법을 동원하여 매일 이 문제를 해결한다.

■ 분해

아침 먹기라는 원래 문제를 먹을 것 준비, 마실 것 준비, 식탁 차리기, 설거지라는 네 개의 세부 문제로 쪼갠다. 아침 먹기라는 큰 문제를 보다 작은 여러 세부 문제로 분해(decomposition)하면 세부 문제는 해결이 좀 더 쉬워진다. 그림 2.2는 이렇게 분해된 문제를 보여준다. 사람은 이처럼 큰 문제를 해결이 쉬운 세부 문제로 분해하는데 능숙하다.

그림 2.2 문제 분해

필요하면 먹을 것 준비라는 세부 문제를 더 작은 세부 문제, 즉 토스트 굽기와 계란 프라이 만들기로 분해할 수도 있다. 마실 것 준비라는 세부 문제는 주스 짜기와 커피 내리기라는 더 작은 세부 문제로 분해한다. 식탁 차리기라는 문제는 식탁 닦기, 수저와 접시 놓기라는 더 작은 문제로 분해할 수 있다. 분해된 문제는 계층 구조를 가지는데, 맨 위에는 원래 문제가 있고 아래로 내려가면서 더 작은 문제가 배치된다. 그림 2.3은 분해된 문제의 계층 구조를 보여준다.

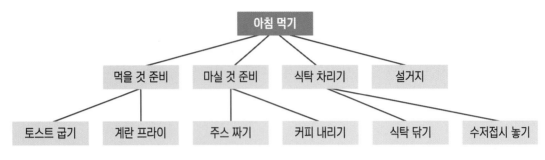

그림 2.3 분해된 문제의 계층 구조

■ 추상화

주방을 책임지는 엄마는 추상화(abstraction)를 한다. 먹을 것 준비라는 세부 문제까지만 생각을 하고, 어떤 요리를 만들 지에 대한 구체적인 내용은 생각하지 않는다. 그리고 먹을 것 준비라는 세부 문제를 아빠에게 맡긴다. 세부 문제를 의뢰받은 아빠는 구체적인 내용을 생각해야 한다. 오늘은 토스트와 계란 프라이를 만들겠다고 구체적으로 결정하고 실행에 옮긴다.

아빠 수준에서도 추상화가 발생한다. 제과점에서 사온 식빵을 냉장고에서 꺼내 토스터기에 넣고 굽기 시작하지, 토스트를 만들기 위해 밀가루에 물을 붓고 반죽하는 매우 세부적인 일부터 시작하지 않는다. 토스터기에 빵을 넣고 전원 버튼을 누르고 다이얼을 돌려 가열 온도를 조절하면 그만이다. 다이얼을 돌렸을 때 기계 내부에서 무슨 일이 일어나는지에 대한 구체적인 내용은 신경쓰지 않는다. 이와 같이 추상화도 여러 수준으로 계층화 되어 있다.

우리 주위는 온통 추상화 투성이다. 스마트폰의 화면에 있는 아이콘만 클릭하면 뮤직 비디오를 볼 수 있고, 벽에 있는 스위치를 올리기만 하면 방에 불이 들어오고, 자동차의 브레이크 페달을 밟기만 하면 차가 멈춘다. 구체적인 내용을 감추는 추상화는 문제해결을 쉽게 해주며 우리 일상생활을 편하게 해준다.

■ 병렬 처리

모두가 바쁜 아침 시간에 아침 먹기라는 문제를 빨리 해결하기 위해 엄마는 병렬 처리를 활용한다. 아침 먹기라는 원래 문제를 먹을 것 준비, 마실 것 준비, 식탁 차리기, 설거지라는 네 개의 세부 문제로 분해하고, 각각 아빠, 엄마, 누나, 나에게 맡겨서 문제해결을 보다 빠른 속도로 처리한다.

사람은 알게 모르게 병렬 처리를 일상적으로 이용한다. 그림 2.4는 차를 수확하는 문제를 여러 사람이 병렬 처리하여 속도를 높이는 장면을 보여준다.

그림 2.4 병렬 처리를 통한 속도 향상

■ 알고리즘 설계

문제해결을 위해서는 방법이 필요하다. 사과주스 짜기라는 문제를 해결하는 방법에 대해 생각해 보자. 개략적인 수준에서 방법을 구상해보면, 사과를 충분히 으깬 다음 거름망에 넣고 짜는 두 단계의 행위로 설명하면 된다. 때로는 이런 개략적인 수준의 행위로 방법을 기술해도 되는 경우가 있다. 그림 2.5(a)는 개략적인 수준의 방법을 보여준다. 하지만 대부분 경우에는 그림 2.5(b)와 같이 매우 상세하게 행위를 기술해야 한다.

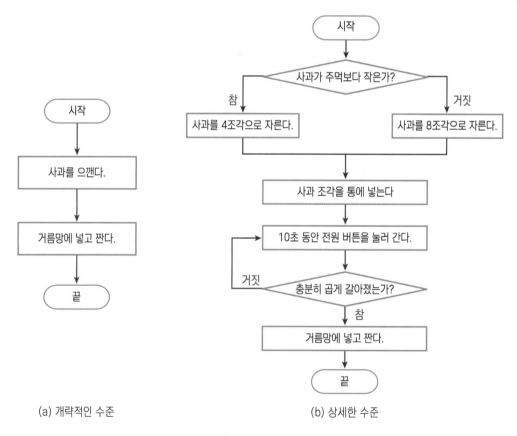

(a) 개략적인 수준   (b) 상세한 수준

그림 2.5 순서도로 표현한 알고리즘

그림 2.5는 사실 요리를 만드는데 쓰는 레시피이다. 레시피는 구체적인 행위의 순차 흐름이라고 말할 수 있다. 요리에서는 행위와 레시피라는 용어를 사용하는데, 컴퓨팅 사고에서는 대신 명령어(instruction)와 알고리즘(algorithm)이라는 용어를 사용한다. 지금부터는 명령어와 알고리즘이라는 용어를 사용한다. 그림 2.5에서는 몇 가지 도형을 사용하여 알고리즘을 표현했는데 이것을 순서도(flowchart)라고 부른다.

알고리즘은 순차(sequence), 선택(selection), 반복(repetition)이라는 세 가지 구조로 구성된다. 그림 2.5(b)의 알고리즘에는 세 가지 구조가 모두 포함되어 있다. 순차는 가장 기본적인 구조로서 명령어의 처리 순서를 기술한다. '사과 조각을 통에 넣는다'라는 명령어를 실행한 다음에 '10초 동안 전원 버튼을 눌러 간다'라는 명령어를 실행하도록 지시하고 있다. 선택은 조건에 따라 서로 다른 명령어를 수행하게 해주는 구조이다. '사과가 주먹보다 작은가?'라는 조건을 검사하여 참이 될 때와 거짓이 될 때 서로 다른 명령어를 수행한다. 반복은 같은 명령어를 여러 번 실행해주는 구조이다. '충분히 곱게 갈아졌는가?'라는 조건이 거짓인 동안에는 '10초 동안 전원 버튼을 눌러 간다'라는 명령어를 반복적으로 실행한다.

③ ▸▸• 컴퓨터를 이용한 문제해결

앞 절에서는 일상에서 발생하는 문제를 해결하기 위한 논리적 사고에 대해 다루었다. 그림 2.1(a)의 경우에 해당하며, 아침 먹기라는 예제 문제를 사용하여 문제해결 과정을 설명하였다. 이제는 그림 2.1(b)에 해당하는, 논리적 사고에 컴퓨터 기술을 적용하여 문제를 해결하는 컴퓨팅 사고에 대해 생각해본다. 소수의 개수를 알아내는 문제를 예제로 사용하여 설명한다. 컴퓨터를 이용하여 문제를 해결하는 과정에서도 일상생활의 문제해결과 마찬가지로 분해, 추상화, 병렬 처리, 알고리즘 설계를 이용한다.

▪ 분해

자율주행차에 장착할 도로 인식 프로그램을 개발하는 문제는 사람 생명과 관련되므로 아주 어렵다. 따라서 분해를 통해 풀기 쉬운 작은 문제로 분해하는 일은 매우 중요하다. 센서 개발, 인식 프로그램 개발, 성능 측정, 자동차에 장착 등의 세부 문제로 나누어야 하며, 각 세부 문제는 더 작은 세부 문제로 분해된다.

n 이하인 소수 개수를 세는 문제는 어떤 정수가 소수인지 판별하는 문제와 소수라고 판정된 정수를 세는 세부 문제로 분해할 수 있다. 이렇게 분해한 다음, 프로그래머는 어떤 정수가 입력되면 적절한 과정을 거쳐 소수이면 참, 그렇지 않으면 거짓을 반환하는 함수를 작성한다. 이 함수를 is_prime이라 하자. 함수가 제대로 작동하는지 엄밀하게 테스트를 수행하고 합격이면 소수 개수를 세는 세부 문제를 해결하는 단계로 넘어간다. 이 단계에서는 1~n 사이의 정수 각각에 is_prime 함수를 적용하여 참인 경우의 정수만 모은 다음, 이렇게 모인 정수의 개수를 세어 문제를 해결한다.

이처럼 문제를 세부 문제로 분해하는 경우도 있는데, 데이터를 더 작은 데이터로 분해하여 문제를 해결하는 경우도 많다. 정렬(sorting)은 임의 순서로 배치된 데이터를 크기순으로 재배열하는 문제이다. 정렬 문제를 푸는 다양한 알고리즘이 있는데, 합병 정렬(merge sort)은 데이터를 작게 분해하는 전략을 사용하는 대표적인 알고리즘이다. 그림 2.6은 8개 정수를 가진 배열을 정렬하는 예제를 가지고 합병 정렬 알고리즘의 원리를 설명한다. 단계 ①에서는 크기가 8인 원래 문제를 크기가 4인 두 개의 부분 문제로 분해한다. 단계 ②에서는 크기가 4인 원래 문제를 크기가 2인 두 개의 부분 문제로 분해한다. 단계 ③에서는 부분 문제의 크기가 충분히 작은 2이므로 바로 문제를 해결할 수 있다. 첫 번째 부분 문제 [12 20]은 정렬이 되어 있으므로 그대로 둔다. 두 번째 부분 문제 [88 19]는 정렬이 되어 있지 않기 때문에 교환하여 정렬 상태로 바꾼다. 세 번째 부분 문제 [50 6]은 교환하고, 네 번째 부분 문제 [33 40]은 그대로 둔다. 이제 부분 문제가 정렬되

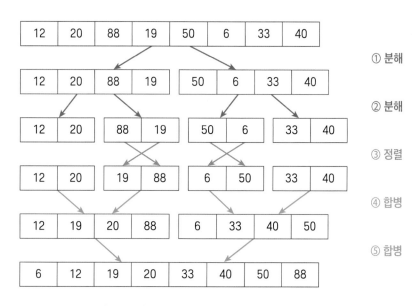

그림 2.6 데이터를 분해하여 문제를 해결하는 합병 정렬

어 있으므로 이들 부분 문제를 합병한다. 단계 ④에서는 크기가 2인 이웃한 두 부분 문제를 합병하여 크기가 4인 부분 문제를 만든다. 단계 ⑤에서는 크기가 4인 두 부분 문제를 합병하여 크기가 8인 부분 문제를 만든다.

합병 정렬 알고리즘은 매우 빠른 알고리즘이다. 컴퓨팅 사고에서는 알고리즘을 설계할 때 종종 큰 데이터를 작게 분해한 다음 해답을 구하고, 작은 해답을 결합하는 전략을 사용하여 속도 향상을 꾀한다. 알고리즘 분야에서는 이러한 접근방법을 분할 정복(divide-and-conquer) 전략이라고 부른다.

■ 추상화

컴퓨팅 사고는 다른 학문 분야보다 추상화를 훨씬 많이 사용한다. 항공공학, 화학공학, 건축공학, 전자공학 등의 학문 분야는 세상에 실제로 존재하는 손으로 만질 수 있는 실체를 다룬다. 건축공학에서는 벽돌, 목재, 유리, 페인트 등의 실체를 가지고 집을 짓는다. 이들 학문 분야와 달리 컴퓨터는 세상의 현상을 숫자 데이터로 변환한 다음 가상의 세계에서 데이터를 처리한다. 학생들의 성적은 88, 92, 45, … 등과 같은 정수로 표현되고, 컬러 영상은 가로 방향과 세로 방향으로 배치된 화소에 R(빨강), G(녹색), B(파랑)색의 조합을 배정하여 표현한다. RGB 각각은 정수로 표현한다. 다시 말해 컴퓨터는 현실 세계를 추상화해서 얻은 데이터를 처리하는 기계이다.

컴퓨터 하드웨어 자체도 고도로 추상화되어 있다. 스마트폰은 외부에 몇 개의 버튼만 붙어 있다. 사용자는 자신이 원하는 일을 달성하려면 화면을 터치할지, 폰을 흔들지, 아니면 측면에 붙어 있는 버튼을 누르면 되는지만 알면 된다. 안에 무슨 장치가 있고 어떤 원리에 의해 작동하는지를 모르고도 얼마든지 효율적으로 사용할 수 있다.

앞서 설명한 추상화 사례는 이미 만들어진 컴퓨터를 사용하는 차원의 추상화이다. 이제는 도로 인식 문제, 소수 개수 세기, 벽돌깨기 게임과 같은 문제를 해결하는 차원의 추상화에 대해 생각해본다. 자율주행차를 만드는 자동차 회사는 카메라 센서를 직접 만들지 않고, 전문 회사가 제조한 카메라 중에서 자신에게 가장 적합한 것을 선택해 사용한다. 이러한 선택 과정을 추상화라고 볼 수 있다. 소수 세기 문제를 풀 때, 소수 여부를 판정하는 함수를 직접 작성할 수도 있지만 이미 만들어진 것이 있다면 가져다 쓰는 것이 바람직할 것이다. 예를 들어, 파이썬 언어에서는 sympy라는 라이브러리가 제공하는 isprime()이라는 함수를 사용하면 된다. 없으면 한번 만들어 놓고, 필요할 때마다 호출해 쓰는 방식의 추상화가 이루어진다.

■ 병렬 처리

현대 컴퓨터는 중앙처리장치로 마이크로프로세서를 사용하는데, 마이크로프로세서는 여러 개의 코어를 가진다. 그림 2.7은 4개의 코어를 가진 인텔사가 제조한 마이크로프로세서를 보여준다. 코어는 독립적으로 계산을 수행할 수 있는 장치이기 때문에, 이 마이크로프로세서를 장착한

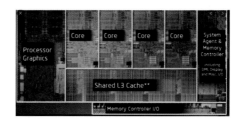

그림 2.7　마이크로프로세서 (쿼드 코어)

컴퓨터는 동시에 4개의 작업을 병렬로 처리할 수 있다. 예를 들어, 그림 2.6에서 단계 ②를 거치면, 4개의 부분 문제가 있는데 4개의 코어가 각 부분 문제를 담당하면 훨씬 빠르게 정렬 문제를 풀 수 있다.

　또한 중앙처리장치와 별도로 고용량의 병렬 처리를 지원하는 보조 프로세서로서 GPU(graphical processing unit)가 있다. GPU는 실시간으로 3차원 그래픽을 처리할 목적으로 개발되었는데, 요즘에는 인공지능을 구현하는 기계학습에 더 많이 쓰이고 있다.

■ 알고리즘 설계

　컴퓨터를 이용해 문제를 해결할 때는 알고리즘이 더욱 중요하다. 컴퓨터는 스스로 판단하지 못하고 사람이 지시한 명령어를 충실히 실행만 하는 기계이기 때문이다. 알고리즘을 표현하는 기법은 여러 가지인데 먼저 그림 2.5에서 사용해본 순서도에 대해 설명한다. 순서도에 사용되는 주요 기호는 다음과 같다.

기호	기능
⬭	시작과 종료를 나타낸다.
◇	조건 검사를 나타낸다.
▭	명령어를 나타낸다.

알고리즘은 그림 2.8이 보여주는 순차, 선택, 반복의 3개의 구조로 표현할 수 있다.

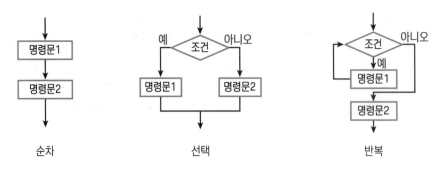

순차 **선택** **반복**

그림 2.8 알고리즘을 구성하는 순차, 선택, 반복 구조

앞에서 예로 들었던 '소수 개수를 세는' 문제를 위한 알고리즘을 설계해보자. 사실 알고리즘을 설계하기 이전에 'n 이하인 정수 중에서 소수의 개수를 세라'와 같이 문제를 보다 구체적으로 정의해야 한다. 그림 2.9(a)는 이 문제를 해결하는 알고리즘을 순서도로 그린 것이다. 알고리즘이 시작할 때는 소수가 발견되지 않았으므로 변수 no를 0으로 초기화하고 출발한다. 변수 i를 1, 2, 3, 4, ...,n으로 변화시키면서 소수 여부를 검사하여 소수가 발생하면 no를 1만큼 증가시킨다. i 가 n보다 커지면 반복을 멈추고 소수의 개수를 저장한 변수 no를 출력하고 알고리즘을 마친다.

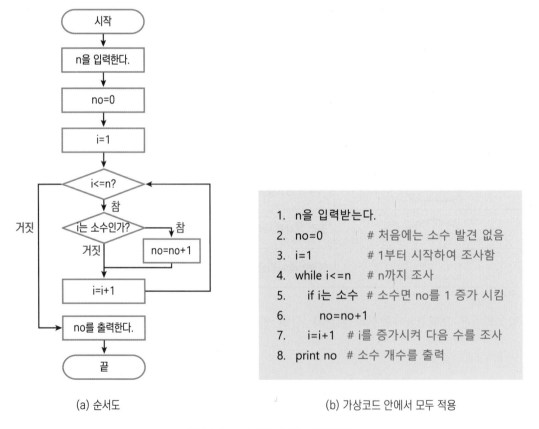

(a) 순서도 (b) 가상코드 안에서 모두 적용

그림 2.9 소수 개수를 세는 알고리즘

우리가 사용하는 자연 언어를 이용하여 알고리즘을 그림 2.9(b)와 같이 표현할 수도 있다. 이러한 알고리즘 표현 방식을 가상 코드(pseudo code)라 부른다.

④ ▸▸ ● 코딩

알고리즘을 구상하여 그림 2.9와 같이 순서도나 가상 코드로 표현했으면, 이제 적절한 프로그래밍 언어를 사용하여 프로그래밍을 한다. 프로그래밍을 코딩이라고도 부른다.

▪ 프로그래밍 언어

컴퓨터는 오로지 기계어 프로그램만 실행할 수 있다. 기계어(machine language)에서는 명령어를 이진수로 표현한다. 그림 2.10(a)는 기계어 프로그램의 예시이다. 1946년에 세계 최초의 전자식 컴퓨터인 에니악(ENIAC)이 제작되었을 때는 프로그래머는 기계어로 프로그래밍하였다. 데이터를 이동하는 명령어는 0011, 데이터를 더하는 명령어는 0101 등을 기억해야 하므로 프로그래밍은 매우 곤혹스런 일이었다. 따라서 자연스럽게 탄생한 언어가 그림 2.10(b)가 예시하는 어셈블리어(assembly language)이다. 어셈블리어에서는 사람이 기억하기 쉬운 MOVE, ADD, SUBTRACT, HALT 등과 같은 기호를 사용한다. 그런데 컴퓨터는 기계어만 실행할 수 있기 때문에 어셈블리 프로그램을 기계어 프로그램으로 번역해주는 프로그램이 필요하다. 이 번역 프로그램을 어셈블러(assembler)라고 부른다.

```
0011 0001 0010
0101 0011 0100
0101 0011 0101
...
1000 0000 0000
```

(a) 기계어 프로그램

```
MOVE A B
ADD D A
ADD C B
...
HALT
```

(b) 어셈블리어 프로그램

그림 2.10   기계어와 어셈블리어 프로그램 예시

　어셈블리어로 편리함을 확보했지만, 시간이 지나면서 단순히 기계어 명령어를 기호로 대치한 어셈블리어에 대한 불편함을 호소하게 된다. 이런 상황을 극복하려고 IBM에 근무하던 존 배커스는 1957년에 세계 최초의 고급언어인 포트란(FORTRAN)을 세상에 내놓는다. 고급언어로 작성된 프로그램을 기계어 프로그램으로 번역해주는 프로그램이 필요한데, 이 번역 프로그램을 컴파일러(compiler)라고 부른다. 포트란이 성공한 이후에 코볼, 베이직, 파스칼, C, C++, 자바, 파이썬 등의 아주 많은 고급언어가 탄생한다. 현재는 주로 C, C++, 자바, 파이썬이 사용된다. 이들 언어는 그림 2.11(a)가 보여주듯이 영어 문장을 닮은 명령어를 사용하여 프로그래밍한다. 따라서 이들 언어를 텍스트 기반 언어라고 부른다. 현재 컴퓨팅 사고 과목을 가르칠 때 가장 널리 사용하는 언어는 가장 쉽다고 평가되는 파이썬이다. 그림 2.11(a)는 1+2+3+...+n을 계산해주는 파이썬 프로그램이다.

```
n=input("정수를 입력하세요")
sum=0
for i in range(n+1):
    sum=sum+i
print("1+2+3+...+n=", sum)
```

(a) 파이썬 프로그램 (텍스트 기반)

(b) 스크래치 프로그램 (비주얼 기반)

그림 2.11   텍스트 기반 언어와 비주얼 기반 언어

텍스트 기반 언어는 문법을 먼저 배워야 하기 때문에 초보자에게 어려운 측면이 있다. 초보자도 쉽게 배울 수 있어야 한다는 구호를 들고 나온 언어가 비주얼 프로그래밍 언어이다. 비주얼 베이직, 스크래치, 엔트리, 앱인벤터 등이 대표적인데, 이들 언어는 블록을 끌어다 끼우는 방식으로 코딩한다. 따라서 블록 언어라고도 부른다. 비주얼 언어 중에서 가장 널리 쓰이는 언어는 스크래치로서, 그림 2.11(b)는 스크래치로 작성된 예제 프로그램이다. 이 책은 스크래치를 사용하여 코딩 실습을 한다.

세계적인 연구소인 MIT 미디어랩에는 레스닉 교수가 이끄는 평생 유치원(Lifelong Kindergarten)이라는 연구 그룹이 있다. 이 연구 그룹은, 자신의 아이디어를 누구나 프로그래밍할 수 있는 아주 쉬운 언어를 개발한다는 목표를 통해 스크래치라는 언어를 개발하여 2003년에 공개하였다.[1] 스크래치 공식 웹사이트가 2021년에 공개한 통계에 따르면 매월 3천8백만 건 가량의 웹 사이트 방문이 이루어지며, 등록된 사용자가 6천8백만 명에 이른다. 엔트리(Entry)는 스크래치를 본 따 국내에서 개발한 언어이고, 앱인벤터는 스마트폰에서 동작하는 앱을 제작하는데 쓸 수 있는 언어이다.

■ 컴퓨팅 사고와 코딩

컴퓨팅 사고는 컴퓨터 프로그래밍 없이도 교육할 수 있다. 대표적으로 언플러그드 코딩 교육을 들 수 있다. 그림 2.12는 언플러그드 교육을 통해 이벤트 처리 과정을 가르치는 장면인데, 이와 같은 재미있는 활동을 통해 문제해결력을 키울 수 있다.[2]

하지만 코딩을 해볼 수 있는 컴퓨터 실습실이 있다면 스크래치 같은 쉬운 언어를 사용하여 직접 코딩해보는 수업 방식을 피할 이유는 없다. 인터넷에 연결된 컴퓨터만 있다면 별도의 비용 없이 코딩 교육을 실시할 수 있다. 전세계적으로 컴퓨팅 사고 교육에서는 주로 비주얼 언어인 스크래치 또는 텍스트 기반 언어인 파이썬을 사용하여 코딩 교육을 한다. 두 언어 모두 모든 기능을 무료로 사용할 수 있다.

1　1.5절에서 레스닉 교수가 스크래치를 소개하는 재미있는 TED 강연을 소개하였다.
2　스크래치 언어의 이벤트 처리는 5.1절에서 공부한다.

그림 2.12 언플러그드 코딩 교육 장면: 종이 위에 있는 버튼을 누르면 버튼 종류에 따라 다르게 반응하는 아이들

출처 : https://code.org/curriculum/unplugged

코딩 실습은 다른 학문 분야의 실습에 비해 큰 장점이 있다. 다른 분야는 물리적인 재료 또는 장치가 있어야 하며, 한 제품에 여러 개의 장치를 설치하는 경우 필요한 개수만큼 장치를 구입해야 하는 현실적인 문제가 발생한다. 따라서 학생들이 마음껏 확장하면서 상상력을 펼칠 공간에 한계가 발생한다. 하지만 코딩에서는 언어가 제공하는 구성 요소를 얼마든지 복사하여 무료로 사용할 수 있기 때문에 학생들이 상상력을 펼치는데 제한이 없다.

이 책은 코딩 실습을 통해 컴퓨팅 사고를 길러준다. 프로그래밍 언어로는 스크래치를 사용함으로써 문법을 배워야 하는 부담을 줄여준다. 알고리즘을 구성하는 블록을 화면에서 직관적으로 선택할 수 있으며, 선택한 블록을 끌어다 서로 맞춤으로써 쉽게 알고리즘을 구현할 수 있다. 블록을 잘못 고른 경우 블록이 서로 맞지 않기 때문에 코딩 오류를 미연에 방지해주는 긍정적인 효과도 있다. 다양한 영상 아이콘, 소리 파일 등의 멀티미디어 구성 요소를 마음껏 사용할 수 있어 학생들의 흥미를 이끌어 낼 수 있는 장점도 있다.

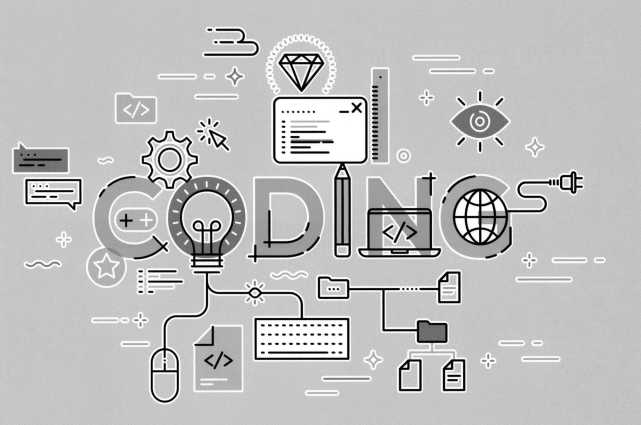

PART 2

문제해결을 위한
스크래치 코딩 기초

CHAPTER 3   스크래치 소개

CHAPTER 4   블록 익숙해지기 1 : 동작, 형태, 소리

CHAPTER 5   블록 익숙해지기 2 : 이벤트, 제어, 감지

CHAPTER 6   블록 익숙해지기 3 : 연산, 변수, 내 블록

CHAPTER 7   블록 익숙해지기 4 : 확장 기능

CHAPTER 3

스크래치 소개

①··• 스크래치 시작하기

스크래치는 MIT 미디어랩에서 개발한 교육용 프로그래밍 언어이다. 스크래치를 이용하여 다양한 애니메이션, 예술, 게임, 음악, 대화식 스토리를 만들 수 있고 만든 작품을 온라인 커뮤니티에서 공유할 수 있다.

스크래치 프로그래밍은 퍼즐을 맞추거나 레고 블록을 조립하듯이 명령 블록을 끌어다 다른 블록과 연결하는 방식이다. 일반적으로 프로그래밍은 스프라이트와 무대 배경, 소리를 추가한 다음, 이들을 움직인다거나 변화를 주는 방식으로 진행된다.

스크래치 프로그래밍은 웹 사이트(https://scratch.mit.edu)에 접속하여 시작할 수 있다. 온라인 방식과 오프라인 방식을 모두 지원한다. 온라인 방식은 사이트에 로그인하여 프로그래밍을 하며 모든 프로그램은 사이트를 제공하는 서버에 저장된다. 인터넷이 연결된 곳이라면 언제 어디서나

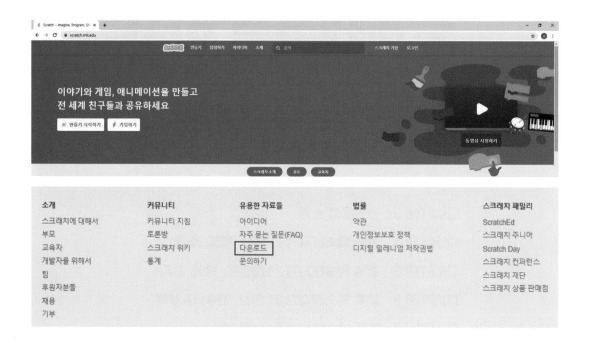

자신이 작성한 프로그램에 접근하여 작업할 수 있다. 온라인 방식을 클라우드 방식이라고도 부른다. 오프라인 방식은 프로그래밍에 필요한 오프라인 에디터를 내 컴퓨터에 설치해야 한다. 위 그림은 사이트에서 오프라인 에디터를 다운로드하는 곳을 나타낸다. 오프라인 방식에서는 모든 프로그램이 내 컴퓨터의 메모리에 저장된다.

■ 스크래치 에디터

에디터는 프로그래밍을 수행하는 공간인데, 다음 그림이 보여주는 바와 같이 메뉴 영역, 블록 팔레트 영역, 스크립트 영역, 실행 영역, 스프라이트/무대 영역으로 구성되어 있다.

① 메뉴

② 블록 팔레트 영역   ③ 스크립트 영역   ⑤ 스프라이트/무대 영역

이들 영역의 기능은 다음과 같다.

① 메뉴

프로그램 작성과 실행에 필요한 일반적인 기능을 제공한다. 언어 설정, 파일 새로 만들기, 저장하기/불러오기, 프로젝트 이름 지정, 내 작업실로 이동, 로그인/로그아웃, 계정 설정 등을 할 수 있다.

② 블록 팔레트 영역

[코드], [모양], [소리] 탭으로 구성되어 있다. [코드] 탭은 동작, 형태, 소리, 이벤트, 제어, 감지, 연산, 변수, 내 블록, 확장 기능 추가하기라는 블록으로 구성되어 있다. 이들 블록은 프로그래밍에 사용할 핵심적인 구성 요소이다. 요리에 비유하면 채소, 고기, 곡류, 면류, 장류, 양념 등의 재료에 해당한다. [모양] 탭은 스프라이트와 배경이 사용할 이미지를 편집하는 기능을 제공한다. [소리] 탭은 스프라이트가 사용할 소리를 편집하는 기능을 제공한다.

③ 스크립트 영역

[코드] 탭에 있는 블록을 끌어다가 결합하여 프로그래밍 작업을 하는 곳이다.

④ **실행 영역**

코드를 실행한 결과가 나타나는 영역이다. 이 결과를 보고 프로그램이 자신이 의도한대로 실행되는지 확인할 수 있다. 의도한 결과가 아니면 스크립트 영역에서 디버깅을 해야 한다. 디버깅은 오류를 수정하는 작업을 뜻한다.

⑤ **스프라이트/무대 영역**

스프라이트/무대의 목록을 확인하고 원하는 것을 선택하거나 추가할 수 있다. 스프라이트의 속성을 확인할 수 있다.

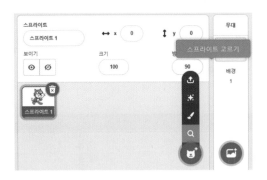

스프라이트를 마우스 오른쪽 버튼으로 클릭하면 스프라이트를 복사 또는 내보내기, 삭제할 수 있다. 스프라이트를 복사하면 복제본이 만들어진다. 이때 복제본의 속성은 원본 스프라이트의 속성과 같다.

스프라이트 내보내기를 이용하면 지정한 폴더에 스프라이트를 저장할 수 있으며 다른 프로젝트에서 업로드 메뉴를 이용하여 저장된 스프라이트를 가져다 쓸 수 있다.

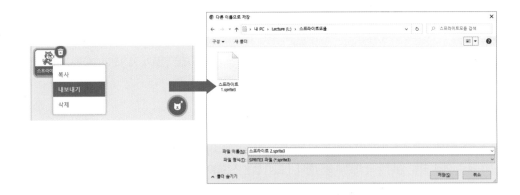

온라인 스크래치에서는 개인 저장소를 이용하여 스프라이트를 저장할 수 있다. 화면 아래에 있는 개인 저장소에 스프라이트를 드래그하여 저장할 수 있다.

■ 명령어 블록

스크래치는 100여개의 블록으로 구성된다. 블록은 프로그램이 어떤 일을 하도록 지시하기 때문에 명령어 블록이라고도 부른다. 스크래치 프로그래밍은 이들 블록을 조립하는 방식으로 수행된다. 블록은 표 3.1이 보여주는 바와 같이 8가지 종류로 구성되며, 여기에 내 블록과 확장 기능 추가하기가 더해진다. 블록은 종류에 따라 색깔이 달라서 쉽게 구분할 수 있다.

표 3.1 스크래치의 명령어 블록의 종류

항목		기능
●	동작	스프라이트의 동작과 행위를 지정
●	형태	스프라이트의 말하기, 생각하기, 크기, 색깔, 모양, 순서를 설정
●	소리	소리 재생, 음량, 소리 효과를 제공
●	이벤트	특정한 상황이 발생했을 때 연결된 블록을 실행
●	제어	조건에 따라 선택과 반복을 실행
●	감지	특정 상황의 발생 여부 판단, 묻고 기다리기, 현재 날짜 및 시간 등의 기능
●	연산	사칙연산, 논리연산 등 수학적 계산 기능
●	변수	변수와 리스트 생성, 값 저장과 수정 등의 기능
●	내 블록	특정한 기능을 하는 사용자 정의 블록을 만드는 기능
▣	확장 기능 추가하기	음악, 펜, 비디오 감지, 텍스트 음성 변환, 번역 기능을 제공하며, 하드웨어 키트를 사용할 수 있게 해줌

현대는 거의 모든 프로그램이 영상, 소리, 음악을 다채롭게 사용하는 멀티미디어 시대이다. 스크래치는 스프라이트와 배경을 꾸미는데 사용할 수 있는 다양한 영상, 소리, 음악을 내부에 가지고 있으며 프로그래머는 이들을 활용하여 재미있는 프로그램을 제작할 수 있다. 그런데 나의 감각이 가미된 멀티미디어 요소를 스스로 제작하여 사용하려면 어떻게 해야 하나? 스크래치는 나만의 고유한 멀티미디어를 제작하는 기능을 제공한다.

▪ 그림판으로 이미지 제작하기

[모양] 탭을 클릭하면 그림판이 나타난다. 여기서 스프라이트나 배경을 만들고 기존 스프라이트나 배경을 수정할 수 있다.

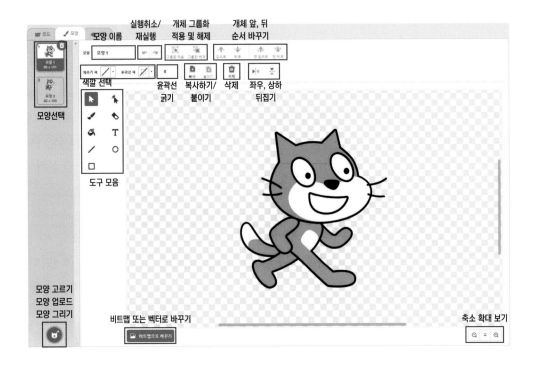

스프라이트는 여러 개의 모양을 가질 수 있어 애니메이션 효과에 사용할 수 있다. 모양 고르기, 모양 업로드, 모양 그리기로 모양을 추가할 수 있다. 모양 편집기를 활용하여 편집하거나 다른 스프라이트를 복사하여 수정해 사용할 수도 있다. 모양은 비트맵 형식이나 벡터 형식으로 나타낼 수 있다. 비트맵은 픽셀에 색을 채워 그리는 형식이다. 확대하거나 축소하면 깨져 보여 매끄럽지 못할 수 있다. 벡터 형식은 그림을 점, 선, 면으로 정의한 다음 필요할 때마다 픽셀 형식으로 변환하기 때문에 확대 또는 축소하여도 깨짐 현상이 없다.

▪ 소리 편집기로 소리를 제작하기

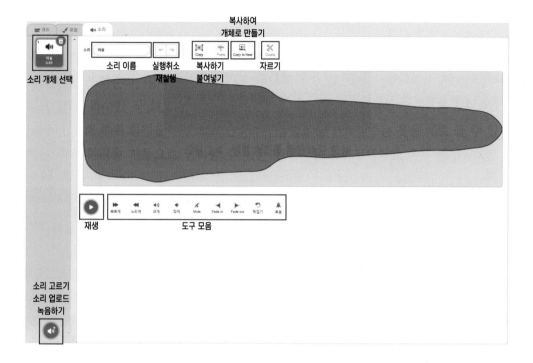

[소리] 탭을 클릭하면 소리 편집기가 나타난다. 여기서 스크래치에서 제공하는 소리를 수정하거나 녹음 기능으로 새로운 소리를 만들 수 있다.

스프라이트에 여러 개의 소리를 등록할 수 있다. 소리 고르기, 소리 업로드, 녹음 하기로 소리를 등록한다. 도구 모음을 활용하여 소리가 서서히 커지거나 작아지도록 할 수 있고, 로봇 효과음으로 변환할 수 있다. 이런 기능을 여러 번 겹쳐 적용할 수 있다. 소리의 일부분을 복사하여 새로운 소리 개체로 등록하여 사용할 수도 있다.

■ **모두에게 공유하기**

프로젝트는 내 작업실에 저장된다. 공유 버튼을 눌러 프로젝트를 공유 상태로 설정하면 다른 사용자가 내 프로젝트를 실행하거나 댓글을 달거나 리믹스 할 수 있다.

■ **스튜디오에 프로젝트 추가하기**

스튜디오는 공통 관심사를 가진 사람들의 커뮤니티 공간이다. 스튜디오를 만든 사람이 매니저가 되어 관리 권한을 갖는다. 커뮤니티에 속한 사람은 프로젝트를 공유하고 공동작업을 진행 할 수 있다.

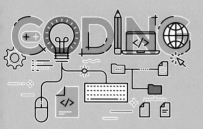

CHAPTER 4

블록 익숙해지기 1 : 동작, 형태, 소리

① ▸▸ • 동작

동작 블록은 스프라이트에 움직임을 부여하여 프로그램에 생명력을 불어넣는다. 스프라이트를 무대의 특정 위치로 이동하거나 특정 방향으로 움직이도록 설정할 수 있다. 또한 움직이는 시간을 적절하게 설정하면 서서히 움직이는 애니메이션 효과를 연출할 수도 있다.

1.1 소개

동작에는 다음과 같은 여러 가지 기능의 블록이 있다. 이들 블록은 스프라이트에만 적용할 수 있으며 배경에는 적용할 수 없다.

블록	기능
10 만큼 움직이기	지정된 숫자만큼 이동한다. 양수일 경우 스프라이트가 향하고 있는 방향으로, 음수일 경우 반대 방향으로 이동한다.
↻ 방향으로 15 도 돌기	시계 방향으로 해당 각도만큼 회전한다.
↺ 방향으로 15 도 회전하기	반시계 방향으로 해당 각도만큼 회전한다.
무작위 위치 ▼ (으)로 이동하기 ✓ 무작위 위치 마우스 포인터	▼을 누르면 메뉴가 나타나는데, 선택한 항목(무작위 위치, 마우스 포인터, 스프라이트)이 지정한 위치로 이동한다.
x: 0 y: 0 (으)로 이동하기	지정한 x, y 좌표로 이동한다.

블록	기능
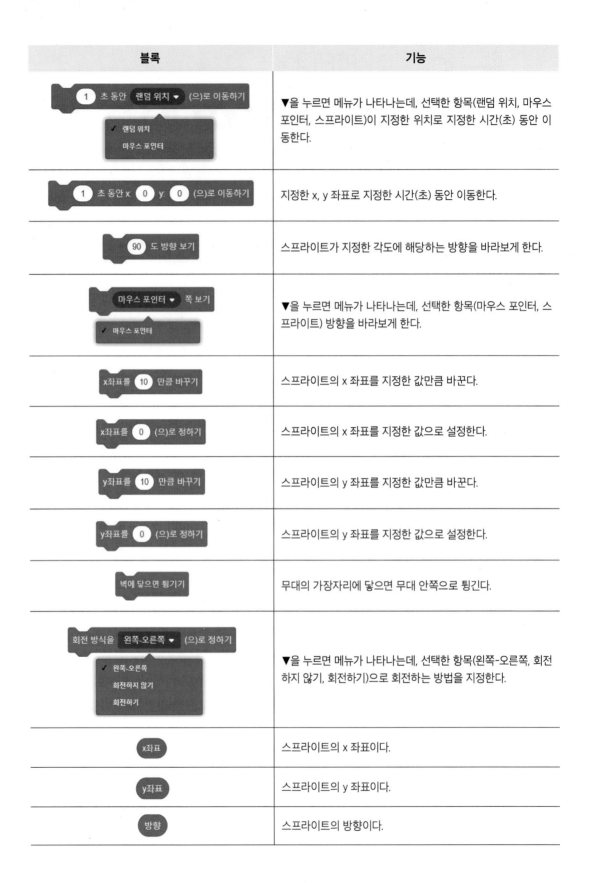	▼을 누르면 메뉴가 나타나는데, 선택한 항목(랜덤 위치, 마우스 포인터, 스프라이트)이 지정한 위치로 지정한 시간(초) 동안 이동한다.
	지정한 x, y 좌표로 지정한 시간(초) 동안 이동한다.
	스프라이트가 지정한 각도에 해당하는 방향을 바라보게 한다.
	▼을 누르면 메뉴가 나타나는데, 선택한 항목(마우스 포인터, 스프라이트) 방향을 바라보게 한다.
	스프라이트의 x 좌표를 지정한 값만큼 바꾼다.
	스프라이트의 x 좌표를 지정한 값으로 설정한다.
	스프라이트의 y 좌표를 지정한 값만큼 바꾼다.
	스프라이트의 y 좌표를 지정한 값으로 설정한다.
	무대의 가장자리에 닿으면 무대 안쪽으로 튕긴다.
	▼을 누르면 메뉴가 나타나는데, 선택한 항목(왼쪽-오른쪽, 회전하지 않기, 회전하기)으로 회전하는 방법을 지정한다.
	스프라이트의 x 좌표이다.
	스프라이트의 y 좌표이다.
	스프라이트의 방향이다.

1.2 맛보기

스크래치 프로그래밍에서 가장 중요한 요소는 스프라이트(sprite)이다. 스프라이트는 무대에 등장하는 캐릭터이다. 스크래치는 고양이 스프라이트를 기본으로 제공한다. 고양이 이외에도 스프라이트 저장소에 많은 수의 스프라이트가 있는데, 자신의 취향에 맞는 것을 골라 사용할 수 있다.

■ 스프라이트 움직이기

지정한 거리만큼 스프라이트를 이동한다. 지정한 거리가 양수이면 바라보는 방향을 기준으로 전진하고 음수이면 후진한다.

[이동 거리를 지정하여 움직이기]

■ 스프라이트 이동하기

아래 예제 코드가 보여주는 바와 같이 스프라이트를 지정한 위치로 이동시킬 수 있다.

[위치를 지정하여 스프라이트 이동하기]

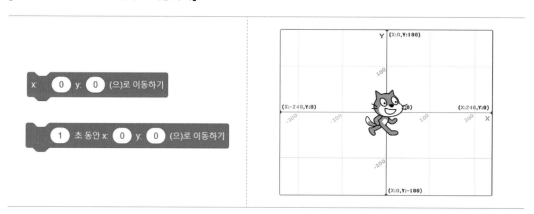

스크래치 무대는 위 오른쪽 그림과 같이 480 × 360 크기의 직사각형 영역이다. 무대의 중앙이 원점 (0,0)이며, 가로 방향에 해당하는 x 축은 -240부터 240까지이며 세로 방향에 해당하는 y 축은 -180부터 180까지이다. 위 왼쪽에 있는 첫 번째 블록은 [고양이] 스프라이트를 원점으로 이동하며, 두 번째 블록은 이동하는 과정을 1초 동안 애니메이션 해준다.

또는 다음과 같이 마우스 포인터 또는 다른 스프라이트의 위치를 기준으로 스프라이트를 이동시킬 수 있다.

[다른 요소를 기준으로 스프라이트 이동하기]

첫 번째 블록은 스프라이트를 마우스 포인터의 위치로 이동시켜주며, 두 번째 블록은 [쥐] 스프라이트의 위치를 기준으로 이동하는 과정을 1초 동안 애니메이션 해준다. 다른 스프라이트를 기준으로 이동할 수도 있다.

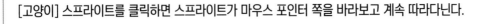

》 실습 1

[고양이] 스프라이트를 클릭하면 스프라이트가 마우스 포인터 쪽을 바라보고 계속 따라다닌다.

■ 스프라이트의 진행 방향 변경하기

스프라이트의 진행 방향은 [방향 보기] 블록에서 각도를 주어 설정할 수 있다.

[방향 보기]

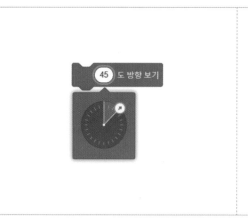 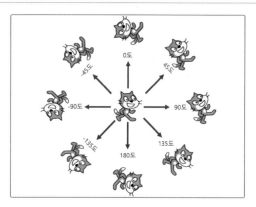

진행방향은 위쪽을 0도, 오른쪽을 90도, 아래쪽을 180도, 왼쪽을 -90도로 지정한다.

[돌기] 블록을 이용하면 현재 진행 방향을 기준으로 원하는 각도만큼 스프라이트의 진행 방향을 변경할 수 있다.

[돌기]

이 블록은 스프라이트를 현재 방향을 기준으로 45도 시계방향으로 돌린다.

■ 스프라이트 회전 방식 정하기

스프라이트의 진행 방향을 변경하면 스프라이트도 방향에 따라 같이 회전해야 자연스러운 경우가 있다. 예를 들어 고양이가 좌우로 이동하다가 상하로 이동하게 되면 몸을 위쪽으로 90도 회전하는 것이 자연스럽다. 이런 기능은 [회전 방식 정하기] 블록을 사용하면 된다. [회전 방식 정하기] 블록은 회전하기, 왼쪽-오른쪽, 회전하지 않기의 세 가지 선택사항을 제시한다. 회전하기로 설정하면 진행 방향에 맞추어 몸을 그 방향으로 회전한다. 회전하지 않기로 설정하면 진행 방향만 바뀌고 몸은 회전하지 않는다. 왼쪽-오른쪽으로 설정하면 좌우 반전만 일어난다. 왼쪽-오른쪽 설정은 스프라이트가 좌우로 왔다 갔다 할 때 유용하다.

스프라이트의 [회전 방식] 지정하기

[회전 방식]	0도 방향보기	90도 방향보기	180도 방향보기	-90도 방향보기
회전하기				
왼쪽-오른쪽				
회전하지 않기				

고양이가 계속 움직이게 해보자.

- 스프라이트를 클릭하면 10만큼 이동하는 일을 반복하다가 무대의 가장자리에 닿으면 무대 안쪽으로 팅겨서 반대 방향으로 이동한다.
- 화살표 키(왼쪽, 위쪽, 아래쪽)를 눌러 회전 방식을 바꾼다.

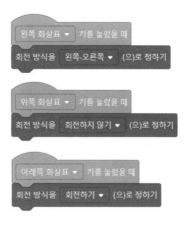

1.3 코딩 연습

여러 가지 블록을 사용하여 아래 연습 문제를 풀어보자. 뒤에서 배울 [이벤트], [제어], [연산] 블록을 미리 사용해 본다.

| **연습문제** | 주차 연습하기 |

화살표 키를 사용하여 자동차를 앞으로 뒤로 움직이고, 왼쪽 오른쪽으로 회전하여 주차할 수 있도록 조종해보자.

실행 화면	실행 조건
	1. 주차할 자동차를 왼쪽 위에 위치시킨다. 다른 자동차는 주차 라인에 위치시킨다. 2. 위쪽 화살표(↑) 키를 누르면 앞쪽으로 10만큼 움직이고, 아래쪽 화살표(↓) 키를 누르면 뒤쪽으로 10만큼 이동한다. 3. 왼쪽 화살표(←) 키를 누르면 왼쪽으로 5도 회전하고 10만큼 움직이고, 오른쪽 화살표(→) 키를 누르면 오른쪽으로 5도 회전하고 10만큼 움직인다.

스프라이트	스크립트 블록
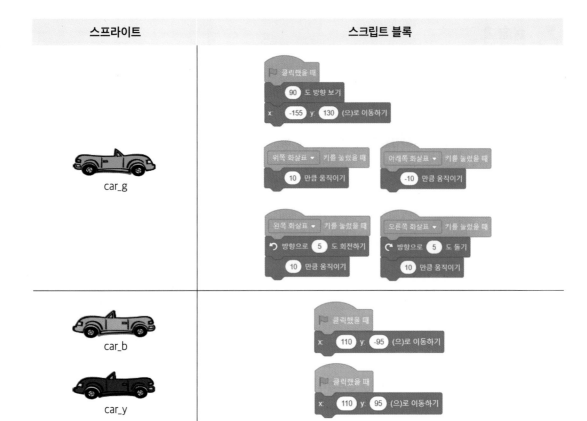 car_g	
car_b car_y	

 연습문제 시계 만들기

현재 시각에 맞춰 시침, 분침, 초침이 움직이는 시계를 만들어보자.

실행 화면	실행 조건
	1. 시침은 한 시간에 30도(360÷12) 회전하므로 현재 [시]에 30을 곱한 방향을 보도록 한다. 2. 분침은 1분에 6도(360÷60) 회전하므로 현재 [분]에 6을 곱한 방향을 보도록 한다. 3. 초침은 1초에 6도(360÷60) 회전하므로 현재 [초]에 6을 곱한 방향을 보도록 한다.

추가로 사용할 블록	설명
현재 시 ▾ 현재 분 ▾ 현재 초 ▾	[감지] 현재 시, 분, 초를 나타낸다.
⬭·⬭	[연산] 두 수를 곱한다.

스프라이트	스크립트 블록
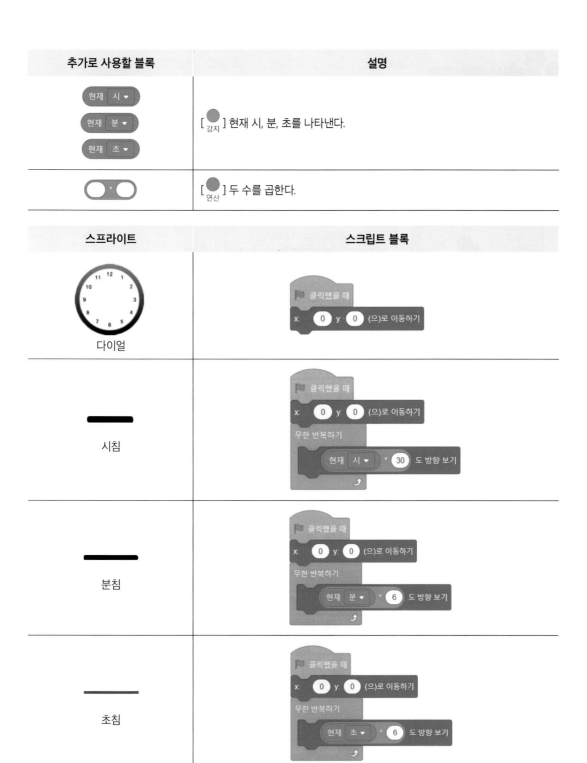 다이얼	클릭했을 때 x: 0 y: 0 (으)로 이동하기
▬ 시침	클릭했을 때 x: 0 y: 0 (으)로 이동하기 무한 반복하기 　현재 시 ▾ * 30 도 방향 보기
▬▬ 분침	클릭했을 때 x: 0 y: 0 (으)로 이동하기 무한 반복하기 　현재 분 ▾ * 6 도 방향 보기
▬ 초침	클릭했을 때 x: 0 y: 0 (으)로 이동하기 무한 반복하기 　현재 초 ▾ * 6 도 방향 보기

쥐가 임의의 위치에 나타난다. 고양이가 쥐를 쫓아다니는 모습을 표현해보자.

실행 화면	실행 조건
	1. 쥐는 임의의 위치에 나타난다. 2. 고양이는 쥐에 닿을 때까지 쥐를 따라다닌다.

추가로 사용할 블록	설명
제어	[●] ◆ 안의 조건이 참이 될 때까지 반복을 하고 참이 되는 순간 반복을 빠져 나와 다음 블록으로 진행한다.
제어	[●] 지정한 숫자(초) 동안 멈춰 있다가 다음 블록으로 넘어간다.
연산	[●] 주어진 범위에서 임의의 정수 또는 실수를 생성한다.

스프라이트	스크립트 블록
 쥐	
 고양이	

연습문제   걸어가는 고양이

고양이가 걸어가는 모습을 만들어보자. 고양이의 모양을 계속 바꾸고 배경을 가로 방향으로 이동시킨다.

실행 화면	실행 조건
	1. 고양이의 출발 위치를 화면 왼쪽 아래로 지정한다. 2. 모양을 계속 바꾸어서 걷는 모습을 표현한다. 3. 두 개의 벽 스프라이트를 화면 왼쪽으로 계속 움직인다. 벽이 움직이는 효과를 만들기 위해, [Wall1] 스프라이트는 (0,0), [Wall2] 스프라이트는 화면 오른쪽 끝인 (420,0)에 배치하여 서로 이어 붙인 다음 왼쪽으로 같이 이동한다. 화면을 벗어나면 다시 화면 오른쪽 끝에 배치하고 왼쪽으로 이동한다.

추가로 사용할 블록	설명
	[제어] 감싸여진 내부 블록들을 무한 반복해서 실행한다.
	[연산] 첫 번째 값이 두 번째 값보다 작을 경우 참이 된다.

스프라이트	스크립트 블록
  Cat	
 Wall1 Wall2	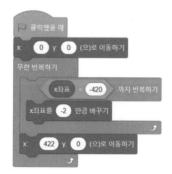 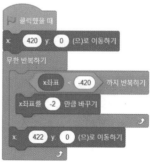

1.4 단계적 문제해결

문제가 복잡해지면 한 번에 프로그래밍을 완성할 수 없다. 단계별로 문제를 해결해 나가야 한다. 집을 지을 때 기초를 다지고, 기둥을 세우고, 벽을 쌓고, 문을 다는 순서로 일처리를 하는 것에 비유할 수 있다. 여기서는 주어진 문제를 단계적으로 해결해 가는 과정을 연습한다.

 심화문제 | **앵무새와 박쥐의 비행 시합**

형태, 이벤트, 제어, 감지 블록을 추가해 가는 과정을 통해 프로그램을 완성해간다.
앵무새와 박쥐가 비행 시합을 한다. 곰 심판의 시작 신호에 맞춰 출발한 다음, 오른쪽 벽에 먼저 닿으면 이긴다. 시합이 끝나면 심판이 승리자를 외친다.

1단계 프로그램 실행과 동시에 앵무새와 박쥐가 출발

실행 화면	알고리즘
	1. 앵무새와 박쥐가 출발선에 위치한다. 2. 날갯짓하는 모습을 표현한다. 3. 오른쪽 벽에 닿을 때까지 날아간다.

스프라이트	스크립트 블록
앵무새	
박쥐	

실행 화면	알고리즘
	1. [곰] 스프라이트가 [출발] 신호를 보낸다. 2. [출발] 신호에 맞춰 [앵무새]와 [박쥐]가 비행시합을 한다. 3. 오른쪽 벽에 도착하면 [박쥐]는 [박쥐 도착] 신호를 보내고 [앵무새]는 [앵무새 도착] 신호를 보낸다. 4. [곰]은 도착 신호에 따라 시합에서 이긴 새를 말한다.

스프라이트	스크립트 블록
앵무새	
박쥐	
곰	

실행 화면	알고리즘
	1. 나중에 도착한 새가 승리자로 바뀌지 않도록 멈추기를 한다. 2. [곰]의 모양을 변경해보고 소리를 추가해본다.

스프라이트	스크립트 블록
앵무새	
박쥐	
곰	

아래에서 보는 바와 같이 형태 블록은 보라색으로 구분한다. 형태 블록은 스프라이트와 배경의 모양, 크기, 색깔, 투명도 등을 구현한다. 이들 블록으로 화면을 다채롭게 꾸며 멋진 프로그램을 완성할 수 있다. 형태 블록을 통해 멋진 가상 세계를 창조해보자.

2.1 소개

블록	기능
◯을(를) ◯ 초 동안 말하기	스프라이트가 지정하는 내용을 지정된 시간동안 말풍선으로 표현한다.
◯ 말하기	스프라이트가 지정하는 내용을 말풍선으로 표현한다.
◯을(를) ◯ 초 동안 생각하기	스프라이트가 생각하는 내용을 지정된 시간동안 생각풍선으로 표현한다.
◯ 생각하기	스프라이트가 생각하는 내용을 생각풍선으로 표현한다.
모양을 모양 1 ▼ (으)로 바꾸기	모양을 다른 모양으로 바꾼다.
다음 모양으로 바꾸기	스프라이트의 모양을 모양탭에 등록된 순서대로 바꾼다.
배경을 배경 1 ▼ (으)로 바꾸기	배경을 다른 배경으로 바꾼다.
다음 배경으로 바꾸기	배경을 배경탭에 등록된 순서대로 바꾼다.
크기를 ◯ 만큼 바꾸기	스프라이트의 크기를 지정된 값만큼 바꾼다.
크기를 ◯ %로 정하기	스프라이트의 크기를 지정된 비율로 정한다.
색깔 ▼ 효과를 25 만큼 바꾸기 ✓ 색깔 어안 렌즈 소용돌이 픽셀화 모자이크 밝기 투명도	색깔, 어안렌즈, 소용돌이, 픽셀화, 모자이크, 밝기, 투명도 목록에서 선택한 것을 입력한 값만큼 바꾼다.

블록	기능
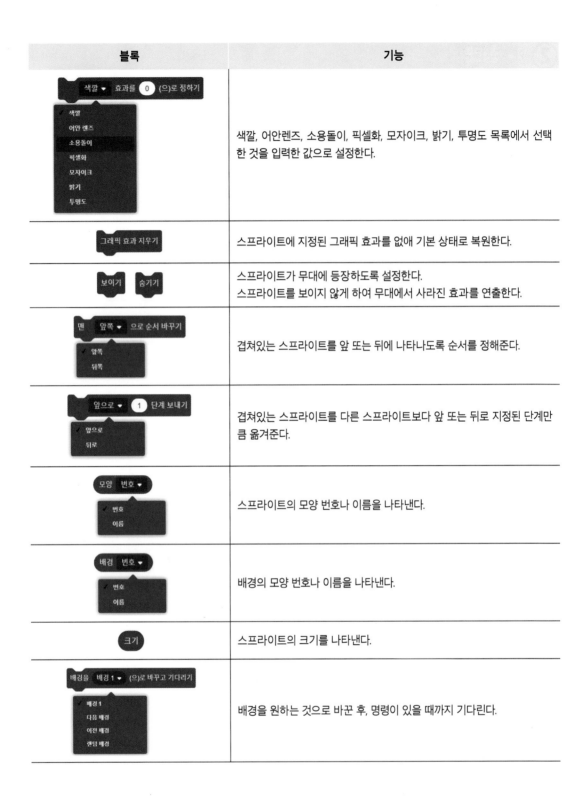	색깔, 어안렌즈, 소용돌이, 픽셀화, 모자이크, 밝기, 투명도 목록에서 선택한 것을 입력한 값으로 설정한다.
	스프라이트에 지정된 그래픽 효과를 없애 기본 상태로 복원한다.
	스프라이트가 무대에 등장하도록 설정한다. 스프라이트를 보이지 않게 하여 무대에서 사라진 효과를 연출한다.
	겹쳐있는 스프라이트를 앞 또는 뒤에 나타나도록 순서를 정해준다.
	겹쳐있는 스프라이트를 다른 스프라이트보다 앞 또는 뒤로 지정된 단계만큼 옮겨준다.
	스프라이트의 모양 번호나 이름을 나타낸다.
	배경의 모양 번호나 이름을 나타낸다.
	스프라이트의 크기를 나타낸다.
	배경을 원하는 것으로 바꾼 후, 명령이 있을 때까지 기다린다.

2.2 맛보기

형태 블록을 이용해 다양한 그래픽 효과를 연출하는 연습을 해본다. 이들 효과는 프로그램에 생동감을 불어넣는다.

[말하기와 생각하기]

말풍선과 생각풍선으로 사용자가 입력한 텍스트를 표시해 준다. 효과가 지속되는 시간을 지정할 수 있다.

[모양/배경 바꾸기]

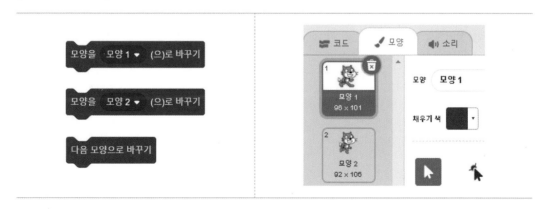

모양 또는 배경을 선택하거나 순서에 따라 변화를 줄 수 있다.

[그래픽 효과/그래픽 효과 지우기]

그래픽 효과를 통해 색깔, 어안렌즈, 소용돌이, 픽셀화, 모자이크, 밝기, 투명도 등의 효과를 적용할 수 있다. [그래픽 효과 지우기] 블록을 이용하면 설정된 효과를 지울 수 있다.

[앞뒤 순서 바꾸기/단계 보내기]

스프라이트가 두 개 이상 겹쳤을 때 어떤 것이 앞에 나타나게 할 지를 지정할 수 있다. 앞 또는 뒤로 보내는 블록을 이용하여 우선 순위를 설정한다.

[보이기/숨기기]

스프라이트를 무대에서 사라지게 하거나 다시 나타나게 한다.

스프라이트의 모양 번호, 무대의 배경 번호, 스프라이트의 크기를 지정한 시간동안 말풍선으로 표시한다.

≫ 실습 1

강아지가 걸어가는 애니메이션 효과를 제작해보자.

- 강아지가 걷는 과정을 나타내는 3개의 스프라이트를 활용한다.
- 3개 스프라이트가 1초 간격으로 나타나게 한다.
- 무한 반복하여 애니메이션을 지속한다.

 퀴즈

무대 배경을 [Forest]로 변경한다. [실습 1]에서는 강아지의 모양만 바뀌고 움직이지 않는다. 강아지가 움직이도록 만들어 보자.

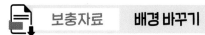

❶ 배경을 바꾸려면 [무대]에서 [배경고르기] 아이콘을 클릭한다.

❷ 배경저장소에 등록된 이미지 중에서 [Party]를 선택한다.

❸ [Party]가 프로젝트에 추가되고 기본 배경으로 설정된다.

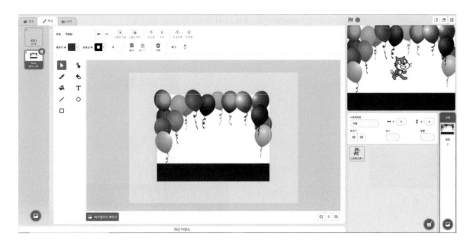

2.3 코딩 연습

연습문제	댄싱 무대

다양한 그래픽 효과를 적용하여 댄싱 무대를 표현한다.

실행 화면	실행 조건
	1. 여러 모양을 가진 [댄서] 스프라이트를 추가한다. 2. 무대 배경을 설정하고 댄서의 위치를 설정한다. 3. 무대 배경과 [조명] 스프라이트에 색깔 효과를 적용한다. 4. 댄서가 댄스 동작을 수행하도록 설정한다.

스프라이트 또는 배경	세부 기능
배경	1. 무대 배경을 설정한다. 2. 녹색깃발을 클릭했을 때, 색깔 효과를 적용하여 무대를 연출한다. 3. 무대 색깔의 변화를 반복한다.
댄서	1. 녹색깃발을 클릭했을 때, 크기를 설정하고 시작 위치를 무대 위로 설정한다. 2. 동작을 바꿔가며 춤을 추도록 연출한다. 3. 춤 동작을 바꾸면서 반복한다.
조명	1. 녹색깃발을 클릭했을 때, 조명의 위치를 설정한다. 2. 오른쪽으로 회전한다. 3. 회전할 때 네온사인 조명 효과를 연출한다. 4. 조명 효과를 반복한다.

스프라이트 또는 배경	스크립트 블록
배경	클릭했을 때 그래픽 효과 지우기 무한 반복하기 색깔 ▾ 효과를 30 만큼 바꾸기

스프라이트 또는 배경	스크립트 블록
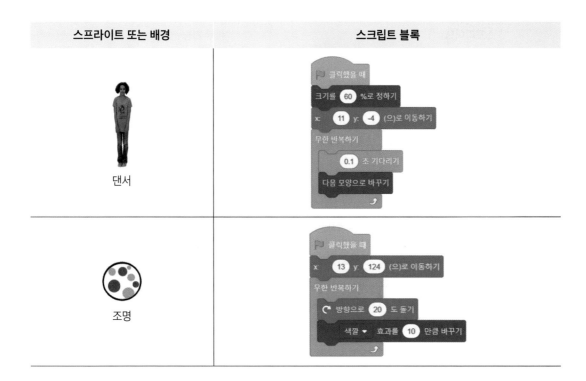댄서	
조명	

연습문제   낚시하기

바닷속 물고기가 자유롭게 움직이고 고양이가 낚시를 한다. 물고기 모습을 다양한 그래픽 효과를 이용하여 다채롭게 표현해보자.

실행 화면	실행 조건
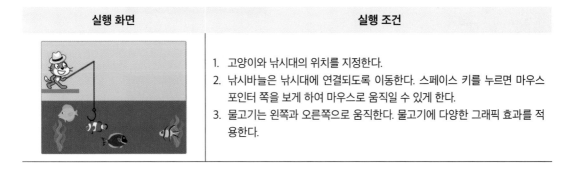	1. 고양이와 낚시대의 위치를 지정한다. 2. 낚시바늘은 낚시대에 연결되도록 이동한다. 스페이스 키를 누르면 마우스 포인터 쪽을 보게 하여 마우스로 움직일 수 있게 한다. 3. 물고기는 왼쪽과 오른쪽으로 움직인다. 물고기에 다양한 그래픽 효과를 적용한다.

스프라이트	세부 기능
고양이 ——— 낚시대	1. 녹색깃발을 클릭했을 때, 설정한 위치로 이동한다.
낚시바늘	1. 녹색깃발을 클릭했을 때, 낚시대 위치로 이동하고 아래쪽 방향으로 향하게 한다. 2. 스페이스 키를 눌렀을 때, 마우스 포인터 쪽 보기를 반복 적용한다.
Fish1 Fish2 Fish3 Fish4	1. 녹색깃발을 클릭했을 때, 크기와 모양을 지정한다. 2. 회전 방식을 [왼쪽-오른쪽]으로 설정한다. x 좌표와 y 좌표를 난수로 설정하여 바닷속 임의의 위치에서 움직이기 시작하도록 한다. 3. 속도를 난수로 설정하여 다양한 속도로 움직이게 한다. 벽에 닿으면 튕겨 반대 방향으로 향한다. 4. [색깔], [투명도], [밝기], [픽셀화] 효과를 적용한다.

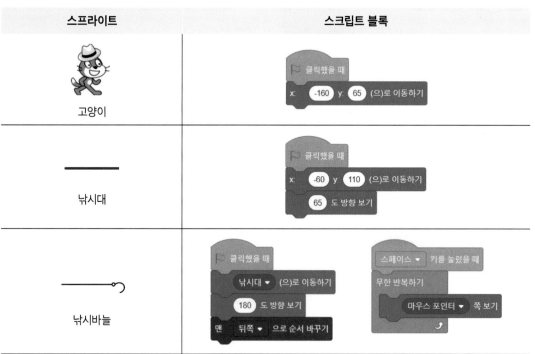

스프라이트	스크립트 블록
고양이	클릭했을 때 x: -160 y: 65 (으)로 이동하기
——— 낚시대	클릭했을 때 x: -60 y: 110 (으)로 이동하기 65 도 방향 보기
낚시바늘	클릭했을 때 낚시대 ▼ (으)로 이동하기 180 도 방향 보기 맨 뒤쪽 ▼ 으로 순서 바꾸기 스페이스 ▼ 키를 눌렀을 때 무한 반복하기 마우스 포인터 ▼ 쪽 보기

스프라이트	스크립트 블록
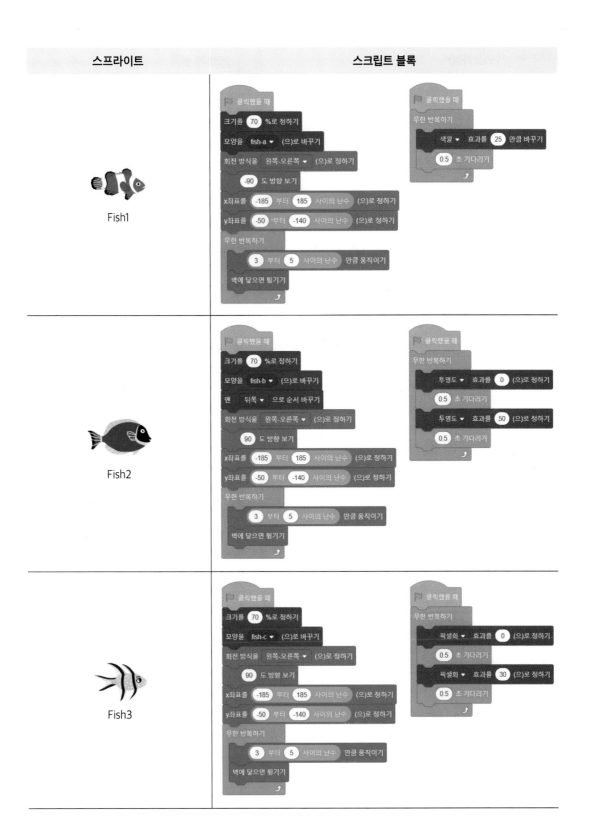	

Fish1

Fish2

Fish3

스프라이트	스크립트 블록
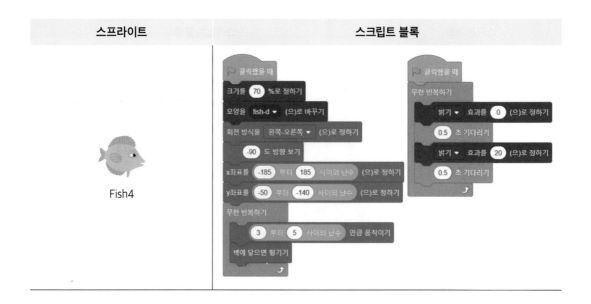 Fish4	

2.4 단계적 문제해결

심화문제 **사계절 변화**

사계절 변화를 연출해 본다. 계절을 나타내는 4개의 버튼이 있고 버튼을 누르면 해당 계절이 나타난다.

1단계 계절 배경 바꾸기

실행 화면	알고리즘
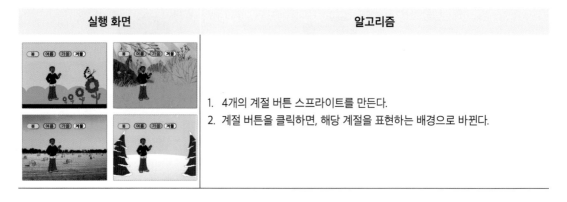	1. 4개의 계절 버튼 스프라이트를 만든다. 2. 계절 버튼을 클릭하면, 해당 계절을 표현하는 배경으로 바뀐다.

스프라이트	스크립트 블록

2단계 계절 말하기

실행 화면	알고리즘
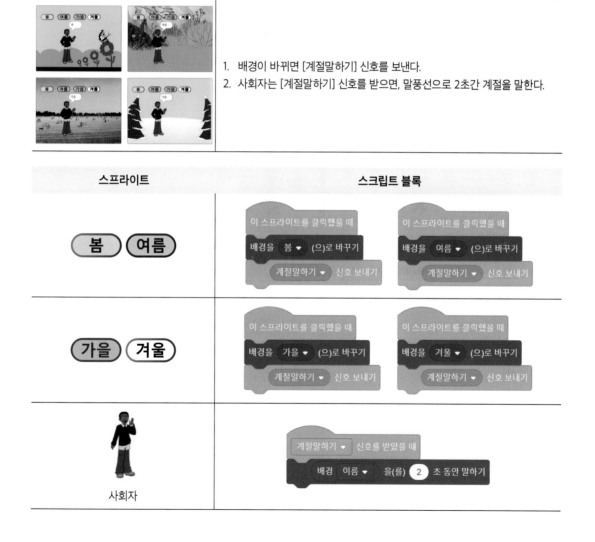	1. 배경이 바뀌면 [계절말하기] 신호를 보낸다. 2. 사회자는 [계절말하기] 신호를 받으면, 말풍선으로 2초간 계절을 말한다.

스프라이트	스크립트 블록
봄 여름	이 스프라이트를 클릭했을 때 배경을 봄 ▼ (으)로 바꾸기 계절말하기 ▼ 신호 보내기 / 이 스프라이트를 클릭했을 때 배경을 여름 ▼ (으)로 바꾸기 계절말하기 ▼ 신호 보내기
가을 겨울	이 스프라이트를 클릭했을 때 배경을 가을 ▼ (으)로 바꾸기 계절말하기 ▼ 신호 보내기 / 이 스프라이트를 클릭했을 때 배경을 겨울 ▼ (으)로 바꾸기 계절말하기 ▼ 신호 보내기
사회자	계절말하기 ▼ 신호를 받았을 때 배경 이름 ▼ 을(를) 2 초 동안 말하기

[모양] 탭을 이용하여 스프라이트의 모양을 편집할 수 있다. 또한 버튼 모양의 스프라이트에 텍스트를 입력하여 [계절버튼]을 만들 수 있다.

❶ 버튼 스프라이트를 추가하기 위해, 스프라이트 고르기 버튼을 클릭한다.

❷ 버튼 스프라이트를 선택한다.

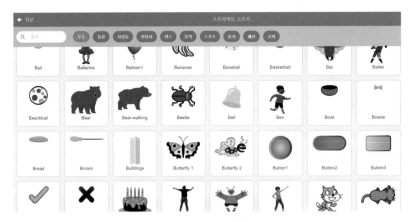

❸ 버튼 스프라이트에 텍스트와 색상을 지정하기 위해 [모양] 탭을 선택한다. 버튼 모양에 텍스트를 입력하기 위하여 T 아이콘을 클릭한 후 텍스트를 입력한다.

❹ [채우기 색]을 이용하여 텍스트 색상과 버튼 색상을 설정한다.

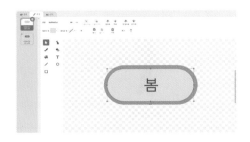

스프라이트가 아무 소리도 내지 못한다면 프로그램이 매우 밋밋할 것이다. 스크래치는 다양한 소리 파일을 제공하며, 사용자가 원하는 소리를 만들 수 있는 기능도 제공한다. 스크래치의 신나는 소리 세계로 들어가 보자.

3.1 소개

블록	기능
야옹 ▼ 끝까지 재생하기	선택된 소리를 끝까지 재생한 후에 다음 블록으로 넘어간다.
야옹 ▼ 재생하기	선택된 소리 재생을 시작하고 곧바로 다음 블록으로 넘어간다.
모든 소리 끄기	재생되는 모든 소리를 종료한다.
음 높이 ▼ 효과를 10 만큼 바꾸기	현재 재생되고 있는 음원의 음높이 값을 수치만큼 바꾼다.
음 높이 ▼ 효과를 100 로 정하기	현재 재생되고 있는 음원의 음높이 값을 주어진 값으로 조절한다. 기본값은 0이다.
소리 효과 지우기	재생되는 모든 소리 효과를 중지시키고 기본값으로 되돌린다.
음량을 -10 만큼 바꾸기	재생되는 소리의 스피커 음량을 주어진 값만큼 바꾼다.
음량을 100 %로 정하기	재생되는 소리의 스피커 음량을 주어진 값으로 설정한다.
음량	현재 설정되어 있는 소리의 음량값이다.

3.2 맛보기

[재생하기]와 [끝까지 재생하기] 블록이 어떻게 다른지 실습을 통해 살펴보자.

야옹 ▼ 재생하기	[재생하기] 블록은 소리 재생이 시작되고 곧바로 다음 블록을 실행한다.
야옹 ▼ 끝까지 재생하기	[끝까지 재생하기] 블록은 소리 재생이 종료된 후 다음 블록의 실행이 시작된다.

왼쪽 코드의 경우, 스프라이트를 클릭할 때마다 [야옹] 음원이 재생되면서 스프라이트가 동시에 10만큼 이동하게 만든다. 오른쪽 코드의 경우, 키보드에서 스페이스 키를 누르면 [야옹] 음원이 재생되며, 재생이 끝나면 스프라이트가 무작위 위치로 이동한다.

스프라이트를 마우스로 클릭하면, [야옹] 음원을 끝까지 재생한 다음 음높이를 10만큼 증가시키는 일을 12번 반복해보자.

스페이스 키를 누르면, 음량이 10만큼 감소되면서 [야옹] 음원을 끝까지 재생하는 연출을 10번 반복한다. 반복이 끝나면 음량을 100%로 복원한다.

3.3 코딩 연습

연습문제	닭 잡아라!!

배경음악이 지속적으로 재생되고, [수탉] 또는 [병아리] 스프라이트를 마우스로 클릭하면 각각의 효과음이 재생되면서 스프라이트가 무작위 위치로 이동하는 프로그램을 만들어 보자.

실행 화면	실행 조건
	1. [Dance Around] 음원이 배경음악으로 울려 퍼지고, 수탉과 병아리는 한가롭게 놀고 있다. 2. 수탉을 마우스로 클릭하면 [rooster] 음원이 재생되고 끝나면 무작위 위치로 이동한다. 3. 병아리를 마우스로 클릭하면 [Chirp] 음원이 재생되고 끝나면 무작위 위치로 이동한다.

스프라이트 또는 배경	세부 기능
 수탉	1. 녹색깃발을 클릭했을 때, [Dance Around] 음원 끝까지 재생하기를 무한 반복한다. 2. 녹색깃발을 클릭했을 때, 0.2초 간격으로 모양 바꾸기를 무한 반복한다. 3. 이 스프라이트를 클릭했을 때, [rooster] 음원을 재생하고 무작위 위치로 이동한다.
병아리	1. 녹색깃발을 클릭했을 때, 0.2초 간격으로 모양 바꾸기를 무한 반복한다. 2. 이 스프라이트를 클릭했을 때, [Chirp] 음원을 재생하고 무작위 위치로 이동한다.
배경	배경 저장소에서 [Farm] 선택

스프라이트	스크립트 블록
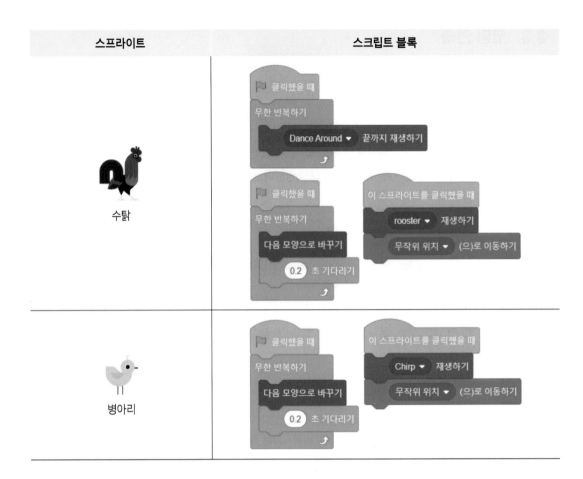수탉	
병아리	

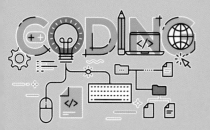

CHAPTER 5

블록 익숙해지기 2 : 이벤트, 제어, 감지

①►► 이벤트

마우스를 클릭하거나 키보드에 입력이 들어오면 어떤 일이 시작된다. 이벤트가 발생한 것이다. 스크래치에서 이벤트는 사용자가 특정키를 누르거나 마우스를 사용하여 프로그램과 상호 작용할 때 혹은 녹색깃발을 누를 때 발생한다. 이벤트 블록은 이벤트가 발생했을 때 특정한 동작을 실행하기 위해 필요하다.

1.1 소개

블록	기능
클릭했을 때	녹색깃발을 클릭하면, 그 아래 끼어있는 블록들이 실행된다. 일반적으로 프로그램을 시작할 때 사용한다.
스페이스 ▾ 키를 눌렀을 때	지정된 키를 누르면 아래 블록들이 실행된다. ▼를 눌러 다양한 키를 선택할 수 있다.
이 스프라이트를 클릭했을 때	해당 스프라이트를 클릭했을 때 아래 블록들이 실행된다.
배경이 배경 1 ▾ (으)로 바뀌었을 때	배경이 지정 배경으로 바뀌었을 때 아래 블록들이 실행된다. ▼를 눌러 배경을 선택할 수 있다.
음량 ▾ > ◯ 일 때	음량 또는 타이머 시간이 입력한 값보다 클 때 아래 블록들이 실행된다. ▼를 눌러 음량 혹은 타이머를 선택할 수 있다.
메시지1 ▾ 신호를 받았을 때	지정된 메시지 신호를 받았을 때 아래 블록들이 실행된다. ▼를 눌러 메시지를 선택할 수 있다.

블록	기능
메시지1 ▼ 신호 보내기	지정된 메시지 신호 보내기를 한다. ▼를 눌러 메시지를 생성 혹은 선택할 수 있다.
메시지1 ▼ 신호 보내고 기다리기	지정된 메시지 신호를 보내고 신호에 따른 실행이 끝날 때까지 기다린다. 끝나면 그 아래의 블록들이 실행된다. ▼를 눌러 메시지를 생성 혹은 선택할 수 있다.

1.2 맛보기

▪ 시작 블록

이벤트에는 6개의 시작 블록(Hat block)이 있다. 시작 블록은 특정 이벤트가 발생했을 때 지정된 일을 시작하게 한다. 시작 블록은 모자(Hat) 모양으로 윗 부분이 볼록 튀어나와 있다. 시작 블록이므로 아래 쪽에만 다른 블록을 연결할 수 있다.

시작 블록	시작 기능
▶ 클릭했을 때	녹색깃발은 스크래치 프로그램의 시작을 명령할 때 사용한다.
스페이스 ▼ 키를 눌렀을 때	지정된 키를 누르는 이벤트가 아래 블록들의 실행을 시작하게 한다.
이 스프라이트를 클릭했을 때	해당 스프라이트를 클릭했을 때 아래 블록들이 실행된다.
배경이 배경 1 ▼ (으)로 바뀌었을 때	지정한 배경으로 바뀌는 이벤트가 아래 블록들의 실행을 시작하게 한다.
음량 ▼ > ○ 일 때	음량 또는 타이머 시간이 입력한 값보다 크게 되는 이벤트가 아래 블록들의 실행을 시작하게 한다.
메시지1 ▼ 신호를 받았을 때	신호를 받는 이벤트가 아래 블록들의 실행을 시작하게 한다.

사용자가 녹색깃발을 클릭했을 때, 스프라이트의 모양과 위치가 정해진다. 스프라이트를 클릭하면, 모양이 고양이와 쥐로 번갈아 바뀌며 임의의 위치로 이동한다.

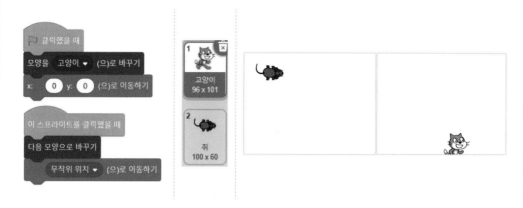

[모양]탭의 [모양고르기]를 이용하여 스프라이트가 고양이와 쥐의 2개 모양을 가지도록 설정해야 한다.

■ 화살표 키 이벤트

키보드의 위(↑), 아래(↓), 오른쪽(→), 왼쪽(←) 화살표 키를 눌러 상하좌우 방향을 정할 수 있다.

>> **실습 2**

사용자가 화살표 키로 고양이를 원하는 방향으로 움직인다.

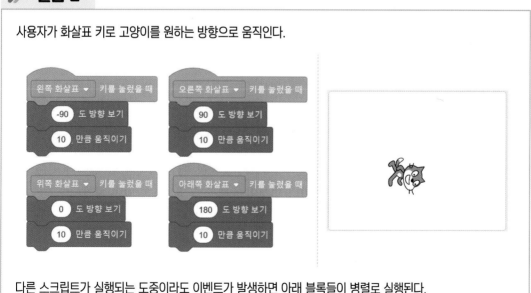

다른 스크립트가 실행되는 도중이라도 이벤트가 발생하면 아래 블록들이 병렬로 실행된다.

▪ 배경이 바뀌었을 때

배경을 바꿀 때 발생하는 이벤트이다. 미리 2개 이상의 배경을 설정해 두어야 한다. 배경을 선택하는 방법은 4가지이다.

- 배경 고르기: [배경 고르기]에서 85개의 배경을 제공한다. 원하는 것을 선택한다.
- 배경 그리기: 배경을 직접 만든다.
- 배경 서프라이즈: [배경 고르기]에 있는 85개 중에서 무작위로 선택된다.
- 배경 업로드 하기: 외부에서 배경 파일을 가져온다.

≫ 실습 3

사용자가 녹색깃발을 클릭했을때 [success] 배경을 초기 배경으로 설정한다. 이 스프라이트를 클릭하면 배경을 [gameover]로 바꾼다. 배경이 [gameover]로 바뀌었을 때 "다음 기회를!!" 이라고 말한다.

[success] 배경과 [gameover] 배경은 배경 그리기에서 텍스트를 입력하여 만든다.

▪ 병렬 처리

스프라이트와 무대에서 일어나는 행동은 이벤트가 발생할 때 처리해야 할 일이라고 볼 수 있다. 스크래치는 이벤트가 발생하면 행동마다 별개의 스레드를 생성하여 병렬 처리한다.

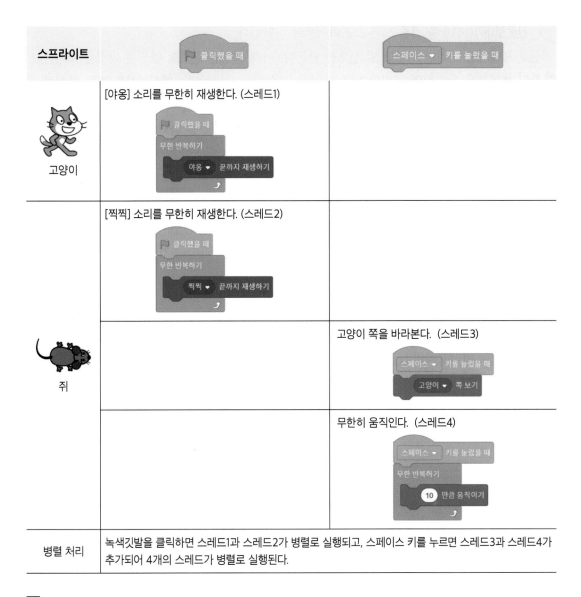

스프라이트	클릭했을 때	스페이스 ▼ 키를 눌렀을 때
고양이	[야옹] 소리를 무한히 재생한다. (스레드1)	
쥐	[찍찍] 소리를 무한히 재생한다. (스레드2)	고양이 쪽을 바라본다. (스레드3)
		무한히 움직인다. (스레드4)
병렬 처리	녹색깃발을 클릭하면 스레드1과 스레드2가 병렬로 실행되고, 스페이스 키를 누르면 스레드3과 스레드4가 추가되어 4개의 스레드가 병렬로 실행된다.	

⌛ **TIP** 스레드(thread)

프로그램 하나가 여러 작업을 동시에 처리하는 경우가 있다. 구글로 검색 (스레드1) 하는 도중에 파일을 다운로드 (스레드2) 받을 수도 있다. 이와 같이 한 개의 프로그램에 2개 이상의 기능이 동시에 실행되는 개념을 멀티 스레딩(multi-threading)이라고 한다.

■ 신호 보내기/신호를 받았을 때

신호라는 이벤트는 다른 스프라이트 혹은 자기 자신에게 어떤 명령을 내릴 때 사용하는 기능이다. 신호를 통해 서로 정보를 주고받는 상황을 구현할 수 있다. [신호 보내기]와 [신호 받았을 때]를 이용하여 누가 언제 어떤 명령 블록을 불러와 실행해야 할지 정보를 주고 받는다.

- **신호 보내기**: 신호를 다른 모든 스프라이트에 전달한다.

신호 보내기를 하려면 우선 보낼 신호를 만든다. 아래 그림은 신호를 만드는 과정을 보여준다. 블록의 ▼부분을 클릭하면 그림의 왼쪽과 같은 리스트가 나타난다. [메시지1]은 기본 메시지 이름인데 그대로 사용하기로 하자. 신호의 이름을 만들기 위해 [새로운 메시지]를 클릭하면 [새로운 메시지] 창이 나타난다. 예를 들어 [자기소개] 라고 입력하고 확인을 클릭한다.

이때 이벤트 카테고리의 [신호 보내기] 블록 리스트에 [자기소개] 메시지가 항목으로 추가된다. 또한 동시에 [신호를 받았을 때] 블록의 리스트에 [자기소개] 신호를 받았을 때라는 항목이 자동으로 생성된다.

- **신호 받았을 때**: 신호를 받은 스프라이트가 해야 하는 일을 정한다.

[자기소개] 신호 보내기

[자기소개] 신호를 받았을 때

신호 보내기는 모든 스프라이트에게 전송된다. 이때 [신호를 받았을 때] 블록을 가진 스프라이트만 반응을 한다. 해당 신호를 받지 않은 스프라이트에서는 아무 일도 일어나지 않는다.

» 실습 4

고양이가 [뛰어]라는 신호를 보내면 토끼와 거북이 스프라이트 모두에게 전달되지만 토끼 스프라이트에만 [신호를 받았을 때]라는 블록이 있어 토끼만 뛰고 거북이는 뛰지 않는다.

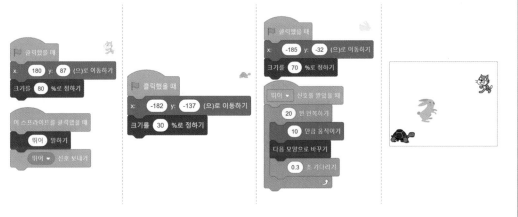

고양이, 거북이, 토끼 스프라이트를 준비한다.

녹색깃발을 클릭하면, 각 스프라이트는 초기 위치와 크기를 정한다.

고양이 스프라이트를 클릭하면 [뛰어 신호 보내기]를 모든 스프라이트에게 보낸다.

거북이는 신호를 무시한다.

토끼는 [뛰어 신호를 받았을 때]로 신호를 받아 뛰기 동작을 실행한다.

- **신호 보내고 기다리기**: 신호보내기와 다른 점은 신호를 받은 스프라이트가 실행을 마칠 때까지 기다리는 것이다.

고양이는 토끼가 다 뛸 때까지 기다린 후 잘했다고 칭찬한다.

[뛰어 신호 보내고 기다리기]를 사용하면 토끼가 다 뛴 후에 '잘했어!' 말하기를 실행한다.

- **코드 간소화**: 신호는 다른 스프라이트의 동작에 영향을 미치는 데만 사용하지는 않는다. 스프라이트 내부에서 신호 보내기와 신호를 받았을 때를 사용하여 코드를 간소화하거나 가독성을 높일 수 있다.

>> **실습 6**

녹색깃발을 클릭했을 때, [초기화] 신호를 보내 모든 스프라이트의 위치, 크기, 배경을 정하고, 신호 보내기로 고양이, 토끼, 거북이가 순서대로 인사를 한다.

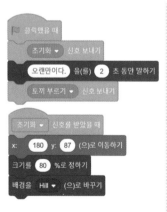

[고양이] 스프라이트

[토끼] 스프라이트

[거북이] 스프라이트

▪ 음량이 클 때/타이머가 클 때

음량은 마이크를 통해 들어오는 소리의 크기를 표현한 숫자이다. 크게 말하면 음량이 커지고 작게 말하면 음량이 작아진다. [감지] 카테고리의 [음량] 블록은 스크래치에서 감지하는 음량을 저장하고 있어 값을 확인해 볼 수 있다. [음량] 블록 옆의 체크박스 (□)에 ✓하면 음량이 숫자로 보인다. 음량에 따라 실시간으로 숫자가 바뀐다.

타이머는 프로그램 실행이 시작된 이후 얼마만큼 시간이 경과했는가를 밀리초 (1/1000초) 단위로 알려준다. 스크래치 프로그램의 시작은 다음 3가지 경우에 해당되고, 타이머로 이때부터 시간을 측정한다.

- 스크래치 실행을 시작하는 경우
- 스크래치 파일을 로드하는 경우
- 녹색깃발을 클릭하는 경우

프로그램을 실행하면 스크립트 작성을 하고 있지 않아도 타이머가 증가한다. 파일을 로드하면 타이머가 0.000으로 초기화되고 증가하기 시작한다. 녹색깃발을 클릭하면 타이머 값이 도중에 다시 초기화되어 0.000부터 다시 증가한다.

≫ 실습 7

고양이가 음량에 맞춰 회전한다.

감지의 [음량] 블록을 무대에서 보이게 한다. (체크 박스 ☑)

"아~~" 하고 소리를 낸다. 목소리를 크게 내면 음량이 커지고 고양이가 더 빨리 회전한다. 목소리를 작게 내면 음량이 작아지고 천천히 회전한다.

사용자가 녹색깃발을 클릭했을 때, [success] 배경을 초기 배경으로 설정한다. 제한 시간이 지나면 배경을 [gameover]로 바꾼다.

제한 시간을 타이머에 설정한다. 타이머에 설정된 시간 100 되면 배경을 [gameover]로 바꾼다. 또한 배경이 바뀌었을 때 "10초가 지났다"고 말한다. 이러한 기능은 게임을 긴장감있게 만드는데 활용할 수 있다.

1.3 코딩 연습

신호 보내기를 통해 서로 다른 스프라이트 사이에서 정보 교류가 이루어진다. 이때 여러 작업을 동시에 처리하는 병렬 처리가 필요한데, 다음 연습문제를 통해 병렬 처리가 어떻게 구현되는지 살펴보자.

 연습문제 **공차기 (신호 보내기 했을 때 병렬 처리)**

고양이가 축구공까지 달려간다. 골대 주변을 마우스로 클릭하면 그 지점을 향해 축구공을 찬다.

실행 화면	실행 조건
	1. 고양이의 시작위치는 축구공과 조금 떨어진 곳으로 정한다. 2. 고양이가 축구공에 닿을 때까지 달려간다. 3. 사용자가 골대 주변의 임의의 위치를 마우스로 클릭하면, 그 곳으로 공을 찬다.

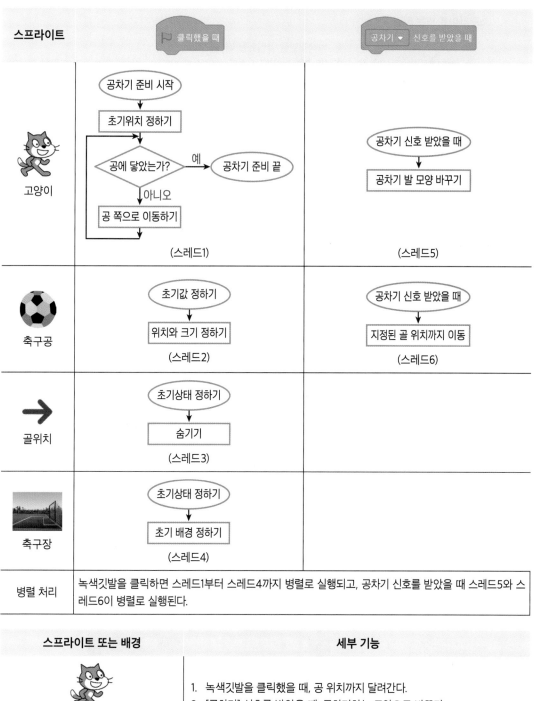

스프라이트	🏳 클릭했을 때	공차기 ▼ 신호를 받았을 때
고양이	공차기 준비 시작 → 초기위치 정하기 → 공에 닿았는가? — 예 → 공차기 준비 끝 / 아니오 → 공 쪽으로 이동하기 (스레드1)	공차기 신호 받았을 때 → 공차기 발 모양 바꾸기 (스레드5)
축구공	초기값 정하기 → 위치와 크기 정하기 (스레드2)	공차기 신호 받았을 때 → 지정된 골 위치까지 이동 (스레드6)
골위치	초기상태 정하기 → 숨기기 (스레드3)	
축구장	초기상태 정하기 → 초기 배경 정하기 (스레드4)	
병렬 처리	녹색깃발을 클릭하면 스레드1부터 스레드4까지 병렬로 실행되고, 공차기 신호를 받았을 때 스레드5와 스레드6이 병렬로 실행된다.	

스프라이트 또는 배경	세부 기능
고양이	1. 녹색깃발을 클릭했을 때, 공 위치까지 달려간다. 2. [공차기] 신호를 받았을 때, 공차기하는 모양으로 바꾼다.
축구공	1. 녹색깃발을 클릭했을 때, 초기 위치와 크기를 정한다. 2. [공차기] 신호를 받았을 때, 마우스 클릭한 위치까지 이동한다.

스프라이트 또는 배경	세부 기능
골위치	1. 녹색깃발을 클릭했을 때, 숨긴다. 2. [골 위치보이기] 신호를 받았을 때, 마우스 클릭한 위치까지 이동하고 보이기한다. 3. [공차기] 신호를 보낸다.
축구장	1. 녹색깃발을 클릭했을 때, 초기 배경을 [축구장]으로 설정한다. 2. 골대 주위를 클릭했을 때 [골 위치보이기] 신호를 보낸다.

추가로 사용할 블록	설명
축구공 ▼ 에 닿았는가? 감지	[●] 지정한 스프라이트에 닿았는지 감지한다.
까지 반복하기 제어	[●] 조건식이 만족 될 때까지 내부에 있는 블록을 반복해서 실행한다. 예를 들어, 조건식이 '축구공에 닿았는가?'이면 공에 닿을 때까지 블록을 반복해서 실행한다.

스프라이트 또는 배경	스크립트 블록
고양이	
축구공	

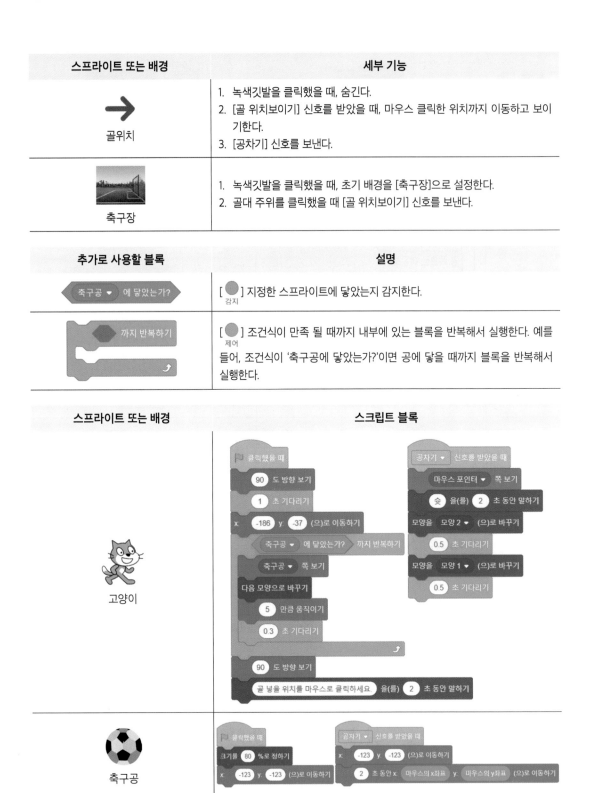

스프라이트 또는 배경	스크립트 블록
→ 골위치	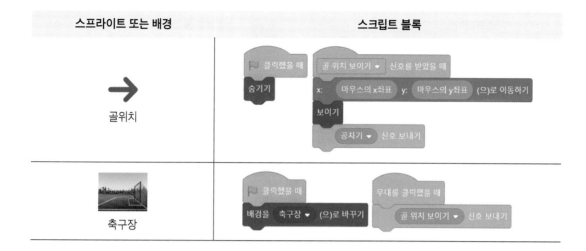
  축구장	

1.4 단계적 문제해결

심화문제 | **피코와 곰이 인사하고 횡단보도 건너기**

순차처리, 이벤트, 감지, 형태를 추가해 가면서 인사하기 알고리즘을 심화 학습해 보자.
피코와 곰이 만나면 반갑게 인사하고, 다정하게 횡단보도를 건너는 장면이 연출된다.

1단계 피코와 곰이 만나서 인사하기

실행 화면	알고리즘
 	1. 피코가 곰을 향해 5초 동안 걸어간다. 2. 발의 움직임을 표현하여 걷는 애니메이션 효과를 만든다. 3. 2초 동안 반갑다고 인사한다. 4. 7초 후에 곰도 손을 흔들며 인사한다. 5. 곰은 5초 동안 횡단보도를 건넌다.

스프라이트	스크립트 블록
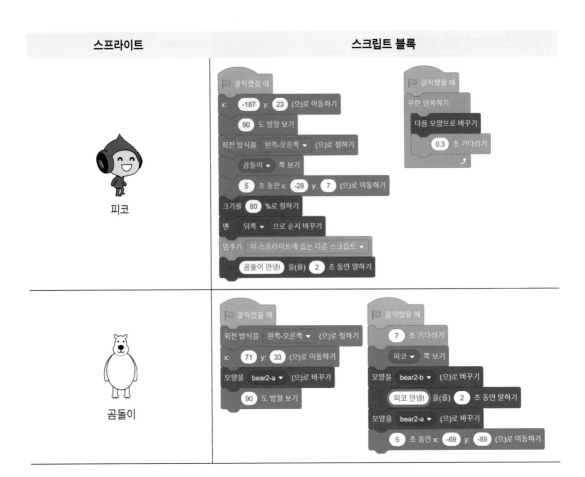 피코	
곰돌이	

2단계 인사 신호를 보내 피코와 곰 인사하기

실행 화면	알고리즘
	1. 피코가 2초 동안 반갑다고 인사한다. 2. 피코가 [인사] 신호를 보낸다. 3. 곰이 [인사] 신호를 받으면 손을 흔들어 인사한다.

스프라이트	스크립트 블록
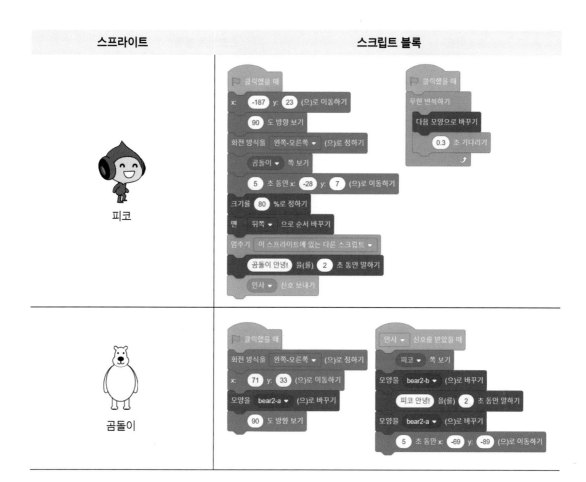 피코	

3단계 피코가 곰까지 걸어가서 인사하면 곰이 횡단보도 건너기

실행 화면	알고리즘
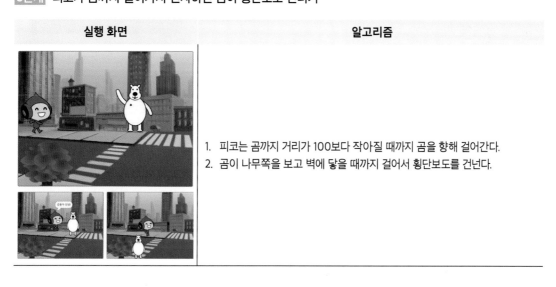	1. 피코는 곰까지 거리가 100보다 작아질 때까지 곰을 향해 걸어간다. 2. 곰이 나무쪽을 보고 벽에 닿을 때까지 걸어서 횡단보도를 건넌다.

스프라이트	스크립트 블록

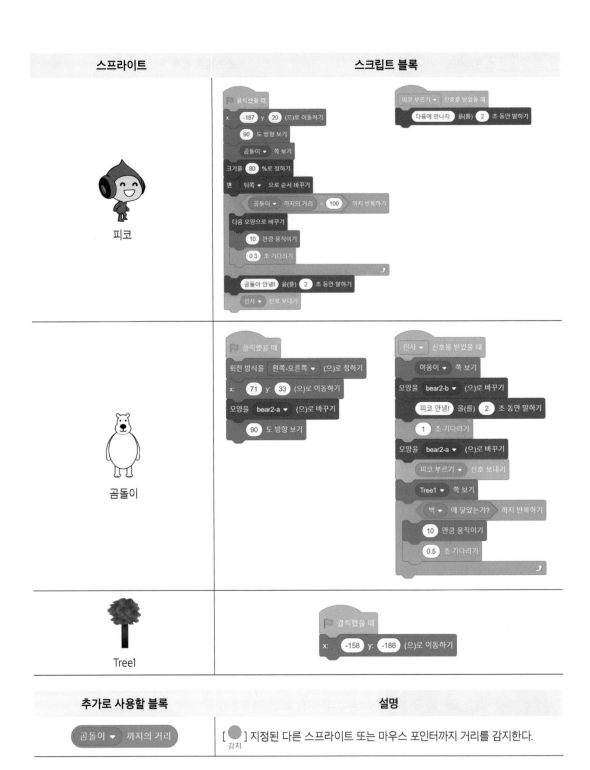

추가로 사용할 블록	설명
곰돌이 ▼ 까지의 거리	[◯] 지정된 다른 스프라이트 또는 마우스 포인터까지 거리를 감지한다. 감지

실행 화면	알고리즘
   	1. 신호등은 처음에 3가지 색이 모두 보인다. 2. 2초 후에 빨강색이 되었다가 [인사] 신호를 받으면 노랑색으로, [피코 부르기] 신호를 받으면 녹색으로 바뀐다. 3. 빨강색일 때는 피코가 곰에게 다가간다. 4. 노랑색일 때는 피코와 곰이 서로 인사한다. 5. 녹색이 되면 피코는 신호등 쪽을 보고 벽에 닿을 때까지 걸어서 횡단보도를 건넌다. 6. 곰은 나무 쪽을 보고 벽에 닿을 때까지 걸어서 횡단보도를 건넌다.

스프라이트	스크립트 블록
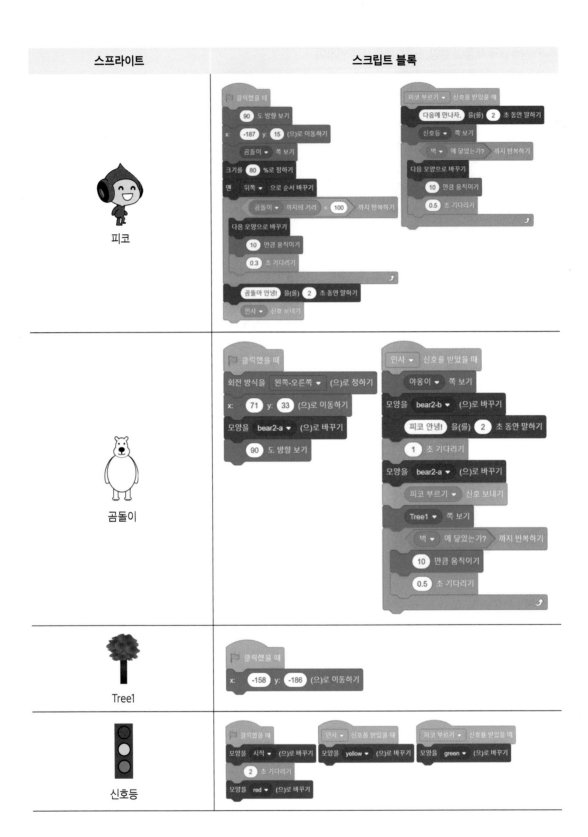피코	
곰돌이	
Tree1	
신호등	

우리는 일상생활에서 조건에 따라 서로 다른 일을 선택하는 경우가 허다하다. 지갑에 10만원 이상 있으면 고급 레스토랑에 가고 그렇지 않으면 분식집에 가는 선택을 한다. 또한 반복을 통해 과업을 이루는 경우도 허다하다. 밥을 먹을 때는 숟가락으로 밥을 입에 넣고 젓가락으로 반찬을 입에 넣는 행위를 수십 번 반복한다. 밥 먹는 행위를 하루에 3번 반복하고 그런 일을 1년에 365번 반복한다.

컴퓨터 프로그래밍에서도 선택과 반복을 통해 문제를 해결한다. 스크래치는 선택과 반복을 위해 다양한 형태의 블록을 제공한다. 선택 블록과 반복 블록을 이용해서 다양한 문제를 해결해보자.

2.1 소개

블록	기능
1 초 기다리기	지정한 숫자(초) 동안 멈춰 있다가 다음 블록으로 넘어간다.
10 번 반복하기	지정한 숫자만큼 반복한다.
무한 반복하기	무한히 반복한다.
만약 (이)라면	◆ 에 있는 조건이 참일 때 끼어있는 블록을 수행한다.
만약 (이)라면 / 아니면	조건이 참일 때와 거짓일 때 서로 다른 블록을 수행한다.
◆ 까지 기다리기	조건이 참이 될 때까지 멈춰있다가 참이 되면 다음 블록으로 진행한다.

블록	기능
까지 반복하기	조건이 참이 될 때까지 반복을 하고 참이 되는 순간 반복을 빠져나와 다음 블록을 진행한다.
멈추기 모두 ▼	프로그램을 종료시킨다.
복제되었을 때	복제하기 블록으로 생성된 복제본에 대해 블록을 실행한다.
나 자신 ▼ 복제하기	지정된 스프라이트의 복제본을 생성한다.
이 복제본 삭제하기	복제된 스프라이트를 삭제한다.

2.2 맛보기

선택과 반복을 지원하는 다양한 블록의 동작을 연습해보자.

[기다리기] 블록 2가지 유형

이들 블록의 동작은 앞에서 설명하였다.

[반복] 블록 3가지 유형

이들 블록의 동작은 앞에서 설명하였다.

[멈추기] 블록 3가지 유형

[모두]: 프로그램을 종료한다.

[이 스크립트]: 이 블록을 포함한 스크립트만 멈춘다.

[이 스프라이트에 있는 다른 스크립트] : 이 블록을 포함한 스크립트를 제외하고 이 스프라이트에 있는 다른 스크립트를 모두 멈춘다.

》 실습 1

스프라이트를 클릭하면 스프라이트가 반시계방향으로 36도씩 10번 회전하여 한바퀴 돌도록 만들어보자.

》 실습 2

녹색깃발을 클릭했을 때, 스프라이트가 제자리에서 20만큼 점프하는 일을 무한 반복한다.

녹색깃발을 클릭했을 때, 키보드의 위쪽, 아래쪽, 왼쪽, 오른쪽 화살표 키를 누를 때마다 스프라이트가 해당 방향으로 10만큼 이동한다.

```
클릭했을 때

회전 방식을 [왼쪽-오른쪽 ▼] (으)로 정하기

무한 반복하기
    만약 <위쪽 화살표 ▼ 키를 눌렀는가?> (이)라면
        0 도 방향 보기
        10 만큼 움직이기

    만약 <아래쪽 화살표 ▼ 키를 눌렀는가?> (이)라면
        180 도 방향 보기
        10 만큼 움직이기

    만약 <오른쪽 화살표 ▼ 키를 눌렀는가?> (이)라면
        90 도 방향 보기
        10 만큼 움직이기

    만약 <왼쪽 화살표 ▼ 키를 눌렀는가?> (이)라면
        -90 도 방향 보기
        10 만큼 움직이기
```

녹색깃발을 클릭했을 때, 스프라이트가 무대의 왼쪽 벽과 오른쪽 벽 사이를 오간다. 스프라이트가 벽에 닿을 때마다 야옹 소리가 난다.

```
클릭했을 때
회전 방식을 왼쪽-오른쪽 ▼ (으)로 정하기
무한 반복하기
    10 만큼 움직이기
    만약  벽 ▼ 에 닿았는가? (이)라면
        야옹 ▼ 재생하기
    벽에 닿으면 튕기기
```

녹색깃발을 클릭했을 때, 마우스 포인터가 스프라이트에 닿을 때마다 야옹 소리가 나고 스프라이트가 임의의 위치로 이동하도록 만들어보자.

```
클릭했을 때
무한 반복하기
    마우스 포인터 ▼ 에 닿았는가? 까지 기다리기
    야옹 ▼ 재생하기
    무작위 위치 ▼ (으)로 이동하기
```

스페이스 키를 누르면 스프라이트가 (0,0) 위치에서 출발해 벽에 도달할 때까지 10만큼씩 이동한다.

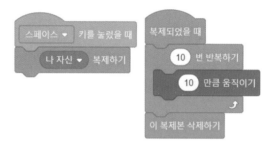

스페이스 키를 누를 때마다 자신의 분신이 복제되고, 복제된 분신은 10만큼 움직이기를 10번 반복하고 사라지도록 만들어보자.

반복문/이동/모양 바꾸기를 통해 자유롭게 돌아다니는 스프라이트를 만들고, 키보드에서 특정 키를 누르면 동작을 멈추도록 하는 [멈추기] 블록을 연습해보자.

녹색깃발을 클릭했을 때, 스프라이트의 모양이 바뀌는 일을 무한 반복한다.

녹색깃발을 클릭했을 때, 1초마다 방향이 30도씩 바뀌는 일을 무한 반복한다.

키보드에서 q를 누르면 프로그램이 종료된다.

녹색깃발을 클릭했을 때, 스프라이트가 벽과 벽을 왔다 갔다 하는 일을 무한 반복한다.

바로 앞의 코드에서 빨간색 부분만 추가되었다. 스페이스 키를 누르면 이 스크립트만 멈추기 때문에 움직임만 멈추고 다른 스크립트 동작(모양바꾸기, 회전하기)은 그대로 유지된다.

바로 앞의 코드에서 빨간색 부분만 추가되었다. x 키를 누르면 이 코드(스크립트)에 해당하는 움직임은 유지하고 다른 코드로 인해 시작된 동작은 모두 멈춘다.

>> **실습 9**

스프라이트가 1초에 한 번씩 자기 자신을 복제하고, 복제된 스프라이트는 임의의 위치에서 모양이 지속적으로 바뀌다가 마우스로 클릭하면 없어지도록 만들어보자.

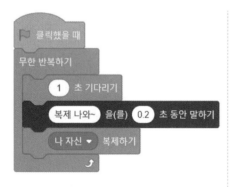

녹색깃발을 클릭했을 때, 원본 스프라이트는 1초에 한 번씩 자신을 무제한 복제한다. 복제되는 시점을 알 수 있도록 "복제 나와~"를 복제하기 전에 말한다.

녹색깃발을 클릭했을 때, 원본 스프라이트는 제자리에서 반복적으로 0.2초 간격으로 모양 바꾸기를 실행한다.

복제된 스프라이트는 무작위 위치로 배치된 후 0.2초 간격으로 모양 바꾸기를 무한 반복한다.

복제된 스프라이트를 마우스로 클릭하면 "잘있어~"를 0.2초 동안 말하고 사라진다.

⌛ **TIP** 이 복제본 삭제하기 는 복제된 스프라이트에만 영향을 미치고, 원본 스프라이트에는 아무런 영향을 미치지 않는다.

2.3 코딩 연습

연습문제 화살표 총알 발사하기

화살표 스프라이트를 키보드에 있는 화살표 키로 회전시키면서, 원하는 방향으로 총알을 발사하도록 만들어 보자.

실행 화면	실행 조건
	1. [화살표] 스프라이트를 (0,0) 위치에 배치한다. 2. 키보드에서 오른쪽 화살표 키를 누르면 스프라이트가 시계방향으로 회전하고 왼쪽 화살표 키를 누르면 반시계 방향으로 회전한다. 3. 스페이스 키를 누를 때마다 화살표 스프라이트를 복제한다. 복제된 화살표는 벽에 닿을 때까지 이동하고 벽에 닿으면 사라진다.

스프라이트 또는 배경	세부 기능
 화살표	1. 녹색깃발을 클릭했을 때 • 회전방식을 [회전하기]로 정하고 (0,0) 위치로 이동한다. • 오른쪽 화살표 키를 누르면 시계방향으로 5도 회전하고, 왼쪽 화살표 키를 누르면 반시계방향으로 5도 회전하는 동작을 무한 반복한다.

스프라이트 또는 배경	세부 기능
 화살표	2. 녹색깃발을 클릭했을 때, 스페이스 키를 누르면 [나 자신을 복제하기] 동작을 무한 반복한다. 3. 복제되었을 때, 벽에 닿을 때까지 10만큼 이동하기를 반복하고 벽에 닿으면 복제본을 삭제한다.
배경	배경 저장소에서 [Stars] 선택

스프라이트	세부 기능
→ 화살표	

하늘에서 달걀이 떨어진다. 고양이 스프라이트를 왼쪽 또는 오른쪽 화살표 키로 움직여서 하늘에서 떨어지는 달걀을 피하자.

실행 화면	실행 조건
	1. 복제를 통해 생성된 많은 달걀이 하늘에서 떨어진다. 2. 고양이를 왼쪽 화살표 키와 오른쪽 화살표 키로 좌우로 이동해서 떨어지는 달걀을 피하도록 하자.

스프라이트 또는 배경	세부 기능
고양이	1. 녹색 깃발을 클릭했을 때, 　• 회전방식을 [왼쪽-오른쪽]으로 정하고 (0,-120) 위치로 이동한다. 　• [게임시작] 신호를 보내고, 0.1초 간격으로 다음 모양으로 바꾸기를 무한 반복한다. 2. [게임시작] 신호를 받았을 때 다음 동작을 무한반복한다. 　• 오른쪽 화살표 키를 누르면 오른쪽으로 10만큼 이동하고 왼쪽 화살표 키를 누르면 왼쪽으로 10만큼 이동한다. 3. [게임시작] 신호를 받았을 때, 0.5초 간격으로 [달걀] 스프라이트 복제하기를 무한 반복한다.
달걀	1. 녹색깃발을 클릭했을 때, 크기를 100%, 모양을 [egg-a]로 바꾼다. 　-90도 방향보기로 설정하고 숨기기한다. 2. 복제되었을 때, 　• (-210,120)~(210,150) 범위에서 시작좌표를 정하고 보이게 한다. 　• 벽에 닿거나 [고양이]에 닿을 때까지 y 좌표를 -5만큼 바꾸기를 반복한다. 　• [고양이]에 닿은 상태로 반복이 끝나면 모양을 [egg-b]로 바꾸고, [pop] 음원을 재생한다. 　• 복제본을 삭제한다.
배경	배경 저장소에서 [Woods] 선택

추가로 사용할 블록	설명
[◯ 또는 ◯] 연산	[◯] 왼쪽 조건과 오른쪽 조건이 하나라도 참이면 참이 된다.

스프라이트	스크립트 블록

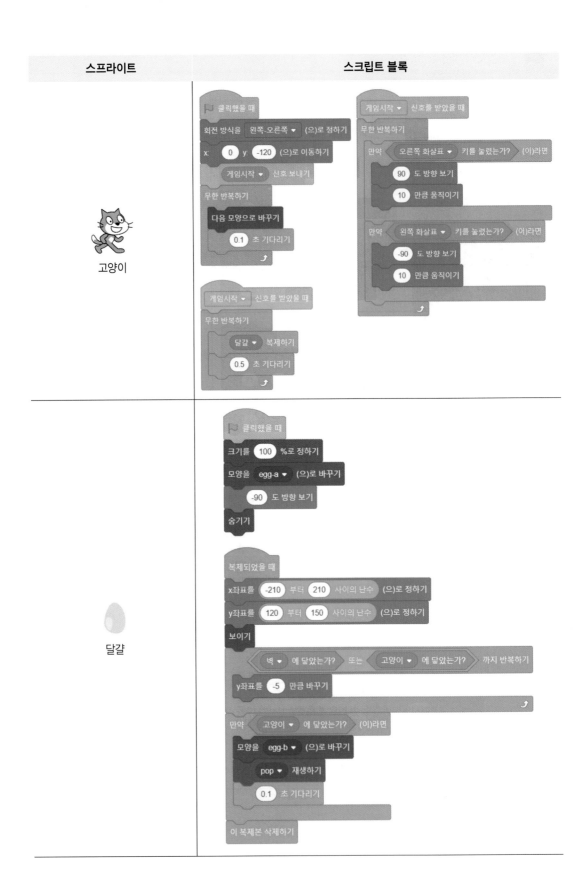

고양이

달걀

2.4 단계적 문제해결

 심화문제 | **앵무새가 반복해서 날아가기**

반복문과 신호보내기를 이용하여 앵무새가 왼쪽에서 오른쪽으로 날아가는 일을 반복하게 한다.

1단계 앵무새가 왼쪽에서 오른쪽 벽으로 날아가는 일을 반복하기

실행 화면	알고리즘
	1. [앵무새]의 크기는 60%, 방향은 오른쪽, 회전방식은 [왼쪽-오른쪽]으로 설정한다. 2. 다음 과정을 반복한다. • 시작위치를 (-180,100)으로 설정한다. • [앵무새]가 오른쪽 벽에 닿을 때까지 이동한다. • 벽에 닿으면 "벽이야~"를 0.5초 동안 말한다.

스프라이트	스크립트 블록
  앵무새	

2단계 출발 신호를 받으면 앵무새가 왼쪽에서 오른쪽 벽으로 날아가는 일을 반복하기

실행 화면	알고리즘
	1. [출발] 신호를 보낸다. 2. [출발] 신호를 받았을 때, • 시작 위치를 (-180,100)으로 설정한다. • [앵무새]가 오른쪽 벽에 닿을 때까지 이동한다. • 벽에 닿으면 "벽이야~"를 0.5초 동안 말한다. • [출발] 신호를 보낸다.

스프라이트	스크립트 블록
앵무새	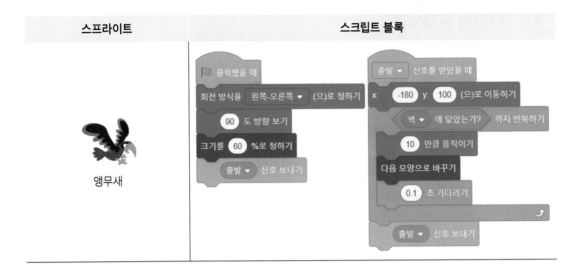

3단계 고양이를 추가하여 앵무새를 다시 출발하게 하기

실행화면	알고리즘
	1. [고양이] 스프라이트는 제자리에 머문 채 [앵무새]가 날아가는 쪽으로 방향을 지속적으로 바꾼다. 2. [고양이] 스프라이트는 8초 마다 "앵무새 다시 출발해~"를 0.5초 동안 말한 후, [출발] 신호를 보내는 일을 무한 반복한다.

스프라이트	세부기능
고양이	1. 녹색깃발을 클릭했을 때, 반복적으로 [앵무새] 쪽을 본다. 2. 녹색깃발을 클릭했을 때. 다음 과정을 반복한다. • 8초 기다린 후, "앵무새 다시 출발해~"를 0.5초 동안 말한다. • [출발] 신호를 보낸다.

스프라이트	스크립트 블록
고양이	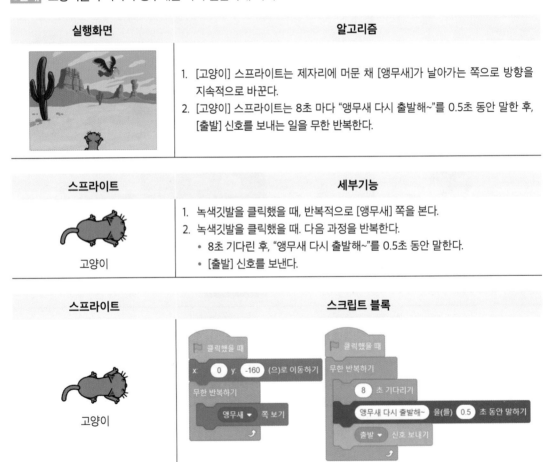

어떤 상황이 되었는지 감지하는데 사용한다. 예를 들어 이동하는 스프라이트가 벽에 부딪쳤는지, 다른 스프라이트에 다가갔는지 등을 확인하는데 사용할 수 있다. 감지 블록을 사용하면 상황에 따라 원하는 동작을 지정하거나 적절한 조치를 취하여 프로그램이 유용하게 또는 정상적으로 동작하게 할 수 있다.

3.1 소개

블록	기능
마우스 포인터 ▼ 에 닿았는가? ✓ 마우스 포인터 벽	스프라이트가 마우스 포인터나 무대의 벽, 또는 다른 스프라이트에 닿았는지 감지한다.
● 색이 ● 색에 닿았는가?	스프라이트의 색(첫 번째 색)이 배경이나 다른 스프라이트 색(두 번째 색)에 닿았는지 감지한다.
○ 색에 닿았는가? 색상 83 채도 25 명도 87 ✎	스프라이트가 특정 색에 닿았는지 감지한다.
마우스 포인터 ▼ 까지의 거리 ✓ 마우스 포인터	스프라이트 중심에서 마우스 포인터까지의 거리 또는 다른 스프라이트까지의 거리를 감지한다.
○ 라고 묻고 기다리기	지정된 문장을 질문하고 대답이 올 때까지 기다린다.
대답	질문에 대한 대답을 저장한다.

블록	기능
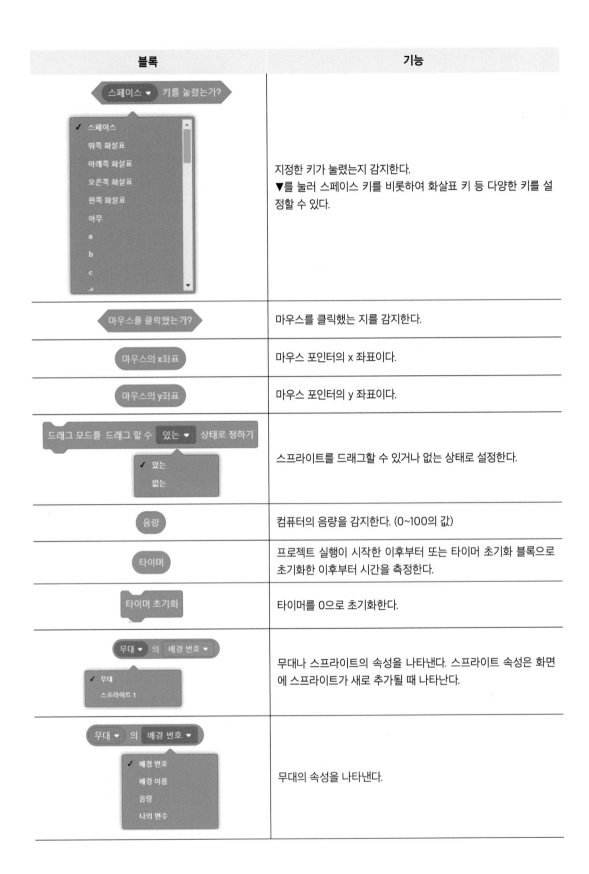 스페이스 ▾ 키를 눌렀는가?	지정한 키가 눌렸는지 감지한다. ▼를 눌러 스페이스 키를 비롯하여 화살표 키 등 다양한 키를 설정할 수 있다.
마우스를 클릭했는가?	마우스를 클릭했는 지를 감지한다.
마우스의 x좌표	마우스 포인터의 x 좌표이다.
마우스의 y좌표	마우스 포인터의 y 좌표이다.
드래그 모드를 드래그 할 수 있는 ▾ 상태로 정하기	스프라이트를 드래그할 수 있거나 없는 상태로 설정한다.
음량	컴퓨터의 음량을 감지한다. (0~100의 값)
타이머	프로젝트 실행이 시작한 이후부터 또는 타이머 초기화 블록으로 초기화한 이후부터 시간을 측정한다.
타이머 초기화	타이머를 0으로 초기화한다.
무대 ▾ 의 배경 번호 ▾	무대나 스프라이트의 속성을 나타낸다. 스프라이트 속성은 화면에 스프라이트가 새로 추가될 때 나타난다.
무대 ▾ 의 배경 번호 ▾	무대의 속성을 나타낸다.

블록	기능
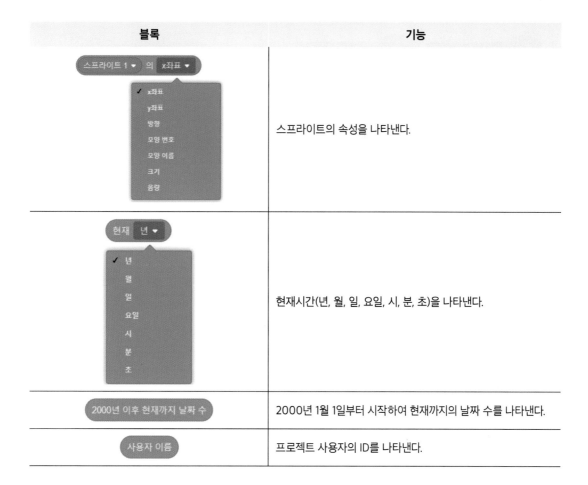	스프라이트의 속성을 나타낸다.
	현재시간(년, 월, 일, 요일, 시, 분, 초)을 나타낸다.
2000년 이후 현재까지 날짜 수	2000년 1월 1일부터 시작하여 현재까지의 날짜 수를 나타낸다.
사용자 이름	프로젝트 사용자의 ID를 나타낸다.

3.2 맛보기

감지 블록을 사용하여 다양한 상황을 적절하게 처리하는 연습을 해보자.

[~에 닿았는가?]

스프라이트가 마우스 포인터, 벽, 다른 스프라이트 등에 닿았는지 여부를 참과 거짓으로 알려준다. ▼를 클릭하여 닿는 대상을 지정할 수 있다.

[묻고 기다리기/대답]

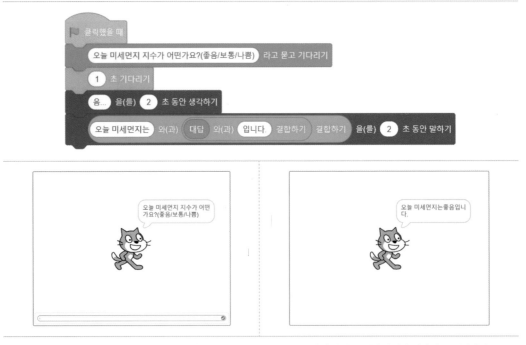

미세먼지에 대한 질문을 던지고 대답을 기다린다. 대답이 입력되면 1초를 기다린 다음 생각하기와 말하기를 실행한다.

[마우스의 x 좌표와 y 좌표]

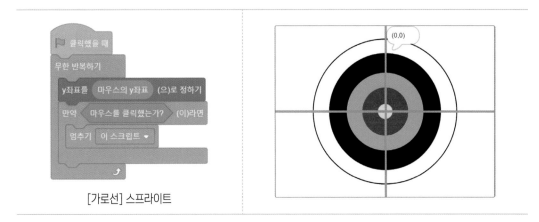

[가로선] 스프라이트

[세로선] 스프라이트

가로선은 마우스의 y좌표를 따라 위아래로 움직이고 세로선은 마우스의 x좌표를 따라 좌우로 움직인다. 마우스를 따라 두 선이 계속 움직이면서 과녁 위의 조준 위치를 나타낸다.

[타이머/타이머 초기화]

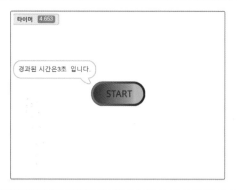

스프라이트를 클릭하면 타이머 값이 0으로 초기화된다. 스페이스 키를 누를 때까지 경과된 시간을 확인할 수 있다.

》 실습 1

나비를 클릭한 후 마우스를 움직이면 나비가 날갯짓을 하며 마우스를 따라다닌다. 나비가 꽃 위에 앉으면 '꽃 향기를 맡으면 힘이 솟아요!!'라는 메시지를 출력하는 프로그램을 작성해 보자.

 퀴즈

꽃향기를 맡을 때마다 힘이 솟아 나비의 크기가 커지도록 만든다.

3.3 코딩 연습

하늘에서 떨어지는 눈송이에 닿으면 크기가 커지는 눈사람을 만들어 보자.

실행 화면	실행 조건
	1. 눈사람은 왼쪽 화살표 키와 오른쪽 화살표 키를 사용하여 좌우로 움직인다. 2. 눈사람이 눈송이에 닿으면 크기가 커진다. 3. 눈사람이 얼음에 닿으면 크기가 작아진다. 4. 눈송이는 복제되어 하늘에서 떨어진다. 투명도 효과를 적용해 내려오면서 점점 투명해져 녹아 사라지는 효과를 연출한다. 벽에 닿거나 눈사람에 닿으면 사라진다. 5. 얼음은 복제되어 하늘에서 떨어진다. 밝기 효과를 적용해 내려오면서 점점 밝아져 얼음으로 쌓이는 효과를 연출한다. 벽에 닿거나 눈사람에 닿으면 사라진다. 6. 녹색 깃발을 클릭했을 때, 타이머가 동작하여 30초가 지나면 모든 실행이 멈춘다.

스프라이트 또는 배경	세부 기능
눈사람	1. 왼쪽 화살표 키와 오른쪽 화살표 키를 눌렀을 때, 왼쪽과 오른쪽 방향으로 움직인다. 2. 눈송이에 닿으면 크기가 5만큼 커진다. 3. 얼음에 닿으면 크기가 5만큼 작아진다.
눈송이	1. 타이머를 적용하여 30초 동안 반복해서 복제한다. 2. 복제되었을 때, 투명도 효과를 적용하여 점점 투명해지도록 한다. 3. 크기는 난수를 사용하여 정하고, 위에서 아래로 이동한다. 4. 벽에 닿거나 눈사람에 닿으면 사라진다.
얼음	1. 타이머를 적용하여 30초 동안 반복해서 복제한다. 2. 복제되었을 때, 밝기 효과를 적용하여 점점 밝아지도록 한다. 3. 크기는 난수를 사용하여 정하고, 위에서 아래로 이동한다. 4. 벽에 닿거나 눈사람에 닿으면 사라진다.
배경	1. 타이머를 초기화한다. 2. 30초가 되면 모든 스프라이트의 실행을 멈춘다.

스프라이트 또는 배경	스크립트 블록
 배경	
눈사람	 
눈송이	

❄️ 눈송이	**복제되었을 때** 맨 앞쪽▼ 으로 순서 바꾸기 크기를 10 부터 20 사이의 난수 %로 정하기 x: -200 부터 200 사이의 난수 y: 150 (으)로 이동하기 보이기 벽▼ 에 닿았는가? 또는 눈사람▼ 에 닿았는가? 까지 반복하기 　y좌표를 -3 만큼 바꾸기 이 복제본 삭제하기 **복제되었을 때** 무한 반복하기 　투명도▼ 효과를 10 만큼 바꾸기 　0.5 초 기다리기
💎 얼음	**🏳 클릭했을 때** 숨기기 크기를 100 %로 정하기 그래픽 효과 지우기 타이머 > 30 까지 반복하기 　나 자신▼ 복제하기 　1 초 기다리기 **복제되었을 때** 맨 앞쪽▼ 으로 순서 바꾸기 크기를 80 부터 100 사이의 난수 %로 정하기 x: -200 부터 200 사이의 난수 y: 150 (으)로 이동하기 보이기 벽▼ 에 닿았는가? 또는 눈사람▼ 에 닿았는가? 까지 반복하기 　y좌표를 -5 만큼 바꾸기 이 복제본 삭제하기 **복제되었을 때** 무한 반복하기 　밝기▼ 효과를 10 만큼 바꾸기 　0.5 초 기다리기

3.4 단계적 문제해결

심화문제	무지개 상자 쌓기

감지, 이벤트, 형태, 제어 블록을 활용하여, 색깔 상자에서 원하는 색을 마술봉으로 선택하여 무지개 상자를 완성해보자. 색깔 상자는 7가지 무지개 색이 번갈아 나타난다.

1단계 색깔상자 색상 바꾸기

실행 화면	알고리즘
	1. [마술봉] 스프라이트는 마우스 포인터를 따라 이동한다. 2. [색깔상자] 스프라이트는 7가지 색상(빨강, 주황, 노랑, 초록, 파랑, 남, 보라)을 띤 모양을 가진다. 각 모양 이름은 색상 이름으로 한다. 녹색깃발을 클릭했을 때, 모양 바꾸기를 계속하여 이들이 번갈아 나타난다. 3. [색깔상자] 스프라이트가 [마술봉]에 닿으면, 모양바꾸기를 멈춘다.

스프라이트	스크립트 블록

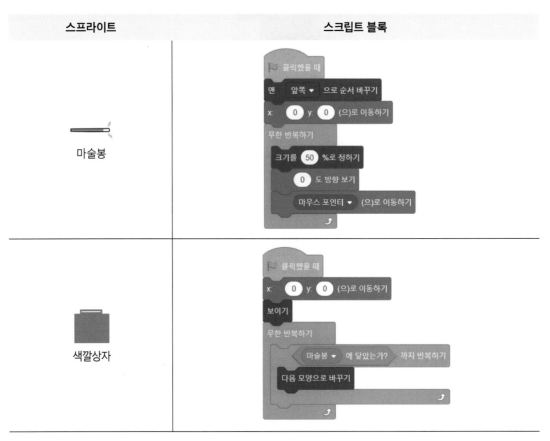

실행 화면	알고리즘
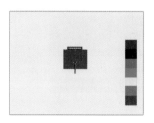	1. 7개 무지개 색상 스프라이트([빨강], [주황], [노랑], [초록], [파랑], [남], [보라])를 만든다. 화면 오른쪽에 차례로 쌓아두고 숨기기한다. 2. [색깔상자] 스프라이트가 [마술봉]에 닿았을 때, 선택된 색상 모양을 나타내는 신호를 보낸다.(예: 모양 이름이 [빨강]이면 [빨간색] 신호, [노랑]이면 [노란색] 신호를 보낸다.) 3. 7개 무지개 색상 스프라이트가 해당 색상을 나타내는 신호를 받았을 때, 보이기하여 오른쪽 지정된 위치에 나타나도록 한다. 4. 7개 색상 스프라이트가 모두 나타날 때까지 시도하여 무지개 상자를 완성한다.

스프라이트	스크립트 블록
 색깔상자	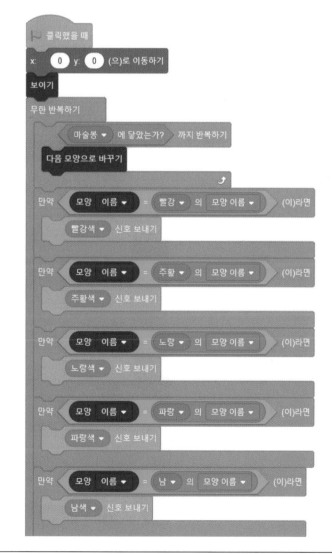

스프라이트	스크립트 블록
	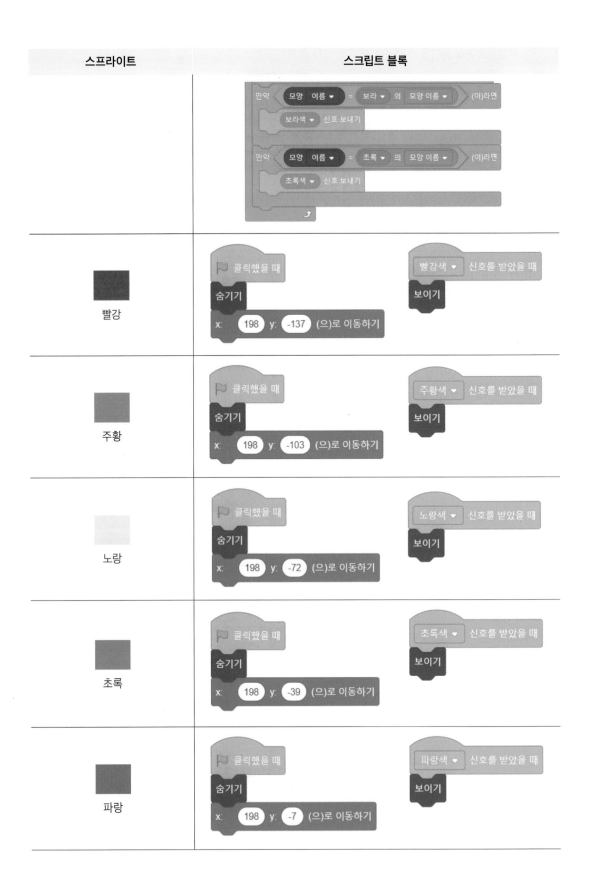

만약 모양 이름 ▾ = 보라 ▾ 의 모양 이름 ▾ (이)라면
　보라색 ▾ 신호 보내기
만약 모양 이름 ▾ = 초록 ▾ 의 모양 이름 ▾ (이)라면
　초록색 ▾ 신호 보내기

빨강

▶ 클릭했을 때
숨기기
x: 198 y: -137 (으)로 이동하기

빨강색 ▾ 신호를 받았을 때
보이기

주황

▶ 클릭했을 때
숨기기
x: 198 y: -103 (으)로 이동하기

주황색 ▾ 신호를 받았을 때
보이기

노랑

▶ 클릭했을 때
숨기기
x: 198 y: -72 (으)로 이동하기

노랑색 ▾ 신호를 받았을 때
보이기

초록

▶ 클릭했을 때
숨기기
x: 198 y: -39 (으)로 이동하기

초록색 ▾ 신호를 받았을 때
보이기

파랑

▶ 클릭했을 때
숨기기
x: 198 y: -7 (으)로 이동하기

파랑색 ▾ 신호를 받았을 때
보이기

스프라이트	스크립트 블록
남	클릭했을 때 숨기기 x: 198 y: 26 (으)로 이동하기 남색 ▾ 신호를 받았을 때 보이기
보라	클릭했을 때 숨기기 x: 198 y: 58 (으)로 이동하기 보라색 ▾ 신호를 받았을 때 보이기

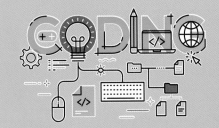

CHAPTER 6

블록 익숙해지기 3 : 연산, 변수, 내 블록

① ▸▸ 연산

스크래치는 사칙 연산과 논리 연산 외에도 난수 생성, 나머지, 반올림, 삼각함수, 제곱근과 같이 프로그래밍할 때 매우 유용한 다양한 연산 블록을 제공한다. 또한 문자열의 길이, 문자열 결합, 문자열에서 특정 문자의 위치 찾기 등과 같은 문자열을 다루는 다양한 연산을 제공한다.

1.1 소개

블록	기능
◯ + ◯	두 수를 더한다.
◯ - ◯	두 수를 뺀다.
◯ • ◯	두 수를 곱한다.
◯ / ◯	두 수를 나눈다.
1 부터 10 사이의 난수	주어진 범위에서 임의의 정수 또는 실수를 생성한다.
◯ > 50	왼쪽 값이 오른쪽 값보다 큰 지 확인한다.
◯ < 50	왼쪽 값이 오른쪽 값보다 작은 지 확인한다.
◯ = 50	왼쪽 값이 오른쪽 값과 같은 지 확인한다.
그리고	왼쪽과 오른쪽 조건이 모두 참일 때 참이 된다.
또는	왼쪽과 오른쪽 조건이 하나라도 참이면 참이 된다.

블록	기능
이(가) 아니다	조건이 참이면 거짓이 되고, 거짓이면 참이 된다.
가위 와(과) 나무 결합하기	두 문자열을 결합한다.
가위 의 1 번째 글자	문자열에서 지정한 위치에 있는 문자를 알려준다.
가위 의 길이	문자열에 있는 문자의 개수를 알려준다.
가위 이(가) 가 을(를) 포함하는가?	문자열에 지정한 문자가 있으면 참이 되고 없으면 거짓이 된다.
나누기 의 나머지	두 수를 나눈 나머지이다.
의 반올림	반올림한다.
절댓값 ▼ ( ) ✓ 절댓값 버림 올림 제곱근 sin cos tan asin	여러 가지 함수 (절댓값, 버림, 올림, 제곱근, sin, cos, tan, asin, acos, atan, ln, log, e^x, 10^x)를 지원한다.

1.2 맛보기

다양한 연산을 적용하는 연습을 통해 프로그래밍 기초 실력을 키워보자.

■ 사칙 연산

더하기, 빼기, 곱하기, 나누기 블록을 이용하여 사칙 연산을 한다.

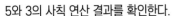
5와 3의 사칙 연산 결과를 확인한다.

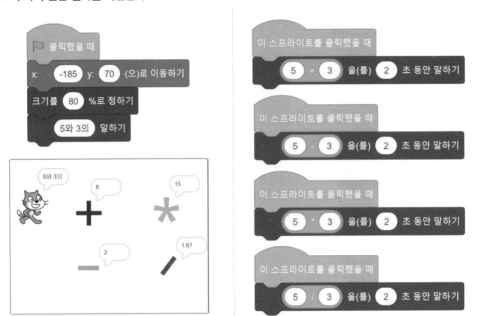

두 수의 사칙 연산 결과를 4개의 스프라이트 [+], [-], [x], [/]를 클릭하여 확인할 수 있다.

▪ 사칙 연산의 혼합

사칙 연산 블록을 2개 이상 결합해서 여러 개의 입력 값을 한 번에 계산할 수 있다. 종류가 다른 사칙연산 블록을 사용하여 혼합 연산도 할 수 있다. 아래와 같이 2개의 블록을 결합하면 3개의 입력 값을 계산할 수 있다.

3개의 입력 값 10, 20, 30을 2개의 덧셈 블록을 결합해서 한 번에 계산할 수 있다.

3개의 입력 값 10, 20, 30을 덧셈과 뺄셈 블록을 결합해서 한 번에 혼합 계산할 수 있다.

곱셈, 나눗셈 등을 혼합해서 계산해 보자. 3개 이상의 연산 블록을 결합해 보자.

■ 난수의 생성

난수는 지정된 범위 안에서 무작위로 선택된 수이다. 프로그래밍할 때 아주 많이 활용한다. 예를 들어, 규칙이 없이 임의로 결정되는 시간, 임의의 동작, 임의의 선택 등을 만들 때 사용한다. 정수로 범위를 지정하면 정수 난수를 생성한다. 범위의 한쪽이라도 실수를 지정하면 실수 난수를 생성한다.

실습 2 하늘 여기저기에서 떨어지는 눈송이

눈송이가 떨어지는 시작 위치를 무대 위의 임의 위치로 지정한다.

x는 임의 위치, y는 160(무대 위쪽)으로 설정

무대 위의 임의 위치에서 눈송이가 계속 떨어지다가 땅에 닿으면 사라지고(숨기기), 무대 위의 임의 위치에 다시 나타난다. 이런 과정을 무한 반복하여 하늘에서 떨어지는 눈송이 효과를 표현한다.

》》 실습 3　축구공 슛하기

축구공을 골대 안 임의 위치로 이동시킨다.

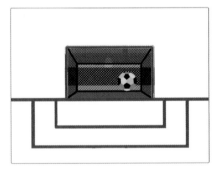

골대 안에 공을 넣기 위해 골대의 위치에 해당하는 범위에서 난수를 발생시킨다. 골대의 x 값의 범위는 -114부터 106사이이고, y 값의 범위는 -16부터 90사이이다. 녹색깃발을 클릭했을 때, 공은 처음 위치에서 골대 범위 안의 임의의 위치로 1초 동안 이동한다.

공이 벽에 닿으면 무작위 방향으로 튕기게 한다.

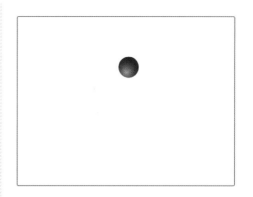

[동작]에 있는 [벽에 닿으면 튕기기] 블록을 사용하면 튕기는 방향이 정해져 있으므로 좌우 이동만 계속한다. 벽에 닿아 튕길 때 -90부터 90 사이에서 난수를 생성해서 다양한 방향으로 움직이게 한다.

■ **비교/논리 연산**

육각형 모양의 블록은 조건으로 사용된다. 조건이 맞으면 참(true), 맞지 않으면 거짓(false)이 된다. 컴퓨터 내부에서는 true는 숫자 1, false는 0으로 표현한다. 스크립트 영역에서 블록을 클릭하면 값을 확인할 수 있다.

비교 연산자에는 >, <, =가 있다. 이 연산자는 두 수를 비교하여 참과 거짓을 결정한다.

10>20는 틀리므로 거짓이 된다.

10<20는 맞기 때문에 참이 된다.

입력이 3개인 경우 논리 연산을 해보자.

우선 왼쪽의 > 연산이 실행되는데 결과는 거짓이므로 0이다. 3번째 입력과 결합하면 ◁0 = 0▷ 이 되어 결국 참이 된다.

우선 왼쪽의 < 연산이 실행되는데 결과는 참이므로 1이다. 3번째 입력과 결합하면 ◁1 = 0▷ 이 되어 결국 거짓이 된다.

영문이나 한글 문자열은 사전적 순서에 따라 크기를 결정한다.

`banana < cat` → true	두 단어를 왼쪽부터 문자 하나씩 비교해 나가는데, 왼쪽 단어의 첫 문자 b보다 오른쪽 단어의 c가 사전적으로 크기 때문에 결과는 참이다.
`Dani > Dan` → true	두 단어를 왼쪽부터 문자 하나씩 비교해 나가는데, 같은 문자가 계속되다가 왼쪽 단어의 마지막 문자 i가 오른쪽 단어에는 없다. 오른쪽은 공백 문자로 비교한다. 사전적으로 i가 공백보다 크기 때문에 결과는 참이다.
`Dan = dan` → true	영어 대소문자의 구별이 없다. 따라서 D와 d를 같은 문자로 간주한다. 결과는 참이다.
`자전거 < 비행기` → false	두 단어를 왼쪽부터 문자 하나씩 비교해 나가는데, 왼쪽 단어의 첫 자음 'ㅈ'이 오른쪽 단어의 'ㅂ'보다 사전적으로 크다. 결과는 거짓이다.

영문과 숫자, 한글과 숫자, 영문과 한글의 비교도 가능하다. 영문과 한글이 숫자보다 크고, 한글이 영문보다 크다.

`999999999 < angel` → true	숫자는 영어보다 작다. 결과는 참이다.
`999999999 < 가구` → true	숫자는 한글보다 작다. 결과는 참이다.
`zero < 가구` → true	영어는 한글보다 작다. 결과는 참이다.

논리 연산자에는 '그리고', '또는', '이(가) 아니다'가 있다. '그리고'는 두 입력이 모두 참일 때 참이 된다. '또는'은 하나라도 참이면 참이 된다. '이(가)아니다'는 참은 거짓, 거짓은 참이 된다.

정해진 시간 내에 마우스를 클릭하여 골대 안으로 슛을 하는 상황을 코딩해 보자.

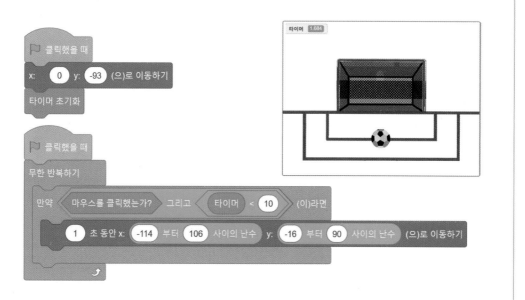

타이머가 10초 이내일 때 축구공을 클릭해야만 축구공이 골대 안으로 날아간다. 타이머 10초 이내와 축구공 클릭이라는 두 조건이 참일 때만 축구공이 날아가게 코딩한다.

나이가 10살 미만이거나 60살 이상이면 놀이기구 탑승을 제한해 보자.

점수가 60점보다 크지 않으면 불합격이 되는 경우를 표현해 보자.

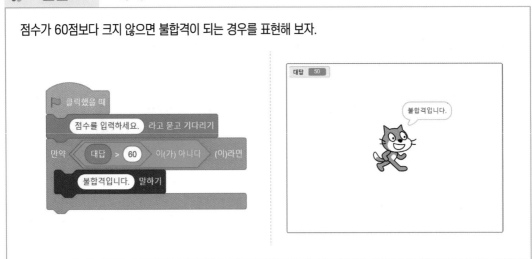

■ 문자열 결합하기

여러 개의 문자열을 결합해서 원하는 문자열을 만든다.

>> **실습 8**   문자열 2개 결합하기

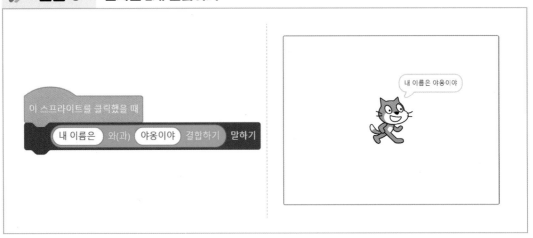

》 실습 9　문자열 3개 결합하기(1)

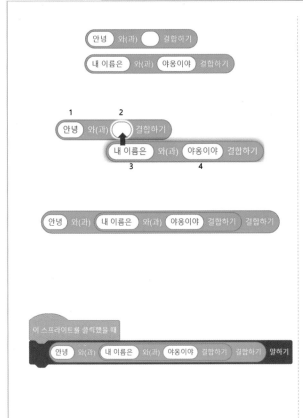

문자열 3개를 결합하려면 [결합하기] 블록을 2개 사용한다.

문자열 3개를 입력창 1, 3, 4에 입력한 후 아래쪽 결합하기 블록을 마우스로 드래그해서 위쪽 결합하기 블록으로 이동시켜 입력창 2와 3이 겹치게 한다.

입력창 2번 위에 3번이 포개지면서 입력창이 3개인 블록이 된다.

》 실습 10　문자열 3개 결합하기(2)

위쪽, 아래쪽 비어있는 입력창은 형태의 [크기] 블록을 사용한다.

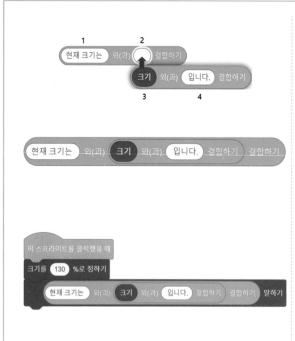

아래쪽 블록의 입력창 3에 [크기] 블록을 넣은 후 아래쪽 블록을 마우스로 드래그해서 위쪽 블록으로 이동시켜 입력창 2와 3이 겹치게 한다.

입력창 2번 위에 3번이 포개지면서 입력창이 3개인 블록이 된다.

■ 문자열 정보 알아내기

hello 의 길이 (5)	hello는 h, e, l, l, o의 다섯 글자를 가지므로 길이는 5이다.
234 의 길이 (3)	숫자로 구성된 문자열의 길이는 숫자의 자릿수이다.
hello 의 2 번째 글자 (e)	hello의 2번째 글자는 e이다.
hello 이(가) a 을(를) 포함하는가? (false)	hello에는 글자 a가 없어서 결과는 거짓이다.

▪ 나머지 구하기

짝수와 홀수를 구별할 때 등의 다양한 경우에 유용하게 사용할 수 있다.

7 나누기 4 의 나머지 → 3	7 나누기 4의 나머지는 3이다.
11 나누기 2 의 나머지 → 1	11 나누기 2의 나머지는 1이다. 이와 같이 홀수를 2로 나누면 나머지는 1이다.
26 나누기 2 의 나머지 → 0	26 나누기 2의 나머지는 0이다. 이와 같이 짝수를 2로 나누면 나머지는 0이다.

▪ 반올림

반올림 연산은 입력한 숫자에 가장 가까운 정수를 얻는다.

다양한 경우의 반올림 연산의 결과를 확인한다.

▪ 절댓값

절댓값 연산의 결과를 확인한다.

1.3 코딩 연습

우리는 일상생활과 학문에서 다양한 연산을 사용한다. 프로그래밍에서도 연산은 핵심적인 역할을 담당한다. 코딩 연습을 통해 연산에 익숙해지자.

 연습문제 | 암호 만들기

실행 화면	실행 조건
성공	1. 암호로 7글자 이상을 사용한다. 2. 특수문자 !, @중 한 개를 포함한다.

스프라이트 또는 무대	세부 기능
고양이	1. [묻고 기다리기] 블록으로 암호를 입력 받는다. 2. 조건에 맞는 암호를 만들면 [성공] 배경으로 바뀐다. 3. 조건에 맞지 않는 암호이면 다시 만들게 한다.
시작	1. 녹색깃발을 클릭했을 때, [시작] 배경이 보인다.
성공	1. 조건에 맞는 암호를 만들면 [성공] 배경으로 바뀐다.

순서도

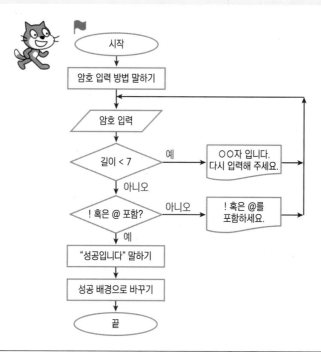

스프라이트 또는 배경	스크립트 블록
고양이	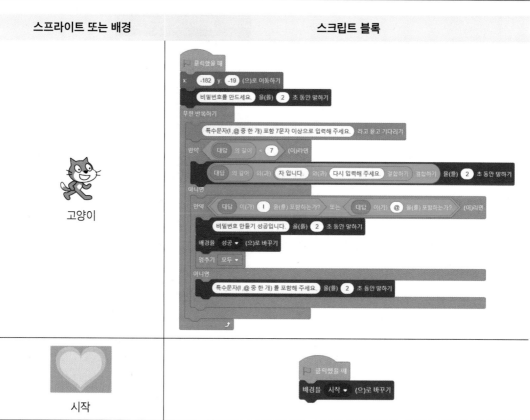
시작	

1.4 단계적 문제해결

 심화문제 | **야구 게임**

스프라이트의 모양 바꾸기, 스프라이트의 추가, 난수를 이용하여 야구 게임 프로그램을 심화 학습해 보자.

1단계 투수의 투구 동작 만들기

실행 화면	알고리즘
	1. 모양을 pitcher-a로 바꾸고, 0.5초 기다린다.
	2. 모양을 pitcher-b로 바꾸고, 0.5초 기다린다.
	3. 모양을 pitcher-c로 바꾸고, 0.5초 기다린다.
	4. 모양을 pitcher-d로 바꾸고, 0.5초 기다린다.

스프라이트	스크립트 블록
투수	

2단계 타자와 포수의 동작 만들기

실행 화면	알고리즘
	1. 투수가 투구를 한다.
	2. 타자가 타격을 한다.
	3. 포수가 공을 잡는다.
	4. 야구공이 투수에서 포수 쪽으로 이동한다.

스프라이트	스크립트 블록
포수	▶ 클릭했을 때 2 초 기다리기 모양을 catcher-a ▼ (으)로 바꾸기 0.5 초 기다리기 모양을 catcher-b ▼ (으)로 바꾸기 0.5 초 기다리기 모양을 catcher-c ▼ (으)로 바꾸기 0.5 초 기다리기 모양을 catcher-d ▼ (으)로 바꾸기 0.5 초 기다리기
타자	▶ 클릭했을 때 1 초 기다리기 모양을 batter-a ▼ (으)로 바꾸기 0.5 초 기다리기 모양을 batter-b ▼ (으)로 바꾸기 0.5 초 기다리기 모양을 batter-c ▼ (으)로 바꾸기 0.5 초 기다리기 모양을 batter-d ▼ (으)로 바꾸기 0.5 초 기다리기
야구공	▶ 클릭했을 때 보이기 x: -144 y: -61 (으)로 이동하기 숨기기 1 초 기다리기 x: -207 y: -11 (으)로 이동하기 보이기 1 부터 3 사이의 난수 초 동안 x: 115 y: 59 (으)로 이동하기

3단계 야구공 속도와 타자의 타격 시점을 랜덤하게 결정하여 재미있게 확장

실행 화면	알고리즘
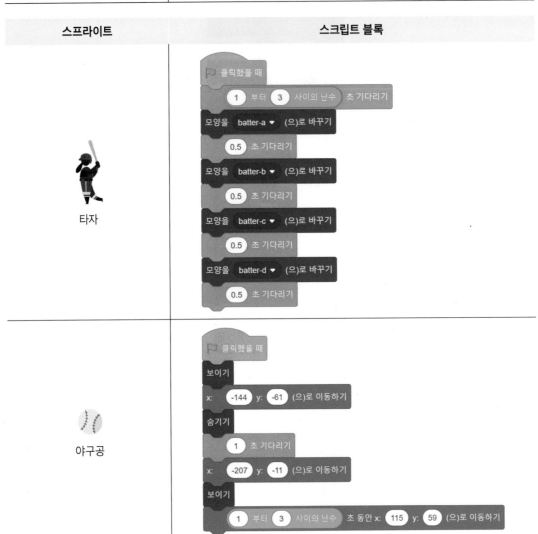	1. 투수가 던지는 야구공 속도를 랜덤하게 만들어 타자의 공격을 피할 수 있게 한다. 2. 타자가 랜덤하게 타격 시작을 한다. 다양한 공격 상황을 만들 수 있다.

스프라이트	스크립트 블록
타자	⚑ 클릭했을 때 1 부터 3 사이의 난수 초 기다리기 모양을 batter-a (으)로 바꾸기 0.5 초 기다리기 모양을 batter-b (으)로 바꾸기 0.5 초 기다리기 모양을 batter-c (으)로 바꾸기 0.5 초 기다리기 모양을 batter-d (으)로 바꾸기 0.5 초 기다리기
야구공	⚑ 클릭했을 때 보이기 x: -144 y: -61 (으)로 이동하기 숨기기 1 초 기다리기 x: -207 y: -11 (으)로 이동하기 보이기 1 부터 3 사이의 난수 초 동안 x: 115 y: 59 (으)로 이동하기

②▸▸• 변수

프로그램은 수시로 변하는 숫자나 문자열을 처리해야할 상황이 많다. 변수는 이러한 숫자나 문자열을 저장하는 메모리인데, 스크래치에서는 변수 블록이 변수 기능을 제공한다. 변수 블록에는 지역 변수와 전역 변수가 있다.

- **전역 변수**: 프로그램 전체에 대해 유효한 변수로서 무대를 포함한 모든 스프라이트에서 사용 가능하다.
- **지역 변수**: 해당 스프라이트 내에서만 사용 가능하다.

2.1 소개

블록	기능
변수 만들기	변수를 만든다.
나의 변수	스크래치가 미리 만들어 제공하는 변수이다. 이름을 바꿀 수 있다.
나의 변수 ▼ 을(를) 0 로 정하기	나의 변수를 0으로 정한다.
나의 변수 ▼ 을(를) 1 만큼 바꾸기	나의 변수를 1만큼 증가시킨다. 음수 값을 사용하면 감소한다.
나의 변수 ▼ 변수 보이기	변수를 무대에 보이게 한다.
나의 변수 ▼ 변수 숨기기	변수를 무대에서 보이지 않게 한다.
리스트 만들기	여러 개의 값을 보관하는 리스트 변수를 만든다.
List	리스트 변수이다.
항목 을(를) List ▼ 에 추가하기	리스트에 문자 또는 숫자를 추가한다.
1 번째 항목을 List ▼ 에서 삭제하기	리스트에서 지정한 위치의 값을 삭제한다.
List ▼ 의 항목을 모두 삭제하기	리스트에서 모든 값을 삭제한다.
항목 을(를) List ▼ 리스트의 1 번째에 넣기	리스트에서 지정한 위치에 항목을 삽입한다.

블록	기능
List ▾ 리스트의 1 번째 항목을 항목 으로 바꾸기	리스트에서 지정한 위치의 값을 지정한 항목으로 교체한다.
List ▾ 리스트의 1 번째 항목	리스트에서 지정한 위치의 값을 가져온다.
List ▾ 리스트에서 항목 항목의 위치	리스트에서 지정한 값을 가진 항목의 위치를 가져온다.
List ▾ 의 길이	리스트에 저장되어 있는 항목의 개수이다.
List ▾ 이(가) 항목 을(를) 포함하는가?	리스트가 지정한 값을 가지고 있는지 확인한다.
List ▾ 리스트 보이기	무대에 리스트의 이름과 내용을 보이게 한다.
List ▾ 리스트 숨기기	무대에 리스트의 이름과 내용이 보이지 않게 한다.

2.2 맛보기

프로그램을 실행하면 상태가 수시로 변하기 때문에 상태를 표현하기 위해 여러 가지 변수가 필요하다. 변수를 활용하여 다양한 종류의 실용적인 프로그램을 개발하는 사례를 살펴보자.

■ 변수 만들기: 전역 변수와 지역 변수

'나이'라는 전역 변수 생성하기

'이름'이라는 지역 변수 생성하기

변수를 만들 때, 변수 이름 앞에 있는 체크박스에 ✓ 표시를 하느냐에 따라 변수 모니터 윈도우를 보이게 하거나 감출 수 있다.

✓ 표시하면 변수의 내용을 보여주는 모니터 윈도우가 화면에 나타난다.

≫ 실습 1

변수 [나이]에 50을 저장하고, 이후에 20만큼 줄여 최종 저장된 값을 보인다.

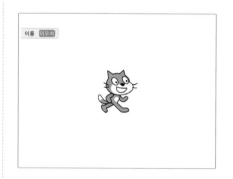

≫ 실습 2

변수 [이름]에 '김우석'을 저장하고, 이어서 '이우석'으로 바꾼 다음 최종적으로 변수에 저장된 값을 보인다.

리스트를 생성할 때, 체크박스에 ✓를 표시하느냐 여부에 따라 리스트 모니터를 보이게 하거나 감출 수 있다.

✓ 표시를 하는 경우 리스트의 내용을 보여주는 모니터 윈도우가 화면에 보인다.

≫ 실습 3

[단어]라는 리스트 변수에 'Good'과 'Morning'을 순서대로 저장한다.

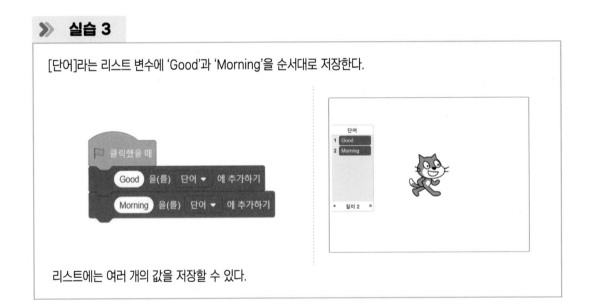

리스트에는 여러 개의 값을 저장할 수 있다.

[단어]라는 리스트 변수에서 첫 번째 항목 'Good'을 지우고 이후에 리스트의 모든 내용을 지운다.

[단어]라는 리스트의 두 번째 항목에 웃음 이모티콘 '^^'을 삽입한다.

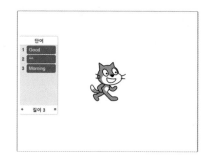

리스트 중간에 값을 끼워 넣을 수 있다.

[단어]라는 리스트 변수의 1번째 항목의 값을 'Nice'로 변경한다.

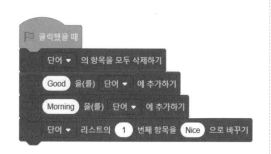

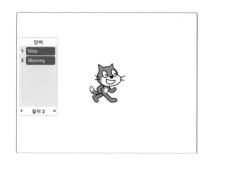

[단어]라는 리스트 변수에 'Good', '^^', 'Morning'을 순서대로 추가한다. 1번째 항목의 값, '^^'이 들어 있는 위치, [단어]의 길이를 연속적으로 말풍선으로 표현한다.

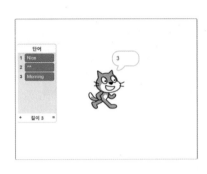

[단어]라는 리스트 변수에 '^^'가 들어 있는지 확인하여 존재하면 '넵!', 없으면 '놉!' 이라는 말풍선으로 표현한다.

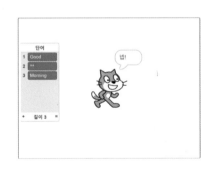

[단어]라는 리스트 변수에 'Good', '^^', 'Morning'을 추가하고, 키보드에서 v 키를 누르면 무대에 리스트 모니터 윈도우를 노출하고 h 키를 누르면 사라지게 한다.

v 키를 눌렀을 때

2.3 코딩 연습

연습문제 | 색 풍선 터트리기 게임

땅에서 랜덤하게 색 풍선이 올라온다. 화살을 쏘아 적중하면 풍선 색에 따라 점수가 계산된다. 지정된 시간이 지나면 총점이 나타난다.

실행 화면	실행 조건
	1. 파랑 풍선은 1점, 노랑 풍선은 2점, 보라색 풍선은 -1점을 부여한다. 2. 스페이스 키를 누르면, 화살이 고양이 손에서 오른쪽 방향으로 발사된다. 3. 15초가 지나면 스프라이트가 총점을 말하고 게임을 종료한다.

스프라이트	세부 기능
 고양이	1. 화살표 키로 위와 아래로 이동한다.
→ 화살	1. 스페이스 키를 눌렀을 때, 고양이 손에서 수평 방향으로 발사된다.

풍선
	1. 세가지 색깔 (파랑색, 노란색, 보라색)이 있다.
	  • 위쪽으로 이동한다.
	  • 올라가는 동안 세 가지 색깔로 랜덤하게 변화한다.
	  • 화살에 맞으면 점수를 부여한다. 파랑색은 1점 증가, 노란색은 2점 증가, 보라색은 1점 감점한다.

스프라이트	스크립트 블록
 고양이	

스프라이트	스크립트 블록
 풍선	

스프라이트	스크립트 블록
화살	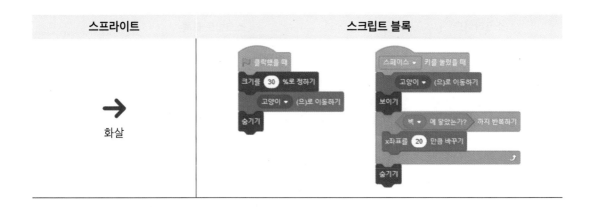

2.4 단계적 문제해결

심화문제 숫자를 찾는 원숭이

변수, 리스트, 제어, 감지 블록을 추가해가면서 숫자를 탐색하는 알고리즘을 심화 학습해 보자.

1단계 1~20 범위에서 10개 정수를 랜덤하게 생성하여 리스트에 저장 (중복 허용)

실행 화면	알고리즘
	1. 원숭이를 적절한 위치로 이동시킨다. 2. 값을 저장하기 위한 변수와 리스트를 만든다. 3. 난수 블록을 이용하여 1~20 사이의 값을 생성하여 리스트에 저장하는 일을 10번 반복한다. 4. 숫자를 찾기 위한 신호를 보낸다.

스프라이트	스크립트 블록
Monkey	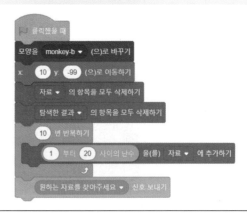

2단계 리스트에서 원하는 숫자 찾기

실행 화면	알고리즘
	1. 원숭이가 찾고자 하는 숫자를 입력한다. 2. 1, 2, 3, ... 위치의 항목과 순서대로 비교하여 값이 일치하는 항목을 모두 찾아 [탐색한 결과]라는 리스트에 추가한다.

스프라이트	스크립트 블록
 Monkey	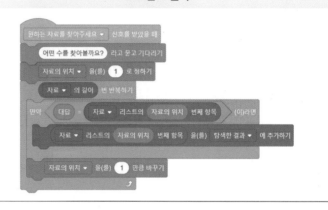

3단계 원하는 숫자가 몇 개 있는지 알리기

실행 화면	알고리즘
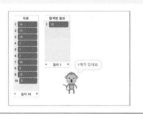	1. 말하기 블록을 이용하여 찾은 숫자의 개수를 알리고 원숭이의 모양을 바꾼다. 2. 찾지 못했으면 "찾는 수가 없습니다."라고 말하고 원숭이 모양을 바꾼다.

스프라이트	스크립트 블록
 Monkey	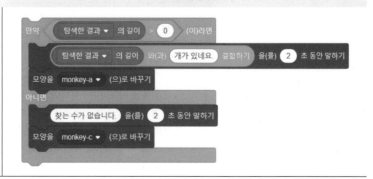

변수, 리스트, 제어, 연산 블록을 추가해 가면서 정렬 알고리즘을 심화 학습해 보자. 정렬은 여러 개의 수를 크기 순으로 재배열하는 작업이다.

1단계 1~45 사이에 있는 숫자 6개를 랜덤하게 생성하여 리스트에 저장하고 로또 번호로 사용
(중복 허용하지 않음)

실행 화면	알고리즘
	1. 숫자를 저장하는 리스트를 만든다. 2. 난수를 저장할 변수를 만든다. 3. 랜덤하게 생성되기 때문에 동일한 숫자가 발생할 수 있는데, 이를 허용하지 않는다. 4. 중복 없이 6개의 숫자를 저장할 때까지 반복한다.

스프라이트	스크립트 블록
 Duck	

2단계 버블 정렬 알고리즘을 이용하여 로또 번호 6개를 오름차순으로 정렬

실행 화면	알고리즘
	1. n이라는 변수를 만들고, 리스트의 길이로 설정한다. 2. 리스트의 1~n에 있는 항목 중 가장 큰 것을 n 위치에 가져다 놓는다. 이를 위해 1과 2 항목을 비교하여 1 항목이 크면 둘을 교환하고 그렇지 않으면 그대로 둔다. 이런 일을 2와 3 항목, 3과 4 항목, ..., n-1과 n 항목에 대해 순서대로 처리한다. ⌛ TIP 두 항목을 교환할 때 임시저장변수로 [temp] 변수를 만들어 사용한다. 3. n을 1만큼 감소시키고, n이 1이 되면 멈추고 그렇지 않으면 2단계로 가서 반복한다.

스프라이트	스크립트 블록
 Duck	

3단계 오름차순으로 정렬된 6개의 로또번호를 알린다.

실행 화면	알고리즘
	1. 리스트의 1번 항목부터 시작하여 끝까지 로또 번호를 하나씩 말한다. 2. "Good Luck!!"을 말하고 종료한다.

스프라이트	스크립트 블록
 Duck	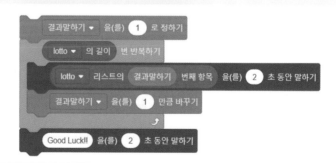

　스크래치는 유용한 블록을 아주 많이 제공한다. 블록은 특정한 작업을 수행해주는 기능을 한다. 예를 들어 [벽에 닿았는가] 블록은 스프라이트가 벽에 닿았는지를 확인해주는 기능을 수행한다. 그런데 어떤 기능이 필요한데 스크래치가 제공해주는 블록 목록에 없으면 어떻게 해야 하나? 스크래치가 제공하는 여러 기본 블록을 사용해서 코드를 제작하는 수 밖에 없다. 그런데 그 기능을 한번만 사용하지 않고 프로그램 군데군데에서 여러 번 사용한다면 같은 코드가 여러 번 중복해 나타나 프로그램이 길어지고 복잡해질 것이다. 이런 상황에서 사용할 수 있는 기능이 내 블록 만들기이다. 절차에 따라 코드를 내 블록으로 정의해 놓으면, 프로그램 어디에서든 내 블록을 끌어다 사용할 수 있다.

　내 블록을 만들어 놓으면, 이후에는 블록을 구성하는 상세 코드를 신경 쓰지 않고 블록을 끌어다 쓸 수 있기 때문에 추상화가 달성된다. 또한 프로그램이 깔끔하여 가독성이 높아지는 장점이 있고, 다른 프로젝트에서 가져다 쓸 수 있어 소프트웨어 재사용성이 좋아지는 장점이 있다. 스크래치의 내 블록은 다른 프로그래밍 언어에서는 함수라 부른다.

3.1 소개

블록	기능
블록 만들기	임의의 기능을 수행하는 블록을 만든다. 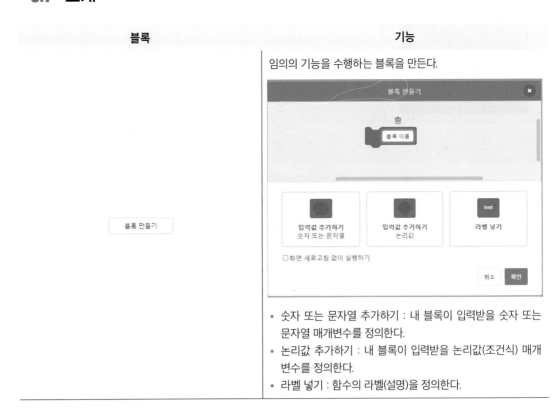 • 숫자 또는 문자열 추가하기 : 내 블록이 입력받을 숫자 또는 문자열 매개변수를 정의한다. • 논리값 추가하기 : 내 블록이 입력받을 논리값(조건식) 매개변수를 정의한다. • 라벨 넣기 : 함수의 라벨(설명)을 정의한다.

블록	기능
compute 정의하기	compute라는 이름의 블록을 만든다.
compute	compute라는 블록을 호출한다.
compute number or text 정의하기	number or text라는 이름의 매개변수(숫자 또는 문자열)를 가진 compute라는 이름의 블록을 만든다.
compute ◯	매개변수(숫자 또는 문자열)를 가진 compute라는 블록을 호출한다.
compute boolean 정의하기	boolean이라는 이름의 매개변수(논리값)를 가진 compute라는 이름의 블록을 만든다.
compute ◆	매개변수(논리값)를 가진 compute라는 블록을 호출한다.
compute label text 정의하기	label text라는 이름의 매개변수(레이블)를 가진 compute라는 이름의 블록을 만든다.
compute label text	label text라는 이름의 매개변수(레이블)를 가진 compute라는 블록을 호출한다.
compute label text number or text boolean label text 정의하기	여러 종류의 매개변수를 가진 compute라는 이름의 블록을 만든다.
compute label text ◯ ◆ label text	매개변수(숫자 또는 문자열, 논리값, 레이블)를 가진 compute라는 블록을 호출한다.

3.2 맛보기

인간은 부품을 만들어 놓고 부품을 조립하는 방식으로 유용한 물건을 만드는데 능숙하다. 스크래치 프로그래밍에서 내 블록을 활용하면 유사한 방식으로 프로그램을 완성할 수 있다. 이런 방식을 모듈화라고 부른다. 모듈화를 통해 멋진 스크래치 프로그램을 만들어보자.

모양을 바꾸는 일을 100번 반복하여 달리는 효과를 내는 [Run]이라는 블록을 만들자. 스프라이트를 클릭하면 [Run]을 실행한다. 이와 같이 만들어 놓은 블록을 가져다 실행하는 일을 호출한다고 말한다. [Run] 블록은 매개변수가 없다.

실습1의 [Run] 이라는 내 블록은 항상 100번 반복한다. 반복 횟수를 조절할 수 있는 좀더 유연한 내 블록을 만들어 보자. 이제 내 블록은 반복 횟수를 나타내는 [반복횟수]라는 매개변수를 갖는다.

두 개의 숫자를 전달 받아 덧셈을 수행하고 결과를 2초 동안 말하는 [compute]라는 블록을 만들어보자. 스페이스 키를 누르면 [compute]를 호출한다. [compute] 블록은 숫자를 전달하는 두 개의 매개변수를 가진다.

3.3 코딩 연습

 연습문제 비스킷과 조각피자의 넓이 구하기

직사각형의 비스킷 또는 삼각형의 조각피자를 터치하면 넓이가 계산된다. 넓이를 계산하는 일은 내 블록이 담당한다.

실행 화면	실행 조건
	1. 비스킷을 클릭하면 직사각형의 넓이가 계산된다. 2. 조각피자를 클릭하면 삼각형의 넓이가 계산된다. 3. 계산 과정은 내 블록을 이용한다.

스프라이트	세부 기능
  Puppy	1. 면적을 구하는 공식은 다음과 같다. • 비스킷 면적: 가로*세로 • 조각피자 면적: (밑변*높이)/2 2. 비스킷 면적을 계산하는 [비스킷 넓이] 내 블록은 [가로]와 [세로]라는 매개변수를 가지며, 조각피자 넓이를 계산하는 [조각피자 넓이] 내 블록은 [밑변]과 [높이]라는 매개변수를 가진다.

스프라이트	세부 기능
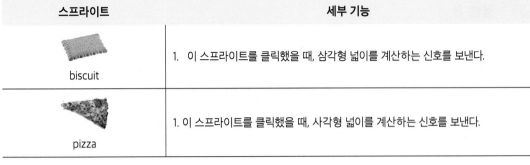 biscuit	1. 이 스프라이트를 클릭했을 때, 삼각형 넓이를 계산하는 신호를 보낸다.
pizza	1. 이 스프라이트를 클릭했을 때, 사각형 넓이를 계산하는 신호를 보낸다.

스프라이트	스크립트 블록
Puppy biscuit pizza	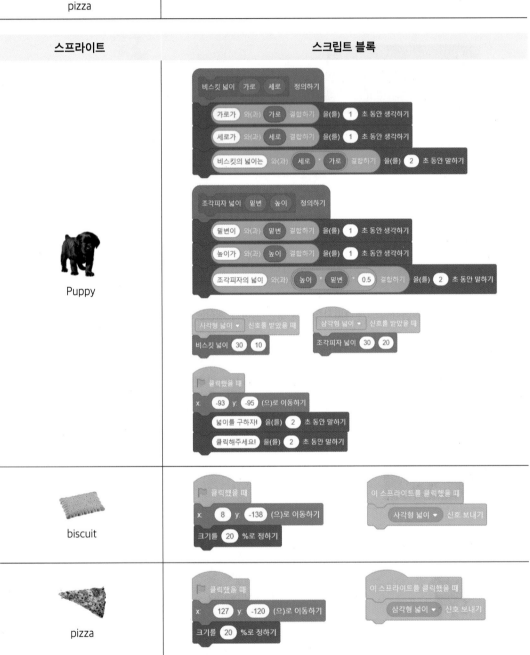

연습문제 　 팩토리얼 계산하기

팩토리얼은 수학에서 아주 많이 활용된다. 정수 N의 팩토리얼 N!을 계산하는 팩토리얼 블록을 만들어보자. 예를 들어 N=5라면 5!=1*2*3*4*5=120이다.

실행 화면	실행 조건
	1. 녹색깃발을 클릭하면, 정수를 입력받아 변수 [N]에 저장하고, [N]을 매개변수로 전달하여 [팩토리얼] 블록을 호출한다. 2. [팩토리얼] 블록은 [N]을 매개변수로 받아 N!을 계산한다.

스프라이트	세부 기능
  Giga	계산된 결과를 보여준다.

스프라이트	스크립트 블록
  Giga	클릭했을 때 몇 팩토리얼을 계산할까요? 라고 묻고 기다리기 N ▼ 을(를) 대답 로 정하기 팩토리얼 N N 와(과) 팩토리얼은 와(과) Result 결합하기 결합하기 말하기 팩토리얼 N 정의하기 k ▼ 을(를) 1 로 정하기 Result ▼ 을(를) 1 로 정하기 N 번 반복하기 Result ▼ 을(를) Result * k 로 정하기 k ▼ 을(를) 1 만큼 바꾸기

3.4 단계적 문제해결

 **심화문제** **점수와 등수 알아보기**

해당 점수가 몇 등인지 알아보는 프로그램을 내 블록, 변수, 리스트, 제어, 연산을 추가해 가면서 심화 학습해 보자.

1단계 0~100점 사이의 숫자 중 10개를 랜덤하게 선정 후 리스트에 저장

실행 화면	알고리즘
	1. 값을 저장하기 위한 변수와 리스트를 만든다. 2. 난수 블록을 이용하여 0~100 사이의 값을 생성하고 리스트에 추가한다. 3. 위 과정을 내 블록을 사용하여 수행한다.

스프라이트	스크립트 블록

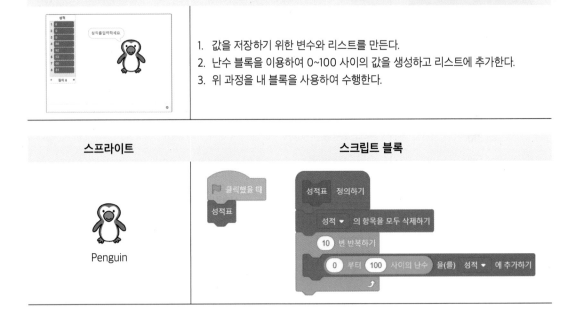

Penguin

2단계 입력한 숫자가 리스트에 있는지 확인

실행 화면	알고리즘
	1. [성적표] 블록을 호출하여 성적 리스트를 만든다. 2. 펭귄 모양과 방향을 바꾼다. 3. 찾고자 하는 성적을 묻고 기다린다. 4. 리스트에서 성적 포함 여부를 조회한다. 5. 만약 없으면, "점수가 없군요. 다시 한 번 확인해 보세요." 라고 말하고, 성적을 묻고 찾는 과정을 반복한다. 6. 만약 있으면, 반복 블록을 벗어난다.

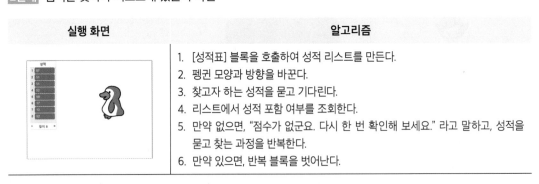

스프라이트	스크립트 블록
Penguin	

3단계 찾은 성적에 대한 등수를 알림

실행 화면	알고리즘
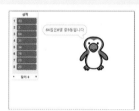	1. 입력한 성적이 몇 등인지 알아내는데 쓸 [등수]와 [인덱스]라는 변수를 만들고 1로 초기화 한다. 2. 아래 과정을 리스트의 길이만큼 반복한다. • 리스트의 [인덱스]번째 항목이 입력한 성적보다 크면 [등수]를 1만큼 증가시킨다. • [인덱스]를 1만큼 증가시켜 다음 항목을 가리키게 한다. 3. "몇 등입니다." 라고 말하고 종료하면서 정면을 응시한다.

스프라이트	스크립트 블록
Penguin	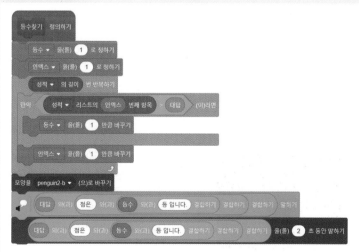

 **다각형 그리기(1)**

삼각형, 사각형, 육각형을 그리는 내 블록을 만들어 두고, 원하는 만큼 다각형을 그려보자.

1단계 삼각형을 그려주는 내 블록 정의

실행 화면	알고리즘
	1. 블록 이름을 [삼각형]으로 정하고, 위치를 나타내는 [x좌표]와 [y좌표], 변의 길이를 나타내는 [크기]라는 3개의 매개변수를 정의한다. 2. 펜의 색깔과 굵기를 설정한다. 3. 펜을 내린다. 4. 방향을 120도씩 바꾸면서 3개의 변을 그린다. 5. 펜을 올려 그리기를 마친다.

스프라이트	스크립트 블록
 Arrow1	

2단계 사각형을 그려주는 내 블록 정의

실행 화면	알고리즘
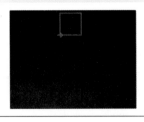	1. 블록 이름을 [사각형]으로 정하고, 위치를 나타내는 [x좌표]와 [y좌표], 변의 길이를 나타내는 [크기]라는 3개의 매개변수를 정의한다. 2. 펜의 색깔과 굵기를 설정한다. 3. 펜을 내린다. 4. 방향을 90도씩 바꾸면서 4개의 변을 그린다. 5. 펜을 올려 그리기를 마친다.

스프라이트	스크립트 블록
Arrow1	사각형 X좌표 Y좌표 크기 정의하기 x X좌표 y Y좌표 (으)로 이동하기 90 도 방향 보기 펜 색깔을 ● (으)로 정하기 펜 굵기를 5 (으)로 정하기 펜 내리기 4 번 반복하기 크기 만큼 움직이기 1 초 기다리기 ↻ 방향으로 90 도 회전하기 펜 올리기

3단계 육각형을 그려주는 내 블록 정의

실행 화면	알고리즘
	1. 블록 이름을 [육각형]으로 정하고, 위치를 나타내는 [x좌표]와 [y좌표], 변의 길이를 나타내는 [크기]라는 3개의 매개변수를 정의한다. 2. 펜의 색깔과 굵기를 설정한다. 3. 펜을 내린다. 4. 방향을 60도씩 바꾸면서 6개의 변을 그린다. 5. 펜을 올려 그리기를 마친다.

스프라이트	스크립트 블록
→ Arrow1	육각형 X좌표 Y좌표 크기 정의하기 x X좌표 y Y좌표 (으)로 이동하기 90 도 방향 보기 펜 색깔을 ○ (으)로 정하기 펜 굵기를 10 (으)로 정하기 펜 내리기 6 번 반복하기 크기 만큼 움직이기 2 초 기다리기 ↻ 방향으로 60 도 돌기 펜 올리기

실행 화면	알고리즘
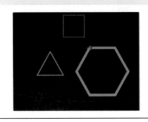	1. 화살표 스프라이트를 위치시킨다. 2. 모든 그림을 지운다. 3. [삼각형], [사각형], [육각형] 블록을 차례대로 호출한다. 위치와 크기를 나타내는 매개변수를 각각 다르게 하여 겹치지 않게 한다. 4. "참 잘 그렸습니다." 라고 말하고 종료한다.

스프라이트	스크립트 블록
 Arrow1	클릭했을 때 보이기 모두 지우기 삼각형 -150 -50 100 사각형 -50 90 80 육각형 50 50 100 수고했습니다! 말하기

심화문제 다각형 그리기(2)

매개 변수 n을 사용하여 n각형을 그려주는 융통성있는 내 블록으로 확장한다.

1단계 n각형을 그려주는 내 블록 정의하기

실행 화면	알고리즘
	1. 내 블록 이름을 [다각형]으로 정하고, 위치를 나타내는 [x좌표]와 [y좌표], 변의 길이를 나타내는 [크기], 변의 갯수를 나타내는 [n]이라는 4개의 매개변수를 정의한다. 2. 펜 올리기를 하고, ([x좌표], [y좌표])로 이동한다. 3. 펜의 색깔과 굵기를 설정한다. 4. 펜을 내린다. 5. 방향을 [360/n]도씩 바꾸면서 변의 길이가 [크기]인 [n]개의 변을 그려, n각형을 완성한다. 6. 펜을 올려 그리기를 마친다.

스프라이트	스크립트 블록
 Arrow1	

2단계 난수를 사용하여 5개 다각형 그리기

실행 화면	알고리즘

	1. 녹색깃발을 클릭했을 때, 화살표 스프라이트를 보이기하고, 화면을 모두 지운다.
	2. 다음 과정을 5번 반복하여 다각형 5개를 그린다.
	  • x 좌표를 나타내는 변수 [x], y 좌표를 나타내는 변수 [y], 변의 길이를 나타내는 변수 [length], 변의 개수를 나타내는 변수 [n]의 값을 난수로 생성한다.
	  • [x], [y], [length], [n]을 매개변수로 하는 [다각형] 블록을 호출하여, 다각형을 그린다.
	3. "잘 했습니다." 라고 말하고 종료한다.

스프라이트	스크립트 블록
 Arrow1	

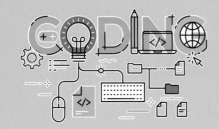

CHAPTER 7

블록 익숙해지기 4 : 확장 기능

① ▸▸ 음악

게임을 할 때 상황에 맞는 음악이 흐르면 즐거움이 두 배가 된다. 게임 프로그램뿐 아니라 거의 모든 프로그램이 적절한 음악을 연주하면 가치가 올라간다. 음악 블록을 사용하여 신나는 스크래치 프로그램을 만들어 보자.

1.1 소개

스크래치 3.0은 음악에 관련된 블록을 확장기능에서 따로 제공하고 있다. [코드] 탭에서 [확장 기능 추가하기 ■]를 마우스로 클릭하면, 다음 그림에서 볼 수 있듯이 여러 가지 확장 기능을 확인할 수 있다.

이때 음악을 선택하면 음악에 관련된 블록 그룹이 [코드] 탭에 추가된다.

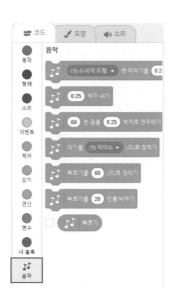

TIP

2~4절에서 공부할 펜, 비디오감지, 텍스트 음성 변환(TTS), 번역 기능도 사용하기 전에 같은 방식으로 확장 기능을 추가해야 한다.

음악이 제공하는 블록은 다음과 같다. 이들 블록은 박자로만 연주하는 타악기와 음과 박자로 연주하는 악기를 구분한다. 타악기는 18종이 있으며, 음과 박자로 연주하는 악기는 21종이 있다.

블록	기능
(1) 스네어 드럼 ▾ 번 타악기를 0.25 박자로 연주하기	지정한 타악기를 지정한 박자로 연주한다.
0.25 박자 쉬기	박자만큼 쉰다.
60 번 음을 0.25 박자로 연주하기	지정한 음을 지정한 박자로 연주한다.
악기를 (1) 피아노 ▾ (으)로 정하기	연주할 악기를 설정한다.
빠르기를 60 (으)로 정하기	연주의 빠르기를 설정한다.
빠르기를 20 만큼 바꾸기	연주의 빠르기를 지정한 숫자만큼 증가시킨다.
빠르기	설정되어 있는 빠르기 값을 알려준다.

1.2 맛보기

음악 블록으로 다양한 음향 효과를 연출해보자.

녹색깃발을 클릭했을 때, 2번 타악기를 0.5박자, 1번 타악기를 0.5박자, 1번 타악기를 0.5박자로 연주하는 일을 무한 반복하도록 만들어보자.

녹색깃발을 클릭했을 때, 피아노(1번 악기)로 60번, 62번, 64번 음을 순서대로 0.25박자 연주하고, 오르간 (3번 악기)으로 60번, 62번, 64번 음을 순서대로 0.25박자 연주하기를 무한 반복하도록 만들어 보자.

1.3 코딩 연습

타악기를 연주하는 여러 프로그램을 작성해보면서 음악 다루기에 익숙해지자.

 연습문제 타악기 연주하기

춤추는 발레리나 공연에 타악기 연주를 추가하여 흥을 돋우자.

실행 화면	실행 조건
	1. 발레리나가 무대 중앙에서 계속 춤을 춘다. 2. 여러 드럼이 있는데, 마우스로 클릭된 드럼은 고유한 소리를 낸다.

스프라이트 또는 배경	세부 기능
Ballerina	녹색깃발을 클릭했을 때, 맨 뒤쪽으로 순서를 바꾸고 0.2초 간격으로 다음 모양 바꾸기를 무한 반복한다.
Drum-cymbal	이 스프라이트를 클릭했을 때, • drum-cymbal-b 모양으로 바꾸고 • 4번 타악기를 0.25박자로 연주하고 • drum-cymbal-a 모양으로 바꾼다.
Drum-snare	이 스프라이트를 클릭했을 때, • drum-snare-b 모양으로 바꾸고 • 1번 타악기를 0.25박자로 연주하고 • drum-snare-a 모양으로 바꾼다.
Drums Conga	이 스프라이트를 클릭했을 때, • Drums Conga-b 모양으로 바꾸고 • 14번 타악기를 0.25박자로 연주하고 • Drums Conga-a 모양으로 바꾼다.
배경	배경 저장소에서 [Spotlight] 선택

스프라이트	스크립트 블록
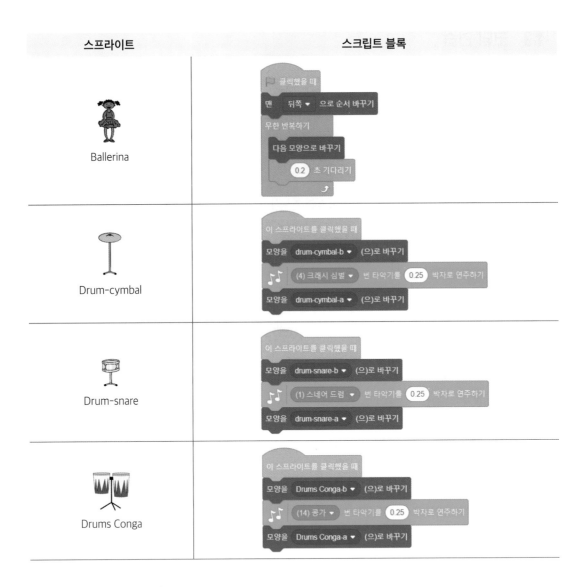Ballerina	⚑ 클릭했을 때 맨 뒤쪽▼ 으로 순서 바꾸기 무한 반복하기 　다음 모양으로 바꾸기 　0.2 초 기다리기
Drum-cymbal	이 스프라이트를 클릭했을 때 모양을 drum-cymbal-b▼ (으)로 바꾸기 🎵 (4) 크래시 심벌▼ 번 타악기를 0.25 박자로 연주하기 모양을 drum-cymbal-a▼ (으)로 바꾸기
Drum-snare	이 스프라이트를 클릭했을 때 모양을 drum-snare-b▼ (으)로 바꾸기 🎵 (1) 스네어 드럼▼ 번 타악기를 0.25 박자로 연주하기 모양을 drum-snare-a▼ (으)로 바꾸기
Drums Conga	이 스프라이트를 클릭했을 때 모양을 Drums Conga-b▼ (으)로 바꾸기 🎵 (14) 콩가▼ 번 타악기를 0.25 박자로 연주하기 모양을 Drums Conga-a▼ (으)로 바꾸기

 연습문제 피아노 연주하기

컴퓨터 키보드를 이용해 피아노를 연주할 수 있는 프로그램을 만들어 보자.

실행 화면	실행 조건
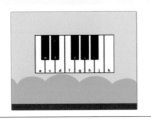	1. 키보드의 a, s, d, f, g, h, j, k 문자를 누르면 피아노의 도, 레, 미, 파, 솔, 라, 시, 도 음이 난다. 2. w, e, y, u, i 문자를 누르면 피아노의 도♯, 미♭, 파♯, 솔♯, 시♭ 음이 난다. 3. 건반이 눌러지는 시각적 효과를 낸다.

아래 과정에 따라 건반 스프라이트를 만든다.

건반 만들기	설명
	1. [스프라이트 고르기]에서 [그리기]를 선택하여 새로운 스프라이트를 만든다. [모양] 탭에서 모양 편집기의 중심에 흰색(검정색) 사각형을 그려 건반 모양을 완성한다.
a 도	2. 건반 스프라이트 이름을 [도]로 변경한다. [도] 스프라이트를 7개 복사한 후, 각각의 스프라이트 이름을 [레], [미], [파], [솔], [라], [시], [높은 도]로 변경한다.
w 도♯	3. 건반 스프라이트 이름을 [도♯]으로 변경한다. [도♯] 스프라이트를 4개 복사한 후, 각각의 스프라이트 이름을 [미♭], [파♯], [솔♯], [시♭]으로 변경한다.

스프라이트 또는 배경	세부 기능

a
도
	1. 녹색깃발을 클릭했을 때, 악기를 [(1)피아노]로 정한다.
	2. a 키를 눌렀을 때,
	  • 밝기를 -50으로 바꾸고
	  • 60번 음을 0.25박자로 연주하고
	  • 밝기를 0으로 복구한다.

s
레
	1. 녹색깃발을 클릭했을 때, 악기를 [(1)피아노]로 정한다.
	2. s 키를 눌렀을 때
	  • 밝기를 -50으로 바꾸고
	  • 62번 음을 0.25박자로 연주하고
	  • 밝기를 0으로 복구한다.

미, 파, 솔, 라, 시,
높은 도
	1. 비슷한 과정을 거쳐 나머지 음을 완성한다.
	  • [미] 스프라이트 : [d 키를 눌렀을 때]로 변경하고 64번 음을 연주한다.
	  • [파] 스프라이트 : [f 키를 눌렀을 때]로 변경하고 65번 음을 연주한다.
	  • [솔] 스프라이트 : [g 키를 눌렀을 때]로 변경하고 67번 음을 연주한다.
	  • [라] 스프라이트 : [h 키를 눌렀을 때]로 변경하고 69번 음을 연주한다.
	  • [시] 스프라이트 : [j 키를 눌렀을 때]로 변경하고 71번 음을 연주한다.
	  • [높은 도] 스프라이트 : [k 키를 눌렀을 때]로 변경하고 72번 음을 연주한다.

w
도♯
	1. 녹색깃발을 클릭했을 때, 악기를 [(1)피아노]로 정한다.
	2. w 키를 눌렀을 때
	  • 밝기를 -50으로 바꾸고
	  • 61번 음을 0.25박자로 연주하고
	  • 밝기를 0으로 복구한다.

스프라이트 또는 배경	세부 기능
미♭, 파#, 솔#, 시♭	1. 비슷한 과정을 거쳐 나머지 음을 완성한다. • [미♭] 스프라이트 : [e 키를 눌렀을 때]로 변경하고 63번 음을 연주한다. • [파#] 스프라이트 : [y 키를 눌렀을 때]로 변경하고 66번 음을 연주한다. • [솔#] 스프라이트 : [u 키를 눌렀을 때]로 변경하고 68번 음을 연주한다. • [시♭] 스프라이트 : [i 키를 눌렀을 때]로 변경하고 70번 음을 연주한다.
배경	배경 저장소에서 [Blue Sky] 선택

건반 스프라이트를 이용해 피아노를 연주하는 프로그램을 코딩한다.

스프라이트	스크립트 블록

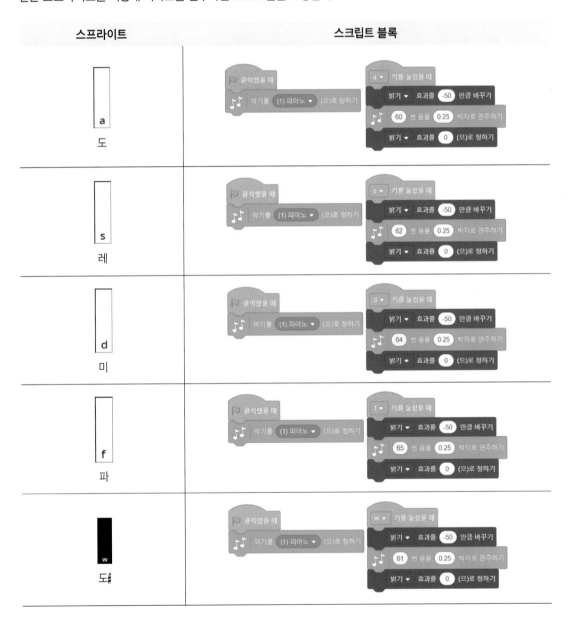

아래 생일축하 악보를 피아노로 연주해보자.

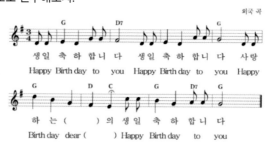

실행 화면	실행 조건
	1. [케이크] 스프라이트를 마우스로 클릭하면 악보에 맞춰 생일축하 노래가 피아노로 연주된다. 2. 케이크 불이 켜졌다/꺼졌다를 반복하여 분위기를 띄운다. 3. 연주가 끝나면 케이크의 불이 꺼지고 "생일 축하해~"라는 문구를 1초 동안 보여준다.

스프라이트	세부 기능
케이크	1. 이 스프라이트를 클릭했을 때, 0.25초 간격으로 [다음 모양으로 바꾸기] 블록을 무한 반복하여 촛불 효과를 만든다. 2. 이 스프라이트를 클릭했을 때, 다음을 실행한다. (1) [cake-a] 모양으로 바꾸기 (18) 62번 음을 0.5 박자로 연주 (2) 악기를 피아노로 정하기 (19) 74번 음을 1 박자로 연주 (3) 62번 음을 0.5 박자로 연주 (20) 71번 음을 1 박자로 연주 (4) 62번 음을 0.5 박자로 연주 (21) 67번 음을 1 박자로 연주 (5) 64번 음을 1 박자로 연주 (22) 65번 음을 1 박자로 연주 (6) 62번 음을 1 박자로 연주 (23) 64번 음을 1 박자로 연주 (7) 67번 음을 0.5 박자로 연주 (24) 72번 음을 0.5 박자로 연주 (8) 67번 음을 0.5 박자로 연주 (25) 72번 음을 0.5 박자로 연주 (9) 65번 음을 2 박자로 연주 (26) 71번 음을 1박자로 연주 (10) 62번 음을 0.5 박자로 연주 (27) 67번 음을 1 박자로 연주 (11) 62번 음을 0.5 박자로 연주 (28) 69번 음을 0.5 박자로 연주 (12) 64번 음을 1 박자로 연주 (29) 69번 음을 0.5 박자로 연주 (13) 62번 음을 1 박자로 연주 (30) 67번 음을 2 박자로 연주 (14) 69번 음을 0.5 박자로 연주 (31) 이 스프라이트에 있는 다른 스크립트 멈추기 (15) 69번 음을 0.5 박자로 연주 (16) 67번 음을 2 박자로 연주 (32) [cake-b] 모양으로 바꾸기 (17) 62번 음을 0.5 박자로 연주 (33) "생일 축하해~"를 1초 동안 말하기
배경	배경 저장소에서 [Party] 선택

스프라이트	스크립트 블록

케이크

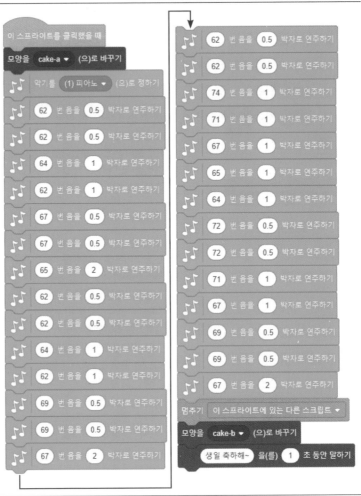

1.4 단계적 문제해결

심화문제	다양한 악기로 노래 연주하기

다양한 악기를 이용하여 멋진 노래를 연주할 수 있도록 알고리즘을 심화 학습해 보자.

1단계 피아노 연주에 맞춰 나비 스프라이트가 춤추고 멈추기

실행 화면	알고리즘
	1. [나비] 스프라이트를 클릭하면 '나비야' 노래가 피아노로 연주된다. 2. 신호 보내기를 통해 연주가 시작됨과 동시에 나비의 날갯짓이 시작된다. 3. 연주가 끝나면 신호 보내기를 통해 나비의 날갯짓을 멈춘다.

스프라이트 또는 배경	스크립트 블록
 나비	

스프라이트 또는 배경	스크립트 블록
배경	배경저장소에서 [Boardwalk] 선택

2단계 악기를 선택하는 기능 추가

실행 화면	알고리즘
	1. [Keyboard], [Saxophone], [Trumpet] 악기 스프라이트 중 한 개를 마우스로 클릭하면, 해당 악기번호를 [연주악기]라는 변수에 저장한다. 2. [나비] 스프라이트를 클릭하면 [연주악기] 변수에 저장된 악기로 '나비야'를 연주한다.

스프라이트	스크립트 블록

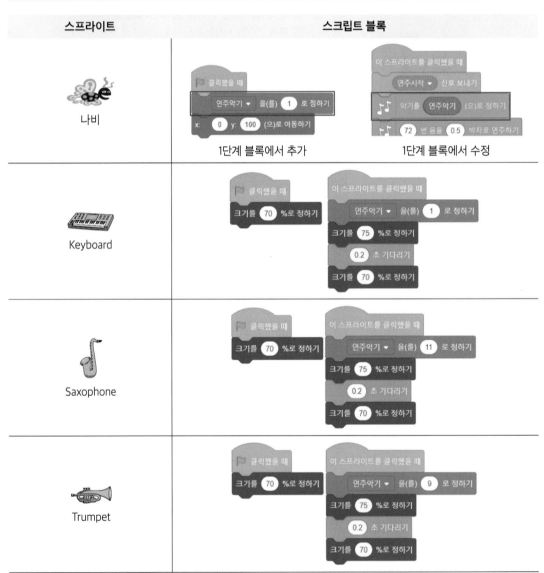

3단계 연주하는 악기의 애니메이션을 추가

실행 화면	알고리즘
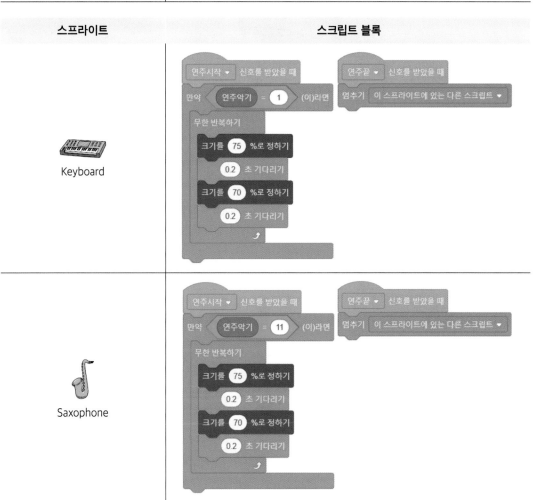	1. 음악이 연주되는 동안 연주하는 악기 스프라이트의 애니메이션이 동작한다. 2. 연주가 끝나면 애니메이션이 멈춘다.

스프라이트	스크립트 블록
Keyboard	
Saxophone	

스프라이트	스크립트 블록
Trumpet	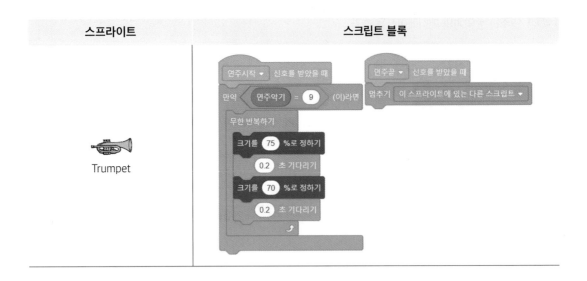

4단계 요정 스프라이트가 춤추는 장면을 추가하기

실행 화면	알고리즘
	1. 음악이 연주되는 동안, [요정] 스프라이트는 소용돌이 효과를 이용하여 춤을 춘다. 2. 연주가 끝나면 춤을 멈춘다.

스프라이트	스크립트 블록
요정	클릭했을 때 크기를 70 %로 정하기 x: -170 y: -20 (으)로 이동하기 연주시작 ▼ 신호를 받았을 때 무한 반복하기 　소용돌이 ▼ 효과를 -80 부터 80 사이의 난수 (으)로 정하기 　0.1 초 기다리기 연주끝 ▼ 신호를 받았을 때 멈추기 이 스프라이트에 있는 다른 스크립트 ▼ 그래픽 효과 지우기

②ᐧ· 펜

6.3절의 내 블록에서 다각형을 그리는 프로그램을 작성한 적이 있다. 그 프로그램은 여기서 배울 펜 블록으로 다각형을 그렸다. 펜과 관련된 블록을 사용하면 훨씬 다양한 그림을 그릴 수 있고 다채롭게 그래픽 효과를 생성할 수 있다. 펜 블록을 사용하여 멋진 그래픽 세계로 쑥 들어가 보자.

2.1 소개

펜 기능을 사용하려면 먼저 확장 기능에서 펜을 추가해야 한다. 추가하는 방법은 7.1.1항을 참조한다.

펜이 제공하는 블록은 다음과 같다.

블록	기능
모두 지우기	무대를 깨끗이 지운다.
도장찍기	현재 스프라이트 모양을 도장 형태로 찍는다.
펜 내리기	펜을 내려 그림을 그리는 상태로 만든다.
펜 올리기	펜을 올려 그림이 그려지지 않는 상태로 만든다.
펜 색깔을 ● (으)로 정하기	펜의 색깔을 지정한 색으로 정한다.
펜 색깔 ▼ 을(를) 10 만큼 바꾸기	▼을 눌러 펜의 색깔, 채도, 명도, 투명도 속성 중에 선택할 수 있다. 선택한 속성을 지정한 값만큼 바꾼다.
펜 색깔 ▼ 을(를) 50 (으)로 정하기	▼을 눌러 펜의 색깔, 채도, 명도, 투명도 속성 중에 선택할 수 있다. 선택한 속성을 지정한 값으로 설정한다.
펜 굵기를 1 만큼 바꾸기	펜의 굵기를 지정한 값(1~255)만큼 바꾼다.
펜 굵기를 1 (으)로 정하기	펜의 굵기를 지정한 값으로 설정한다.

2.2 맛보기

펜을 가지고 무한정 다채로운 그림을 그릴 수 있듯, 펜 블록을 사용하여 상상할 수 있는 모든 그림을 그릴 수 있다. 다채롭고 화려한 그래픽을 구현해보면서 흥미로운 코딩 세계에 푹 빠져보자.

▪ 규칙적 문양 만들기

≫ 실습 1

펜이 제공하는 [모두 지우기], [도장찍기], [펜올리기], [펜내리기] 블록을 이용하여 고양이 스프라이트를 12번 찍어 빙 도는 효과를 내보자. 스페이스 키를 누를 때마다 30도씩 회전한다.

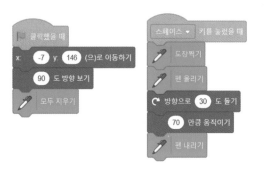 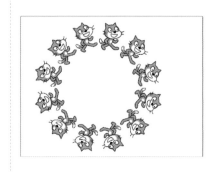

≫ 실습 2

녹색 깃발을 클릭하면, 펜 굵기를 10으로 정하고, 펜을 올리고, 무대를 지우고, 스프라이트를 (0,0)에 위치시킨다. 스페이스 키를 누르면 펜 색깔을 5만큼, x 좌표를 1만큼 바꾸는 동작을 50번 반복하여 고양이가 걸어가는 효과를 낸다.

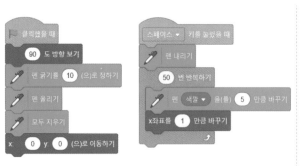 

2.3 코딩 연습

색깔을 바꿔가며 나선형의 다각형을 그려보자.

실행 화면	실행 조건
	1. 고양이가 펜을 이용하여 나선형의 n 각형을 그린다. 2. n의 값은 입력을 받아 정한다. 3. 한 변을 그린 후 360/n 도 회전하여 다음 변을 그리는 과정을 계속 반복한다. 반복할 때마다 변의 길이를 2씩 증가하여 나선형의 모양으로 그려지게 한다. 4. 반복되는 동안 펜 색깔을 바꾸어 그린다.

스프라이트	세부 기능
  고양이	1. 녹색깃발을 클릭했을 때, [고양이] 스프라이트의 크기와 위치를 설정한다. 크기는 30%로 작게 하고, 위치는 (0,0)으로 이동하여 무대중앙에서 그리기를 시작한다. 오른쪽 방향 보기로 설정한다. 2. 변의 길이를 나타내는 [길이] 변수를 10으로 초기화한다. 3. [모두 지우기]로 화면을 지우고 펜 색깔과 펜 굵기를 정한 다음, 펜 내리기를 한다. 4. 다각형의 변의 개수인 n을 입력받는다. 5. [길이]가 200보다 커질 때까지 다음 과정을 반복한다. 　① [길이] 만큼 움직이기로 변을 한 개 그린다. 　② 시계방향으로 360/n도 회전한다. 　③ [길이]를 2만큼 바꾼다. 　④ 펜 색깔을 2만큼 바꾼다. 6. 펜 올리기를 하여 그리기를 마친다.

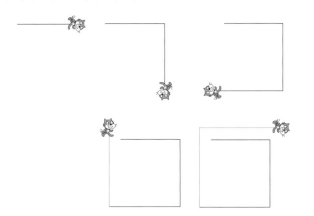

스프라이트	스크립트 블록

고양이

2.4 단계적 문제해결

심화문제	2차 함수와 3차 함수 그래프 그리기

똑똑한 무당벌레가 2차 함수와 3차 함수 그래프를 그리는 프로그램을 작성해보자.

1단계 [Draw Axes]라는 내 블록으로 좌표계 그리기

실행 화면	알고리즘
	1. 축은 검은색, 굵기 1로 그린다. 2. x축은 -220~220, y축은 -170~170의 범위를 가진다. 3. 이 과정을 [Draw Axes]라는 블록으로 정의한다.

스프라이트	스크립트 블록
Ladybug2	Draw Axes 정의하기 펜 올리기 펜 색깔을 ● (으)로 정하기 펜 굵기를 1 (으)로 정하기 x: -220 y: 0 (으)로 이동하기 펜 내리기 x: 220 y: 0 (으)로 이동하기 펜 올리기 x: 0 y: -170 (으)로 이동하기 펜 내리기 x: 0 y: 170 (으)로 이동하기 펜 올리기

실행 화면	알고리즘
	1. y = x² 그래프를 그린다. 2. x 좌표와 y 좌표를 저장할 변수 [x]와 [y]를 생성한다. 3. [x]를 -220부터 시작해서 2만큼 바꾸면서 220까지 그래프를 그린다. 4. x=220일 때 y=220*220=48,400이 되어 화면 밖으로 나가기 때문에 실제로는 y=x²/300 그래프를 그린다. 5. 선은 파란색, 굵기는 5로 설정한다. 6. 완성하면 "성공"이라고 말한다. 7. 이 과정을 [Draw Graph (y=x^2)]이라는 블록으로 정의한다.

스프라이트	스크립트 블록
 Ladybug2	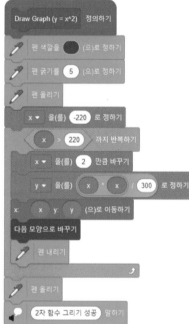

2차 함수 그리기 성공

실행 화면	알고리즘
	1. y = x³ 그래프를 그린다. 2. x 좌표와 y 좌표를 저장할 변수 [x]와 [y]를 생성한다. 3. [x]를 -220부터 시작해서 2만큼 바꾸면서 220까지 그래프를 그린다. 4. x=220일 때, y=220*220*220=10,648,000이 되어 화면 밖으로 나가기 때문에 실제로는 y=x³/50,000 그래프를 그린다. 5. 선은 빨간색, 굵기는 5로 설정한다 6. 완성하면 "성공"이라고 말한다. 7. 이 과정을 [Draw Graph (y=x^3)]이라는 블록으로 정의한다.

스프라이트	스크립트 블록
 Ladybug2	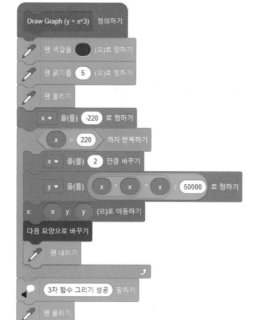

4단계 정의한 블록을 사용하여 그래프 그리기

실행 화면	알고리즘
	1. 스프라이트 모양을 [ladybug2-a]로 설정하여 화면에 무당벌레를 등장시킨다. 2. 화면을 지운다. 3. [Draw Axes] 블록을 호출하여 축을 그린다. 4. [Draw Graph (y=x^2)] 블록을 호출하여 2차 방정식 그래프를 그린다. 5. [Draw Graph (y=x^3)] 블록을 호출하여 3차 방정식 그래프를 그린다. 6. 그리기를 완료하면 무당벌레를 중앙에 위치시킨다.

스프라이트	스크립트 블록
 Ladybug2	

디지털 카메라가 보편화되면서 노트북에 카메라가 기본으로 장착되고 데스크탑에는 일만 원 가량의 웹캠을 설치할 수 있게 되었다. 이들 카메라는 동영상을 입력해주는데, 인공지능 기술은 동영상에 나타나는 물체의 움직임, 즉 모션을 인식한다. 스크래치는 동영상에 나타나는 모션을 감지하는 비디오 블록을 제공한다. 비디오 블록을 이용하여 스프라이트 또는 배경을 조작할 수 있으며 멋진 게임을 만들 수 있다. 신나는 비디오 세계로 들어가 보자.

3.1 소개

비디오 감지 기능을 사용하려면 먼저 확장 기능에서 비디오 감지를 추가해야 한다. 추가하는 방법은 7.1.1항을 참조한다.

비디오 감지가 제공하는 블록은 다음과 같다.

블록	기능
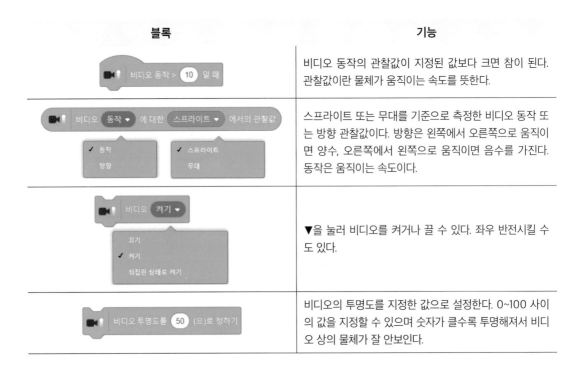	비디오 동작의 관찰값이 지정된 값보다 크면 참이 된다. 관찰값이란 물체가 움직이는 속도를 뜻한다.
	스프라이트 또는 무대를 기준으로 측정한 비디오 동작 또는 방향 관찰값이다. 방향은 왼쪽에서 오른쪽으로 움직이면 양수, 오른쪽에서 왼쪽으로 움직이면 음수를 가진다. 동작은 움직이는 속도이다.
	▼을 눌러 비디오를 켜거나 끌 수 있다. 좌우 반전시킬 수도 있다.
	비디오의 투명도를 지정한 값으로 설정한다. 0~100 사이의 값을 지정할 수 있으며 숫자가 클수록 투명해서 비디오 상의 물체가 잘 안보인다.

3.2 맛보기

비디오 감지를 확인해보고, 비디오 감지를 이용한 간단한 프로그램을 작성해 본다.

비디오 감지에서 방향 관찰값을 확인한다.

- [유니콘] 스프라이트를 손동작으로 움직여서 방향에 대한 관찰값을 확인해보자.

비디오 감지에서 동작 관찰값을 확인한다.

- [눈송이] 스프라이트를 손동작으로 움직여서 동작에 대한 관찰값을 확인해보자.

손으로 피아노를 연주해보자. 손으로 터치하면 해당 음이 연주된다. 터치한 건반을 잠시 조금 크게 보임으로써 건반이 눌린 시각적 효과를 거둔다.

3.3 코딩 연습

비디오 감지 블록을 이용하여 재미있는 게임을 만든다. 마우스나 키보드 대신 손을 사용하기 때문에 더욱 생동감 있는 게임이 된다.

 **연습문제** | **나비 잡기**

이리저리 날아다니는 나비를 손으로 잡아보자.

실행 화면	실행 조건
	1. 복제된 나비는 자유롭게 날아다닌다. 난수를 생성하여 날아가는 방향을 계속 바꾸어준다. 2. 벽에 부딪치면 튕긴다. 3. 손이 나비에 닿으면 소리 효과를 내고 사라진다.

스프라이트	스크립트 블록
 나비	**클릭했을 때** 비디오 켜기 비디오 투명도를 50 (으)로 정하기 숨기기 모양을 butterfly1-b (으)로 바꾸기 크기를 50 %로 정하기 무한 반복하기 　나 자신 복제하기 　1 초 기다리기 **복제되었을 때** 보이기 무한 반복하기 　색깔 효과를 25 만큼 바꾸기 　모양을 butterfly1-b (으)로 바꾸기 　0.5 초 기다리기 　모양을 butterfly1-c (으)로 바꾸기 　0.5 초 기다리기 **복제되었을 때** 무한 반복하기 　방향으로 -60 부터 60 사이의 난수 도 돌기 　1 부터 2 사이의 난수 초 기다리기 **복제되었을 때** 무한 반복하기 　5 만큼 움직이기 　벽에 닿으면 튕기기 　만약 비디오 동작 에 대한 스프라이트 에서의 관찰값 > 50 (이)라면 　　pop 재생하기 　　이 복제본 삭제하기

복제되어 여기저기 나타나는 물방울을 손을 움직여 터트려 보자.

실행 화면	실행 조건
	1. 복제된 물방울이 화면 아래에서 계속 나타나며 위로 올라간다. 2. 물방울을 손으로 터치하면 터지는 소리 효과를 내고 사라진다.

스프라이트	스크립트 블록

물방울
	(클릭했을 때)
	비디오 커기 ▾
	비디오 투명도를 100 (으)로 정하기
	숨기기
	무한 반복하기
	  나 자신 ▾ 복제하기
	  0.1 초 기다리기
	
	복제되었을 때
	크기를 30 부터 70 사이의 난수 %로 정하기
	x: -200 부터 200 사이의 난수 y: -150 (으)로 이동하기
	-10 부터 10 사이의 난수 도 방향 보기
	보이기
	무한 반복하기
	  10 만큼 움직이기
	  방향으로 -1 부터 1 사이의 난수 도 돌기

스프라이트	스크립트 블록

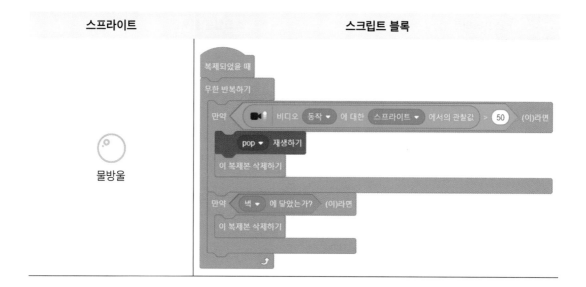

물방울

참참참 게임에서는 "참참참" 이라고 외치는 순간, 나는 손을 왼쪽 또는 오른쪽으로 움직이며 상대편은 얼굴을 왼쪽 또는 오른쪽으로 돌린다. 손과 얼굴이 같은 방향을 향하면 내가 이기고, 그렇지 않으면 상대가 이긴다. 이 프로그램에서 나는 웹캠 앞에서 손을 움직이며, 펭귄 스프라이트는 얼굴을 돌려 게임을 진행한다.

실행 화면	실행 조건
	1. 펭귄의 얼굴 방향은 1부터 3사이의 난수로 생성한다. 1이면 정면, 2이면 오른쪽, 3이면 왼쪽 방향을 나타내며 [펭귄선택] 변수에 저장한다. 2. 나(사용자)의 손 방향은 [비디오 방향에 대한 무대에서의 관찰값]에서 읽어오며 [사용자선택] 변수에 저장한다. 관찰된 방향값은 0이면 정면, 양수이면 오른쪽, 음수이면 왼쪽에 해당한다. 3. 펭귄의 선택 방향이 나(사용자)의 손 방향과 같으면 나(사용자)가 승리한다.

스프라이트	스크립트 블록
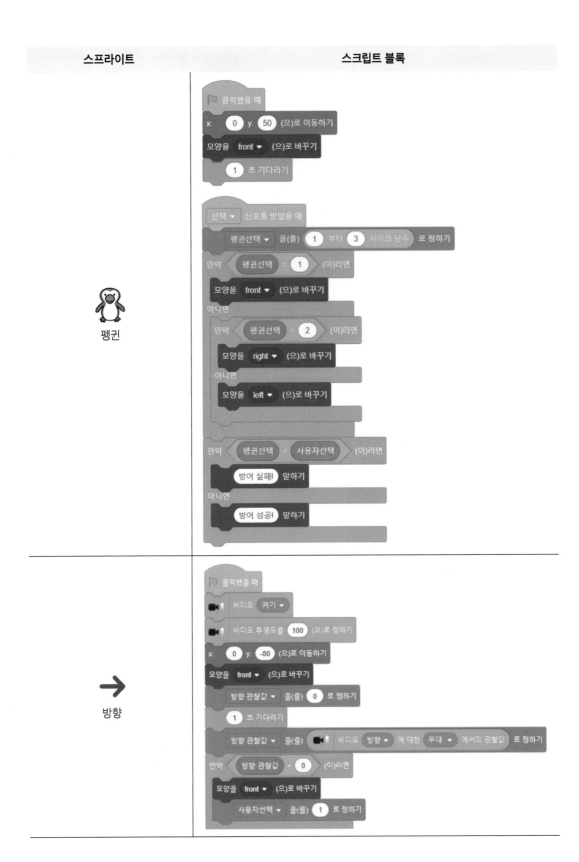 펭귄	
→ 방향	

스프라이트	스크립트 블록
→ 방향	

3.4 단계적 문제해결

 심화문제 | **가위바위보**

형태, 소리, 변수, 이벤트, 제어, 비디오 감지 블록을 추가해 가면서 심화 학습한다.
사용자는 비디오의 동작값을 이용하여 가위바위보를 결정하고 컴퓨터는 난수를 이용하여 가위바위보를 결정한다.
카운트다운을 이용하여 동시에 가위바위보를 낼 수 있도록 동기화한다.

1단계 가위바위보 결정하기

실행 화면	알고리즘
 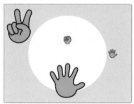	1. 3초 후에 가위바위보 행위를 하도록 카운트다운한다. 카운트다운이 끝나면 [가위바위보 시작] 신호를 보낸다. 2. 컴퓨터는 난수를 생성하여 가위바위보를 결정한다. 3. 사용자는 비디오 동작을 통해 화면에 있는 [가위], [바위], [보] 스프라이트 중에서 하나를 터치한다. 4. 게임이 끝난 후 [가위바위보 끝] 신호를 보내 마무리한다.

스프라이트	스크립트 블록

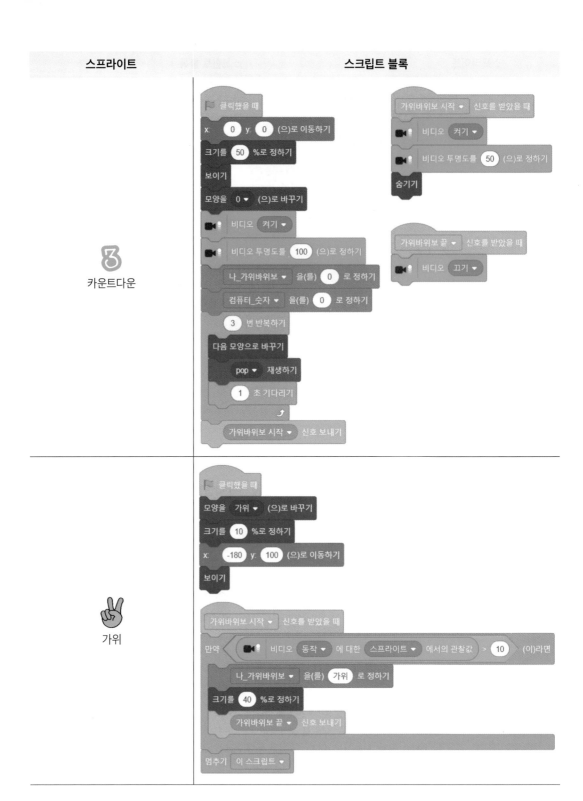

스프라이트	스크립트 블록
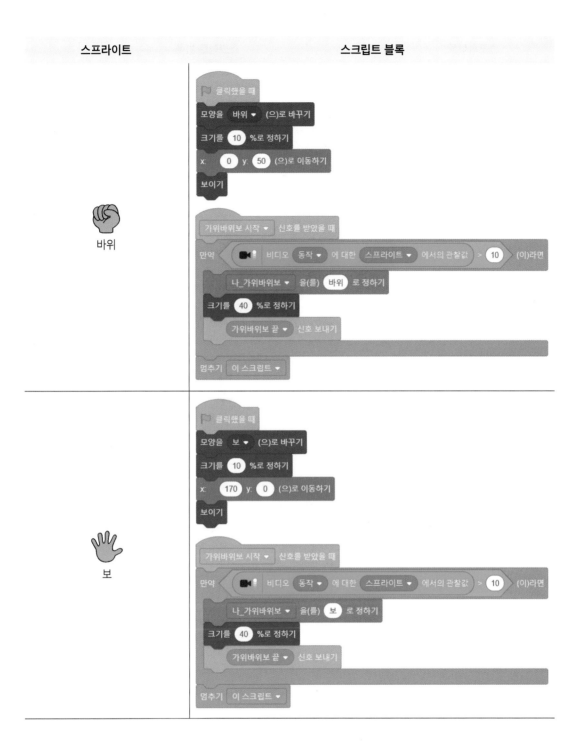	

스프라이트	스크립트 블록
 컴퓨터_가위바위보	

실행 화면	알고리즘
	[카운트다운] 스프라이트가 [가위바위보 끝] 신호를 받았을 때, 비디오 동작의 영향을 더 이상 받지 않도록 비디오를 끈다. [승부판정] 블록을 사용하여 나와 컴퓨터의 가위바위보 결과를 비교하여 승자를 결정하고 말한다.

스프라이트	스크립트 블록
카운트다운	

④ ▸▸ • 텍스트 음성 변환(TTS)과 번역

언어를 구사하는 능력은 인간을 동물과 구별하는 매우 중요한 지능이다. 인공지능 기술은 인간의 언어 구사 능력을 기계에 부여하고 있다. 인공지능의 발달로 인해 문장을 소리로 들려주는 텍스트 음성 변환(TTS:Text To Speech) 기술과 특정 언어를 다른 언어로 번역하는 언어 번역 기술이 널리 쓰이고 있다. 스크래치는 이들 기술을 활용할 수 있는 블록을 제공한다. 스크래치에서 인공지능을 즐겨보자.

4.1 소개

텍스트 음성 변환과 번역 기능을 사용하려면 먼저 확장 기능에서 텍스트 음성 변환(TTS)과 번역을 추가해야 한다. 추가하는 방법은 7.1.1항을 참조한다.

텍스트 음성 변환과 번역이 제공하는 블록은 다음과 같다.

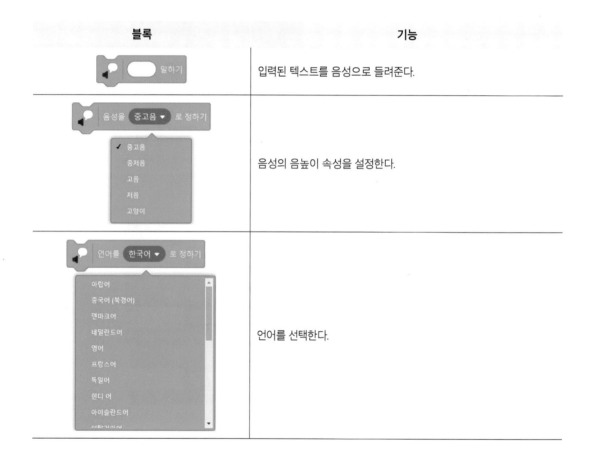

블록	기능
말하기	입력된 텍스트를 음성으로 들려준다.
음성을 중고음 ▾ 로 정하기	음성의 음높이 속성을 설정한다.
언어를 한국어 ▾ 로 정하기	언어를 선택한다.

블록	기능
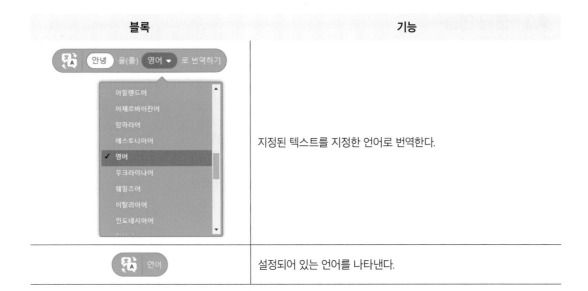	지정된 텍스트를 지정한 언어로 번역한다.
언어	설정되어 있는 언어를 나타낸다.

4.2 맛보기

텍스트 음성 변환과 번역 블록을 사용한 간단한 프로그램을 실습해보자.

》 실습 1

문장을 입력받아 영어로 번역하고, 번역 결과를 중저음으로 말한다.

4.3 코딩 연습

연습문제 | 다국어를 구사하는 고양이

번역하기 블록을 사용하면 다국어를 구사하는 똑똑한 고양이를 만들 수 있다.

실행 화면	실행 조건
	1. 번역하고 싶은 단어를 묻는다.
	2. 입력한 단어를 지정한 언어로 번역한다. 이때 언어를 여러 개 지정하면 다국어 구사가 가능하다.
	3. 번역한 내용을 음성으로 들려준다.

스프라이트	스크립트 블록
고양이	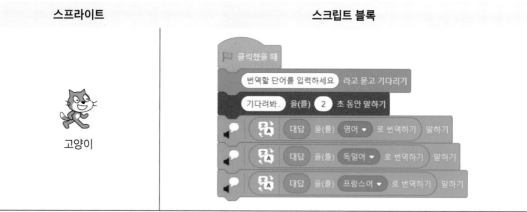

4.4 단계적 문제해결

심화문제 | 외국어 단어 검색과 외국어 단어장 만들기

영어와 중국어를 단어 학습에 이용할 수 있는 프로그램을 완성해보자.

실행 화면	알고리즘
 	1. [Giga] 스프라이트가 번역 기능을 안내한다. 2. 영어와 중국어 중에서 원하는 언어를 선택한다. 3. 문장을 입력한다 4. 번역 결과를 문장과 음성으로 출력한다.

스프라이트	스크립트 블록
 Giga	

스프라이트	스크립트 블록
 영어	이 스프라이트를 클릭했을 때 / 영어 ▼ 신호 보내기
중국어	이 스프라이트를 클릭했을 때 / 중국어 ▼ 신호 보내기

2단계 선택한 언어의 외국어 단어장 만들기

실행 화면	알고리즘
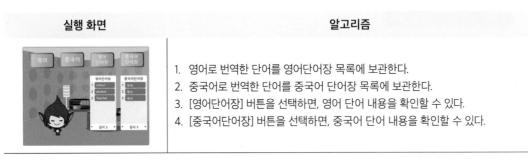	1. 영어로 번역한 단어를 영어단어장 목록에 보관한다. 2. 중국어로 번역한 단어를 중국어 단어장 목록에 보관한다. 3. [영어단어장] 버튼을 선택하면, 영어 단어 내용을 확인할 수 있다. 4. [중국어단어장] 버튼을 선택하면, 중국어 단어 내용을 확인할 수 있다.

스프라이트	스크립트 블록
영어 단어장 영어단어장	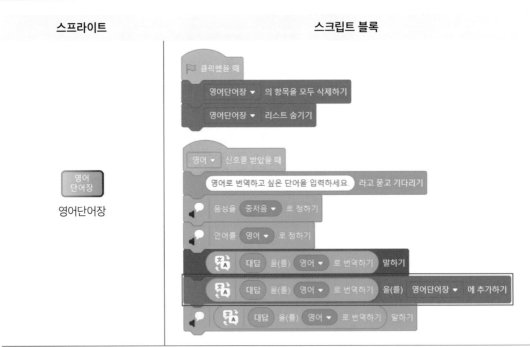

스프라이트	스크립트 블록
영어 단어장 영어단어장	이 스프라이트를 클릭했을 때 　영어단어장 ▼ 리스트 보이기 　0.2 초 기다리기 　언어를 한국어 ▼ 로 정하기 　(영어, 단어) 와(과) (학습한 내용은 다음과 같습니다..) 결합하기 말하기 　0.2 초 기다리기 　언어를 영어 ▼ 로 정하기 　영어단어장 말하기
중국어 단어장 중국어단어장	클릭했을 때 　중국어단어장 ▼ 의 항목을 모두 삭제하기 　중국어단어장 ▼ 리스트 숨기기 중국어 ▼ 신호를 받았을 때 　(중국어로 번역하고 싶은 단어을 입력하세요.) 라고 묻고 기다리기 　음성을 중저음 ▼ 로 정하기 　언어를 중국어 (북경어) ▼ 로 정하기 　(대답) 을(를) 중국어(간체) ▼ 로 번역하기 말하기 　(대답) 을(를) 중국어(간체) ▼ 로 번역하기 을(를) 중국어단어장 ▼ 에 추가하기 　(대답) 을(를) 중국어(간체) ▼ 로 번역하기 말하기 이 스프라이트를 클릭했을 때 　중국어단어장 ▼ 리스트 보이기 　0.2 초 기다리기 　언어를 한국어 ▼ 로 정하기 　(중국어, 단어,) 와(과) (학습한 내용은 다음과 같습니다..) 결합하기 말하기 　0.2 초 기다리기 　언어를 중국어 (북경어) ▼ 로 정하기 　중국어단어장 말하기

PART 3

문제해결 응용

CHAPTER 8   문제해결 응용 실습 1
CHAPTER 9   문제해결 응용 실습 2
CHAPTER 10   문제해결 응용 실습 3

CHAPTER 8

문제해결 응용 실습 1

1 ▸▸• 풍경 산책

산책의 즐거움 중의 하나는 시시각각 변하는 풍경을 즐기는 것이다. 스크래치가 제공하는 멋진 배경 영상을 사용하여 풍경을 즐기면서 산책하는 장면을 연출해보자.

[Castle 2] 배경화면

[Water And Rocks] 배경화면

[Bench With View] 배경화면

1단계 산책 준비

스프라이트	주요 기능 또는 알고리즘
 Avery Walking2	1. 배경이 [Castle 2], [Water And Rocks], [Bench With View] 순서로 바뀌는 일을 무한 반복한다.

세부 기능	스크립트 블록
1. 녹색깃발을 클릭했을 때, 회전 방식을 설정하고 [Castle 2] 배경으로 바꾼다. 무한 반복으로 0.2초마다 다른 모양으로 바꾼다.	클릭했을 때 회전 방식을 왼쪽-오른쪽 ▼ (으)로 정하기 배경을 Castle 2 ▼ (으)로 바꾸기 무한 반복하기 　다음 모양으로 바꾸기 　0.2 초 기다리기
2. 배경이 [Castle 2]로 바뀌면, 시작 위치와 이동 방향을 설정하고 "아 숲의 향기~ 상쾌하다~"를 2초 동안 말한다. 특정 위치로 2초 동안 이동하고 배경을 [Water And Rocks]로 바꾼다.	배경이 Castle 2 ▼ (으)로 바뀌었을 때 x: 150 y: 90 (으)로 이동하기 -90 도 방향 보기 아 숲의 향기~ 상쾌하다~ 을(를) 2 초 동안 말하기 2 초 동안 x: -220 y: -130 (으)로 이동하기 배경을 Water And Rocks ▼ (으)로 바꾸기
3. 배경이 [Water And Rocks]로 바뀌면, 시작 위치와 이동 방향을 설정하고 "시원한 물소리~"를 2초 동안 말한다. 특정 위치로 2초 동안 이동하고 배경을 [Bench With View]로 바꾼다.	배경이 Water And Rocks ▼ (으)로 바뀌었을 때 x: -190 y: -110 (으)로 이동하기 90 도 방향 보기 시원한 물소리~ 을(를) 2 초 동안 말하기 2 초 동안 x: 200 y: -110 (으)로 이동하기 배경을 Bench With View ▼ (으)로 바꾸기
4. 배경이 [Bench With View]로 바뀌면, 시작 위치와 이동 방향을 설정하고 "멋진 바다 풍경이구나~"를 2초 동안 말한다. 특정 위치로 2초 동안 이동하고 배경을 [Castle 2]로 바꾼다.	배경이 Bench With View ▼ (으)로 바뀌었을 때 x: -220 y: -10 (으)로 이동하기 90 도 방향 보기 멋진 바다 풍경이구나~ 을(를) 2 초 동안 말하기 2 초 동안 x: 220 y: -10 (으)로 이동하기 배경을 Castle 2 ▼ (으)로 바꾸기

▶ 확장해보기

- 배경이 바뀌면 배경에 맞는 음악이 재생된다.
- 더 많은 배경이 나타나도록 확장한다.
- 난수를 사용하여 프로그램을 실행할 때마다 배경이 나타나는 순서가 다르게 해보자.

딱정벌레 스프라이트는 제자리에서 방향을 이리저리 바꾸며 공을 발사한다. 방향은 마우스로 제어하며 마우스 버튼을 클릭하면 공이 발사된다. 공은 좌우 벽에 닿으면 튕기고, 위쪽 벽이나 위쪽 벽에 쌓여 있는 공에 닿으면 같이 쌓인다. 공이 발사될 때마다 공 개수라는 변수 값이 증가하고, 공이 계속 쌓여 하단까지 닿으면 'GAME OVER' 메시지를 출력하고 게임이 끝난다.

1단계 딱정벌레의 방향을 틀고 공을 발사

스프라이트	주요 기능 또는 알고리즘
 Beetle	1. 딱정벌레는 지속적으로 마우스 포인터가 있는 쪽으로 방향을 설정한다. 2. 마우스를 클릭하면 [발사] 신호를 보낸다.

세부 기능	스크립트 블록
1. 녹색깃발을 클릭했을 때, ① 시작 위치와 회전방식을 설정하고 [공개수] 변수를 0으로 초기화한다. ② 무한 반복으로 스프라이트 방향이 지속적으로 마우스 포인터 쪽을 향하게 한다. ③ 마우스를 클릭하면, [공개수] 변수를 1 증가시키고 [발사] 신호를 보낸다.	

세부 기능	스크립트 블록
2. [게임끝] 신호를 받으면, [Beetle] 스프라이트에 있는 다른 스크립트를 멈춘다. 마우스 포인터 쪽으로 방향 설정과 [발사] 신호 보내기를 하지 않는다.	

2단계 발사 신호를 처리

스프라이트	주요 기능 또는 알고리즘
 Ball	1. [발사] 신호를 받으면 공이 발사된다. 2. 무대 상단에 도달하거나 쌓인 공에 닿으면 멈추고, 쌓인 공 무리에 추가될 준비를 한다.

세부 기능	스크립트 블록
1. 녹색깃발을 클릭했을 때, 숨기기를 하여 발사할 때까지 대기한다.	
2. [발사] 신호를 받으면, ① 위치와 방향을 [Beetle] 스프라이트에 맞춘다. ② 5만큼 움직이고 벽에 닿으면 팅기는 일을 반복하여 발사 효과를 연출한다. y 좌표가 무대 상단 기준값보다 크거나 [Ball2]에 닿으면 반복을 멈춘다. ③ [Ball2]를 복제하고 숨기기를 하여 쌓을 준비를 한다.	

스프라이트	주요 기능 또는 알고리즘
⬤ Ball2	1. 복제된 공인 [Ball2]를 원래 공인 [Ball] 스프라이트가 멈춘 위치에 추가로 쌓는다. 2. 쌓인 공 무리가 무대 하단에 도달하면 [게임 끝] 신호를 보낸다.

세부 기능	스크립트 블록
1. 녹색깃발을 클릭했을 때, 숨기기를 하여 준비해 놓는다.	🏳 클릭했을 때 맨 뒤쪽 ▼ 으로 순서 바꾸기 숨기기
2. ① 복제되면 소리 효과로 추가로 쌓인 다고 알리고 [Ball] 위치에 추가한다. ② y 좌표가 하단 기준 값보다 작으면 [게임끝] 신호를 보낸다.	복제되었을 때 Pop ▼ 재생하기 Ball ▼ (으)로 이동하기 보이기 만약 y좌표 < -90 (이)라면 게임끝 ▼ 신호 보내기

스프라이트	주요 기능 또는 알고리즘
GAME OVER 종료문구	[게임끝] 신호를 받으면, 크기 효과를 이용해 'GAME OVER' 문구를 애니메이션한다.

세부 기능	스크립트 블록
1. 녹색깃발을 클릭했을 때, (0,0) 위치로 이동하고 숨기기를 하여 준비해 놓는다.	클릭했을 때 x: 0 y: 0 (으)로 이동하기 숨기기
2. [게임끝] 신호를 받으면, [보이기] 블록으로 보이게 하고, 종료 음향 효과를 발생하고, 크기를 점점 키워 게임이 끝났다고 알린다.	게임끝 ▾ 신호를 받았을 때 크기를 100 %로 정하기 보이기 Suspense ▾ 재생하기 5 번 반복하기 크기를 10 만큼 바꾸기 0.1 초 기다리기

▶ **확장해보기**

- 게임이 시작하기 전에 [Ball] 스프라이트의 크기를 조절할 수 있게 한다.
- [Magic Ball] 스프라이트를 추가한다. [Magic Ball]은 랜덤하게 발생하는데, 이 볼이 쌓여 있는 볼에 닿으면 닿은 볼이 파괴된다.

sine 파와 cosine 파는 360도를 주기로 파도처럼 오르락 내리락을 반복하는 모양이다. 펜 블록을 사용하여 멋진 파형을 그려보자. 두 파형의 색을 달리하여 시각적으로 구분이 잘 되게 한다.

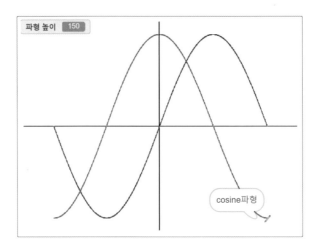

1단계 펜 블록을 이용하여 sine 파형과 cosine 파형을 그린다.

스프라이트	주요 기능 또는 알고리즘
Pencil	1. 좌표계를 그린다. 2. 파형의 높이를 입력받는다. 3. sine과 cosine 파형을 그린다.

세부 기능	스크립트 블록
1. 녹색깃발을 클릭했을 때, x 축과 y 축을 그리기 위하여 신호를 보내고, [pencil] 스프라이트가 숨기기 상태에서 [파형 높이] 값을 입력받는다. sine 파형과 cosine 파형을 그리기 위하여 신호를 보낸다.	클릭했을 때 모두 지우기 크기를 10 %로 정하기 x-y축 그리기 ▼ 신호 보내고 기다리기 그릴 파형의 높이는(100~150)? 라고 묻고 기다리기 파형 높이 ▼ 을(를) 대답 로 정하기 sine파형 그리기 ▼ 신호 보내고 기다리기 cosine파형 그리기 ▼ 신호 보내고 기다리기

세부 기능	스크립트 블록
2. x 축은 -230~230 구간, y 축은 -170~270 구간을 가진 좌표계를 그린다.	
3. [각도] 변수를 -180도부터 180도까지 1도씩 증가시키면서 sine 값을 구한다. y 좌표 값은 sin([각도])*[파형 높이] 값으로 정한다. 펜의 색을 파랑으로 설정하여 시각적으로 구분한다.	

세부 기능	스크립트 블록
4. [각도] 변수를 -180도부터 180도까지 1도씩 증가시키면서 cosine 값을 구한다. y 좌표 값은 cos([각도])*[파형 높이] 값으로 정한다. 펜의 색을 빨강으로 설정하여 시각적으로 구분한다.	

▶ **확장해보기**

- tan 파형을 추가한다.
- 선의 색과 굵기를 선택할 수 있게 하자.
- 각도 범위를 360도*10으로 확대하여 파형이 여러 번 반복되게 그린다.

④ ▸▸• 움직이는 장애물을 피해 보자

앵무새가 숲속에서 길을 잃고 도시의 빌딩 숲까지 오게 되었다. 도시의 하늘을 날아 높은 빌딩 숲을 벗어나고 싶지만 장애물이 앵무새를 가로막는다. 앵무새는 높은 건물과 하늘에서 떨어지는 붉은 공을 피해야 한다. 앵무새가 건물에 부딪히면 몸이 붉게 변하고 생명을 잃게 된다. 그러나 앵무새에게 희망이 있다. 앵무새를 응원하기 위해 하늘에서 떨어지는 별이 있기 때문이다. 별은 앵무새의 생명력을 충전해준다. 자! 앵무새가 도시의 장애물을 피해 안전하게 도시를 탈출할 수 있게 우리 모두 도와주자!

첫 번째 그림은 실행 화면이다. 장애물에 해당하는 볼 스프라이트와 빌딩 스프라이트를 피해 앵무새가 잘 날 수 있도록 화살표 키로 방향을 조정한다. 조정을 잘못해 건물 스프라이트에 닿으면 두 번째 그림과 같이 앵무새 몸이 붉은색으로 변하면서 생명을 잃게 된다. 앵무새가 생명을 모두 잃거나 너무 많은 생명을 얻으면 세 번째 그림과 같이 게임이 종료된다.

실행화면

앵무새의 위기

종료화면

1단계 장애물을 피하는 앵무새

스프라이트 또는 실행화면	주요 기능 또는 알고리즘
 앵무새 　　　 실행화면	1. [시작] 배경과 [종료] 배경을 설정한다. 2. [앵무새] 스프라이트를 화살표 키로 움직인다.

세부 기능	스크립트 블록
1. 녹색깃발을 클릭했을 때, 크기와 위치를 지정하고 맨 앞쪽에 나타나게 설정한 후, 0.5초 간격으로 스프라이트의 모양을 변경하여 나는 모양을 애니메이션한다.	
2. 화살표 키(왼쪽, 오른쪽, 위, 아래)를 눌렀을 때 방향에 따라 x 좌표와 y 좌표를 바꾸면서 이동한다.	
3. ① [부딪힘] 신호를 받았을 때, [앵무새] 스프라이트에 색깔 효과를 적용한 후, 0.5초 지나면 원래 색깔로 되돌린다. ② [게임종료] 신호를 받았을 때, 무대에서 숨기기한다.	

스프라이트	주요 기능 또는 알고리즘
 Star	1. [Star] 스프라이트는 무대 아래로 떨어진다. 2. [앵무새] 스프라이트에 닿으면 [생명] 변수를 1만큼 증가시킨 후 시작 위치로 이동한다. 3. [생명] 변수의 초기값은 10이며, 1보다 작거나(실패한 경우) 20보다 큰 경우(성공한 경우) [게임종료] 신호를 보낸다.

세부 기능	스크립트 블록
1. 녹색깃발을 클릭했을 때, ① [Star]가 지정된 위치에서 보이게 한다. ② y 좌표를 -5만큼 바꾸는 일을 무한 반복하여 떨어지는 효과를 연출한다. ③ 떨어지는 도중에 [앵무새]와 닿으면 [생명] 변수를 1 증가시키고, 상단의 임의 위치에서 다시 떨어지기 시작한다. ④ 떨어지는 도중에 벽에 닿으면 상단의 임의 위치에서 다시 떨어지기 시작한다.	클릭했을 때 보이기 크기를 100 %로 정하기 x: 10 y: 150 (으)로 이동하기 무한 반복하기 　y좌표를 -5 만큼 바꾸기 　만약 앵무새 ▼ 에 닿았는가? (이)라면 　　x: -230 부터 230 사이의 난수 y: 150 (으)로 이동하기 　　생명 ▼ 을(를) 1 만큼 바꾸기 　만약 벽 ▼ 에 닿았는가? (이)라면 　　x: -230 부터 230 사이의 난수 y: 150 (으)로 이동하기
2. ① [생명] 변수의 초기값을 10으로 설정한다. ② [생명] 변수가 1보다 작거나 20보다 크게 되면 [게임종료] 신호를 보낸다. ③ [게임종료] 신호를 받았을 때 스프라이트를 숨기기하여 종료 상태로 전환한다.	클릭했을 때 생명 ▼ 을(를) 10 로 정하기 무한 반복하기 　만약 생명 < 1 또는 생명 > 20 (이)라면 　　게임종료 ▼ 신호 보내기 게임종료 ▼ 신호를 받았을 때 숨기기

3단계 생명을 감소시키는 [볼] 스프라이트

스프라이트	주요 기능 또는 알고리즘
볼	1. [볼] 스프라이트는 무대 아래로 떨어진다. 2. [앵무새] 스프라이트에 닿으면 [생명] 변수를 -1만큼 변화시킨 후 시작 위치로 이동하여 다시 떨어진다.

세부 기능	스크립트 블록
1. 녹색깃발을 클릭했을 때, 　① [볼]이 지정된 위치에서 보이게 한다. 　② 0.5초 간격으로 나 자신을 복제하는 일을 무한 반복하여 많은 [볼]이 떨어지게 한다.	 　클릭했을 때 　크기를 70 %로 정하기 　모양을 ball-c (으)로 바꾸기 　x: 10 y: 160 (으)로 이동하기 　맨 앞쪽 으로 순서 바꾸기 　숨기기 　무한 반복하기 　　0.5 초 기다리기 　　나 자신 복제하기
2. ① 복제된 [볼]은 y 좌표를 160으로 설정하여 상단에서 떨어지게 하는데, x 좌표는 난수로 설정하여 임의 위치에서 출발한다. y 좌표를 -7만큼 바꾸는 일을 무한 반복하여 떨어지는 효과를 연출한다. 　② 떨어지는 도중에 [앵무새]에 닿으면 [생명] 변수를 -1만큼 바꾸고 복제본 [볼]을 삭제한다. 　③ 떨어지는 도중에 벽에 닿으면 복제본 [볼]을 삭제한다. 　④ [게임종료] 신호를 받았을 때, 스프라이트를 숨기기한다.	 복제되었을 때 보이기 x: -200 부터 200 사이의 난수 y: 160 (으)로 이동하기 무한 반복하기 　y좌표를 -7 만큼 바꾸기 　만약 앵무새 에 닿았는가? (이)라면 　　생명 을(를) -1 만큼 바꾸기 　　이 복제본 삭제하기 　만약 벽 에 닿았는가? (이)라면 　　이 복제본 삭제하기 게임종료 신호를 받았을 때 숨기기

스프라이트	주요 기능 또는 알고리즘
건물	1. [건물] 스프라이트의 모양을 바꿈으로써 공간을 이동하는 효과를 준다. 2. [앵무새] 스프라이트가 건물에 부딪치면 [생명]을 감소시키고 색깔을 변화시킨다.

세부 기능	스크립트 블록
1. 녹색깃발을 클릭했을 때, 　① [건물] 스프라이트가 지정된 위치에서 보이게 한다. 　② [건물] 모양을 바꾸면서 240번에 걸쳐 x 좌표를 -2만큼 이동하는 일을 무한 반복하여 공간 이동 효과를 연출한다. 　③ [건물] 스프라이트가 [앵무새] 스프라이트에 닿으면 [부딪힘] 신호를 보낸다. 　④ [게임종료] 신호를 받으면 [건물] 스프라이트를 숨기기한다.	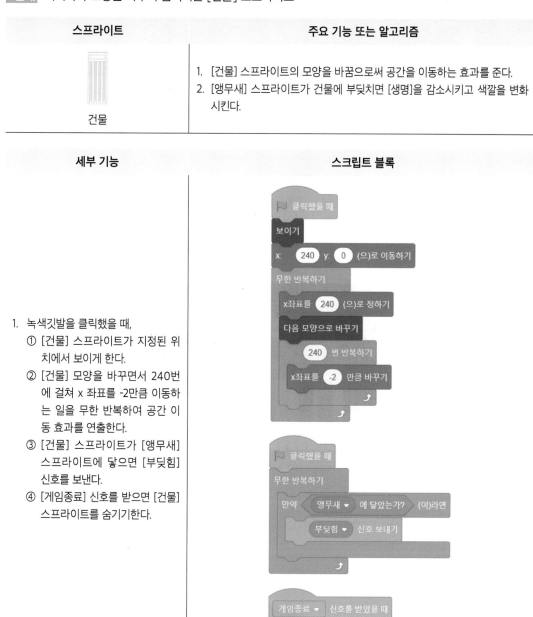

▶ **확장해보기**

• 상황에 맞게 소리 효과를 적용하고, 장애물이 등장할 때 다양한 시각적 효과를 적용한다.

• 도시를 탈출한 앵무새가 이후에 펼칠 스토리를 스스로 구상하여 게임을 확장해 본다.

CHAPTER 9

문제해결 응용 실습 2

① ··• 작은별을 연주해!

    별을 클릭하면 '반짝 반짝 작은별' 동요가 자동으로 연주된다. 악보에 맞춰 해당 건반이 자동으로 눌리면서 연주된다.

1단계 연주 시작 신호 보내기

스프라이트	주요 기능 또는 알고리즘
☆ Star	1. [Star] 스프라이트를 클릭하면 별이 깜박거리면서 연주를 시작하라는 신호를 보낸다.

세부 기능	스크립트 블록
1. 녹색깃발을 클릭했을 때, 크기를 설정하고 보이기한다. [악기] 변수를 피아노에 해당하는 1로 설정한다. 그리고 [악기설정] 신호를 모든 건반 스프라이트에 보낸다.	
2. 보이기와 숨기기를 무한 반복하여 [Star] 스프라이트가 깜박거리는 효과를 연출한다.	
3. ① '반짝 반짝 작은별' 악보에 따라 순서대로 음이 연주되도록 건반에게 신호를 보낸다. ② 음의 높이와 박자를 하나의 신호로 표현한다. 예를 들어 1박자인 도 음의 경우 [도] 신호를 보내고, 2박자인 도 음의 경우 [도2] 신호를 보낸다. ③ 신호에 따라 [건반] 스프라이트가 박자에 맞춰 연주하도록 한다. ④ 되풀이하여 연주되는 부분은 내 블록으로 정의하여 다시 사용할 수 있도록 한다.	  

스프라이트	주요 기능 또는 알고리즘
 도 레 미 파 솔 라 시 높은도 도# 미b 파# 솔# 시b	1. [스프라이트 고르기]에서 [그리기]를 이용해 건반 모양의 흰색 사각형을 그리고, 8개를 복사해 음표를 나타내는 스프라이트를 만든다. 2. [스프라이트 고르기]에서 [그리기]를 이용해 건반 모양의 검은색 사각형을 그리고, 5개를 복사해 음표를 나타내는 스프라이트를 만든다. 3. 스프라이트마다 신호가 오면 해당하는 음과 박자를 연주하도록 설정한다. 4. 눌린 건반의 모양을 일시적으로 변화시켜 눌린 효과를 낸다.

세부 기능	스크립트 블록
1. 13개 스프라이트 모두 [악기설정] 신호를 받으면, [악기] 변수에 저장해 놓은 값으로 연주할 악기를 설정한다.	
2. ① [도] 스프라이트는 박자에 따라 도 음을 다르게 연주할 수 있도록 [도 연주] 내 블록을 정의한다. [도 연주] 내 블록은 스프라이트의 밝기 효과를 일시적으로 -50 만큼 바꾸어 건반이 눌린 시각적 효과를 표현한다. ② [도] 신호를 받으면, [도 연주] 블록을 호출하여 1박자의 도 음을 연주한다. ③ [도2] 신호를 받으면, [도 연주]블록을 호출하여 2박자의 도 음을 연주한다.	
3. [레], [미], [파], [솔], [라], [시], [높은도] 스프라이트에도 같은 방식의 코드를 적용한다. [레]는 62번 음, [미]는 64번 음, [파]는 65번 음, [솔]은 67번 음, [라]는 69번 음, [시]는 71번 음, [높은도]는 72번 음을 적용한다.	수정 ······▶  

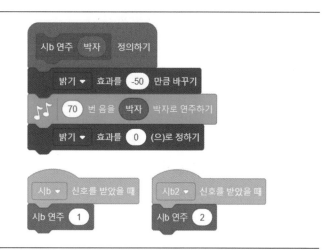

4. [도#], [미♮], [파#], [솔#], [시♮], 스프
   라이트에도 같은 방식의 코드를 적
   용한다. [도#]은 61번 음, [미♮]은 63
   번 음, [파#]은 66번 음, [솔#]은 68
   번 음, [시♮]은 70번 음을 적용한다.

▶ 확장해보기

- 다른 동요를 연주하는 프로그램으로 수정한다.
- 사용자가 여러 동요 중에서 고를 수 있게 확장해보자.

　　로봇과 청소기가 만나면 좋은 일이 생긴다. 켜 두기만 하면 알아서 집안 구석구석을 청소해 준다. 로봇 청소기는 어떤 알고리즘으로 바닥을 청소하는 것일까? 로봇 청소기의 작동은 센서에 크게 의존한다. 센서가 바닥이나 장애물, 벽과의 거리를 계산하고 회전하고 길을 찾으며 방안 곳곳을 돌아다니며 먼지를 흡입한다. 밝고 어두움, 색상 등의 특징을 구별하여 방을 여러 차례 돌아다니면서 먼지 흡입 행위를 반복하는 동안 바닥은 점점 깨끗해진다.

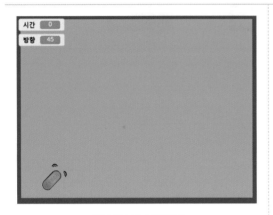

로봇 청소기 시작화면

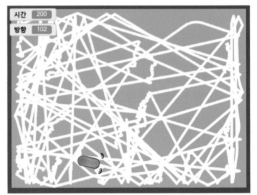

로봇 청소기 청소경로

1단계 로봇 청소기 본체와 센서 스프라이트

스프라이트	주요 기능 또는 알고리즘
청소기	1. 로봇 청소기 본체를 나타내는 스프라이트로서 방을 구석구석 이동하며 펜으로 이동 경로를 그린다. 확장기능의 펜을 이용하여 그린다.
좌측감지센서	1. 좌측 센서를 나타내는 스프라이트로서 로봇의 좌측이 방의 벽에 닿았는지 감지하며, 닿았으면 로봇이 회전한다. 확장기능의 펜을 이용하여 그린다.
우측감지센서	1. 우측 센서를 나타내는 스프라이트로서 로봇의 우측이 방의 벽에 닿았는지 감지하며, 닿았으면 로봇이 회전한다. 확장기능의 펜을 이용하여 그린다.

스프라이트	주요 기능 또는 알고리즘
방벽	1. 청소할 방의 벽을 나타내는 스프라이트이다. 확장기능의 펜을 이용하여 그린다.

세부 기능	스크립트 블록
1. 녹색깃발을 클릭했을 때, [시간] 변수를 0으로 설정하고, 로봇의 크기와 방향, 위치를 설정하고 출발 준비를 한다.	

2단계 청소하기

스프라이트	주요 기능 또는 알고리즘
로봇청소기 청소기	1. 스페이스 키를 누르면, 속도를 입력받고 [청소 시작] 신호를 보내 출발한다. 2. 주기적으로 왼쪽과 오른쪽으로 틀면서 청소를 한다. 3. 벽에 부딪치면 회전하여 방 안쪽으로 진행한다.
좌측감지센서	1. 로봇 본체가 움직이면 센서도 같이 이동한다. 같은 스프라이트처럼 보이도록 동시에 이동해야 한다.
우측감지센서	1. 로봇 본체가 움직이면 센서도 같이 이동한다. 같은 스프라이트처럼 보이도록 동시에 이동해야 한다.

세부 기능	스크립트 블록
1. 스페이스 키를 누르면, 펜을 준비하고 청소기의 속도를 묻고 기다린다. [속도]를 대답으로 정하고 [청소 시작] 신호를 보낸다.	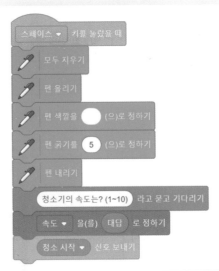 스페이스 ▼ 키를 놓았을 때 모두 지우기 펜 올리기 펜 색깔을 ( )(으)로 정하기 펜 굵기를 5 (으)로 정하기 펜 내리기 청소기의 속도는? (1~10) 라고 묻고 기다리기 속도 ▼ 을(를) 대답 로 정하기 청소 시작 ▼ 신호 보내기
2. 방 여기저기를 돌아다니기 위해 로봇 청소기 본체의 방향을 주기적으로 변경한다. 현재 방향으로 [속도]만큼 이동한 다음에 [시간] 변수가 13의 배수 혹은 23의 배수이면 100부터 300사이의 난수 도만큼 방향을 트는 일을 무한 반복한다.	청소 시작 ▼ 신호를 받았을 때 무한 반복하기 벽에 닿으면 튕기기 속도 만큼 움직이기 만약 시간 나누기 13 의 나머지 = 0 (이)라면 100 부터 300 사이의 난수 도 방향 보기 만약 시간 나누기 23 의 나머지 = 0 (이)라면 100 부터 300 사이의 난수 도 방향 보기 방향 ▼ 을(를) 방향 로 정하기
3. 본체는 좌, 우측 센서와 별개의 스프라이트이므로 센서가 회전할 때 본체도 같이 회전하게 해준다.	우측감지 ▼ 신호를 받았을 때 ↺ 방향으로 3 부터 5 사이의 난수 도 회전하기 좌측감지 ▼ 신호를 받았을 때 ↻ 방향으로 3 부터 5 사이의 난수 도 돌기

세부 기능	스크립트 블록
4. 센서가 본체에 붙어 이동하게 해준다.	

3단계 센서가 벽에 닿았을 때 처리

스프라이트	주요 기능 또는 알고리즘
 좌측감지센서	1. 좌측 벽에 닿으면 벽을 넘어가지 않게 하며 구석에서 빠져나올 수 있게 한다.
 우측감지센서	1. 우측 벽에 닿으면 벽을 넘어가지 않게 하며 구석에서 빠져나올 수 있게 한다.

세부 기능	스크립트 블록
1. ① [좌측감지] 또는 [우측감지] 신호를 받았을 때, 왼쪽에 방벽이 있을 때는 오른쪽으로 회전하여 방벽에서 멀어지도록 한다. 오른쪽에 방벽이 있을 때는 왼쪽으로 회전하여 방벽에서 멀어지도록 한다. ② 왼쪽 방벽 및 코너 위치에서는 오른쪽으로 여러번 회전하여 방벽과 멀어질 수 있고 코너에서도 빠져나갈 수 있게 된다. ③ 오른쪽 방벽 및 코너 위치에서는 왼쪽으로 여러번 회전하여 방벽과 멀어질 수 있고 코너에서도 빠져나갈 수 있게 된다.	   

▶ 확장해보기

- 로봇 청소기의 이동경로를 미리 만들어 두고 계획적으로 청소할 수 있게 확장하자.
- 이동한 양에 따라 청결 정도를 계산하고 청소를 종료할 조건을 만들어 추가하자.
- 방 안에 장애물을 두고 장애물을 피하는 방법을 추가한다.

③ ▸▸ 영어 이름 맞히기 퀴즈

스크래치에서는 여러 종류의 사물을 목록에서 랜덤하게 골라 모양을 화면에 보여주면 영어로
된 이름을 맞히는 퀴즈 게임을 아주 쉽고 재미있게 만들 수 있다. 초등학교 동생의 영어 단어 공
부에 활용하면 딱이다. 여기에서는 음식 모양을 보고 영어 이름을 맞히는 퀴즈를 만들어보자.

[음식] 스프라이트에 다양한 음식 모양을 추가하고 모양 이름을 영어 이름으로 설정한다. 음식
스프라이트의 모양 이름들이 자동으로 리스트에 등록된다. 진행자 스프라이트를 등장시켜 문제 풀
이를 진행하여 재미를 더한다. 또한 문제를 풀 때마다 음식의 모양을 바꾸어 단조로움을 피한다.

퀴즈 실행화면

맞혔을 때 실행화면

틀렸을 때 실행화면

1단계 풀 문제 수를 정하고 퀴즈 풀이를 시작

스프라이트	주요 기능 또는 알고리즘
![진행자] 진행자	1. [음식이름] 리스트를 만든다. 2. [음식이름] 리스트에 음식 이름이 자동으로 등록되도록 신호를 보낸다. 3. 풀 문제 수를 입력받는다. 4. 퀴즈 시작을 알리는 신호를 보낸다. 5. 퀴즈 풀이가 끝나면 점수를 알려준다.

세부 기능	스크립트 블록
1. 녹색깃발을 클릭했을 때, ① [음식목록 만들기] 신 호를 보낸다. ② 풀 문제수 를 입력받은 후, [퀴즈 시 작] 신호를 보낸다. ③ 퀴 즈가 끝나면 맞은 문제 수 를 말한다.	🏳 클릭했을 때 보이기 음식목록만들기 ▾ 신호 보내고 기다리기 영어 이름 맞히기 퀴즈를 시작하겠습니다. 을(를) 2 초 동안 말하기 몇 문제를 풀겠습니까? (1~ 와(과) 음식이름 ▾ 의 길이 와(과)) 결합하기 결합하기 라고 묻고 기다리기 문제수 ▾ 을(를) 대답 로 정하기 그럼 퀴즈를 시작하겠습니다. 을(를) 1 초 동안 말하기 퀴즈 시작 ▾ 신호 보내고 기다리기 맞은수 와(과) 문제를 맞혔습니다. 결합하기 말하기

세부 기능	스크립트 블록
2. ① [맞았다] 신호를 받았을 때, 모양을 바꾸고 "맞았습니다!!"를 1초간 말한다. ② [틀렸다] 신호를 받았을 때, 모양을 바꾸고 "틀렸습니다!!"를 1초간 말한다.	

2단계 퀴즈 풀기

스프라이트	주요 기능 또는 알고리즘
🍎 음식	1. [음식이름] 리스트에 음식 이름을 자동으로 추가한다. 2. [문제수]만큼 퀴즈를 낸다. 3. 플레이어가 입력한 이름이 정답인지 알려준다.

세부 기능	스크립트 블록
1. 녹색깃발을 클릭했을 때, [음식] 스프라이트를 보이지 않게 숨기기한다.	🏳 클릭했을 때 숨기기
2. [음식목록 만들기] 신호를 받으면, [음식이름] 리스트의 항목을 모두 삭제하여 비운 후, [음식] 스프라이트의 모양 이름을 [음식이름] 리스트에 추가한다.	음식목록만들기 ▾ 신호를 받았을 때 음식이름 ▾ 의 항목을 모두 삭제하기 음식이름 ▾ 이(가) 모양 이름 ▾ 을(를) 포함하는가? 까지 반복하기 모양 이름 ▾ 을(를) 음식이름 ▾ 에 추가하기 다음 모양으로 바꾸기

세부 기능	스크립트 블록
3. ① [퀴즈 시작] 신호를 받으면, [문제수] 만큼 ②~⑤를 반복한다. ② [위치] 변수값을 1부터 [음식이름] 리스트의 길이 범위에서 난수로 정해 문제를 고르고, 해당 스프라이트의 모양을 보여 문제를 낸다. ③ 플레이어에게서 영어 이름을 입력받는다. ④ 대답이 해당 음식 이름과 같으면 [맞았다] 신호를 보내고 그렇지 않으면 [틀렸다] 신호를 보낸다. ⑤ 한번 낸 문제는 다시 내지 않도록 [음식이름] 리스트에서 삭제한다.	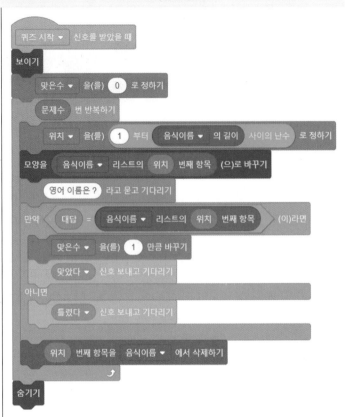

3단계 정답 여부를 O과 X로 표시하기

스프라이트	주요 기능 또는 알고리즘
 OX	1. 문제를 맞히면 O을 표시한다. 2. 문제를 틀리면 X를 표시한다.

세부 기능	스크립트 블록
1. 녹색깃발을 클릭했을 때, [ox] 스프라이트가 화면에 보이지 않게 숨기기한다.	

세부 기능	스크립트 블록
2. ① [맞았다] 신호를 받으면, 소리 재생하기를 하면서 [o] 모양이 [음식] 스프라이트 위에 겹쳐 보이도록 한다. ② [틀렸다] 신호를 받으면, 소리 재생하기를 하면서 [x] 모양이 [음식] 스프라이트 위에 겹쳐 보이도록 한다.	

▶ 확장해보기

- 음식을 다른 사물로 바꾸어 확장해본다.
- 문제를 풀 때마다 정답에 해당하는 음식의 이름을 영어로 들려준다.

Wizard Girl이 보스를 물리치는 슈팅 게임을 만들어보자. Wizard Girl은 나의 분신이다. 그리핀 보스의 생명값은 10, 나의 생명값은 3으로 출발하고, Wizard Girl의 "그리핀 보스를 물리치자"라는 말과 함께 게임이 시작한다. 그리핀 보스는 불규칙하게 이동하면서 주기적으로 아래쪽으로 번개를 발사한다. Wizard Girl은 좌우 화살표 키를 이용하여 번개를 피하면서 스페이스 키를 눌러 화살표를 그리핀 보스를 향해 위쪽으로 발사한다. Wizard Girl이 발사한 화살표에 그리핀 보스가 맞으면 그리핀 보스의 생명값이 1만큼 감소하고, 그리핀 보스가 발사한 번개에 Wizard Girl이 맞으면 나의 생명값이 1만큼 감소한다. 그리핀 보스의 생명값이 1보다 작으면 'winner' 문구, 나의 생명값이 1보다 작으면 'loser' 문구가 나타나고 게임이 종료된다.

그리핀 보스 물리치기 성공

그리핀 보스 물리치기 실패

1단계 나의 분신 Wizard Girl 구현

스프라이트	주요 기능 또는 알고리즘
 Wizard Girl	1. 생명에 관련된 변수를 초기화하고 [게임시작] 신호를 보낸다. 2. [게임시작] 신호를 받았을 때, 키보드의 왼쪽 화살표 키와 오른쪽 화살표 키를 이용하여 좌우로 이동하고, 스페이스 키를 눌러 화살을 발사한다.

세부 기능	스크립트 블록

1. 녹색깃발을 클릭했을 때,
   ① [나의생명] 변수를 3, [보스 생명] 변수를 10으로 초기화한다. 회전방식과 크기, 시작 위치를 설정한다.
   ② "그리핀 보스를 물리쳐보자!~~~"를 2초 동안 말한 다음 [게임시작] 신호를 보낸다.

```
클릭했을 때
나의생명 ▾ 을(를) 3 로 정하기
보스 생명 ▾ 을(를) 10 로 정하기
회전 방식을 회전하지 않기 ▾ (으)로 정하기
크기를 60 %로 정하기
x: 0 y: -120 (으)로 이동하기
그리핀 보스를 물리쳐보자~~~ 을(를) 2 초 동안 말하기
게임시작 ▾ 신호 보내기
```

2. [게임시작] 신호를 받으면, 지속적으로 왼쪽과 오른쪽 화살표 키가 눌렸는지 검사하고 키가 눌리면 x 좌표를 변경하여 스프라이트를 좌우로 이동한다.

```
게임시작 ▾ 신호를 받았을 때
무한 반복하기
  만약 오른쪽 화살표 ▾ 키를 눌렸는가? (이)라면
    x좌표를 5 만큼 바꾸기
  만약 왼쪽 화살표 ▾ 키를 눌렸는가? (이)라면
    x좌표를 -5 만큼 바꾸기
```

3. [게임시작] 신호를 받으면, 지속적으로 스페이스 키가 눌렸는지 검사하고 스페이스 키가 눌리면 [Arrow1] 스프라이트를 복제한다.

```
게임시작 ▾ 신호를 받았을 때
무한 반복하기
  만약 스페이스 ▾ 키를 눌렸는가? (이)라면
    Arrow1 ▾ 복제하기
    0.1 초 기다리기
```

4. [게임시작] 신호를 받으면, [보스 생명] 변수가 1보다 작거나 [나의생명] 변수가 1보다 작을 때까지 기다리다가 조건이 만족되는 순간, 모든 스프라이트의 동작을 멈추게 하기 위하여 [게임오버] 신호를 보낸다.

```
게임시작 ▾ 신호를 받았을 때
보스 생명 < 1 또는 나의생명 < 1 까지 기다리기
멈추기 이 스프라이트에 있는 다른 스크립트 ▾
게임오버 ▾ 신호 보내기
```

세부 기능	스크립트 블록
5. 번개에 맞아 [플레이어저격] 신호를 받으면, 소리와 색깔 효과를 주어 사용자에게 알린다.	

2단계 나의 적인 그리핀 보스 구현

스프라이트	주요 기능 또는 알고리즘
Griffin	1. 크기와 색깔, 위치 속성을 설정한다. 2. [게임시작] 신호를 받으면, 무대 위쪽에서 불규칙하게 이동하면서 주기적으로 번개를 발사한다. 3. [게임오버] 신호를 받으면 모든 동작을 멈춘다.

세부 기능	스크립트 블록
1. 녹색깃발을 클릭했을 때 회전방식, 색깔, 크기, 위치를 설정한다.	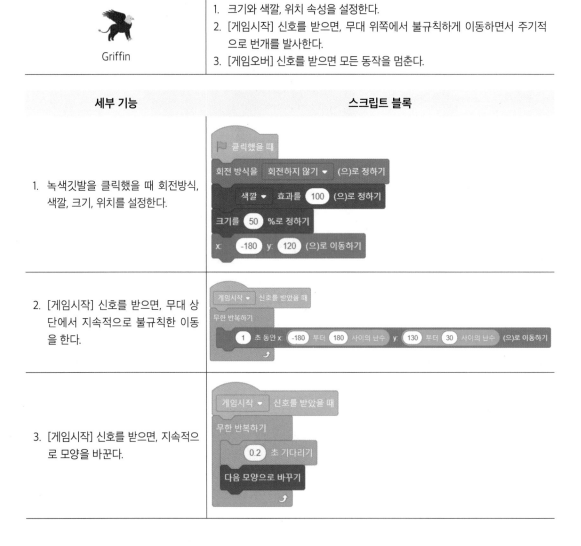
2. [게임시작] 신호를 받으면, 무대 상단에서 지속적으로 불규칙한 이동을 한다.	
3. [게임시작] 신호를 받으면, 지속적으로 모양을 바꾼다.	

세부 기능	스크립트 블록
4. [게임시작] 신호를 받으면, 지속적으로 번개를 복제한다.	
5. [게임오버] 신호를 받으면, 모든 동작을 멈춘다.	
6. [그리핀공격반응] 신호를 받으면, 소리 재생하기와 색깔 효과를 준다.	

3단계 화살 처리하기

스프라이트	주요 기능 또는 알고리즘
 Arrow1	1. 회전방식과 방향, 크기, 모양을 설정하고, 숨기기를 하여 발사될 때까지 대기한다. 2. 발사된 후에 위쪽 벽에 닿거나 [Griffin] 스프라이트에 닿으면 사라진다.

세부 기능	스크립트 블록
1. 녹색깃발을 클릭했을 때, 회전방식은 회전하기, 방향은 위쪽으로 설정한다. 크기와 모양을 설정한다. 원본은 보이지 않게 숨기기를 하여 발사될 때까지 대기한다.	

세부 기능	스크립트 블록
2. 복제되면, y 좌표를 증가시켜 위쪽으로 발사된 효과를 연출한다. [Griffin] 스프라이트에 닿으면 [보스 생명] 변수를 1만큼 감소시키고 [그리핀공격반응] 신호를 보낸다.	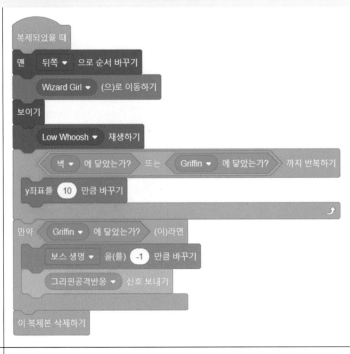
3. [게임오버] 신호를 받으면, 복제된 스프라이트를 삭제한다.	

4단계 번개 처리하기

스프라이트	주요 기능 또는 알고리즘
 Lightning	1. 회전방식과 크기를 설정하고 숨기기를 하여 발사될 때까지 대기한다. 2. 발사된 후에 아래쪽 벽에 닿거나 [Wizard Girl] 스프라이트에 닿으면 사라진다.

세부 기능	스크립트 블록
1. 녹색깃발을 클릭했을 때, 회전방식과 크기를 설정하고 숨기기하여 발사될 때까지 대기한다.	

세부 기능	스크립트 블록
2. 복제되었을 때, 　① 무대 위쪽에서 x 좌표를 무작위 위치로 설정하고 보이기한다. 　② y 좌표를 감소시켜 아래쪽으로 발사된 효과를 연출한다. 　③ [Wizard Girl] 스프라이트에 닿으면 [나의생명] 변수를 1만큼 감소시키고 [플레이어저격] 신호를 보낸다. 　④ 복제본을 삭제한다.	
3. [게임오버] 신호를 받으면, 복제본을 삭제한다.	

5단계 게임오버 처리하기

스프라이트	주요 기능 또는 알고리즘
 화면문구	1. [스프라이트 고르기]에서 [그리기]를 이용하여 [화면문구] 스프라이트를 만들고, 스프라이트 모양 에디터에서 성공과 실패에 해당하는 모양을 만든다. 2. [게임오버] 신호를 받으면, 생명값에 따라 성공 또는 실패 모양을 보인다. 이때 크기가 점점 커지는 효과를 준다.

세부 기능	스크립트 블록
1. 녹색깃발을 클릭했을 때, 숨기기하여 게임이 끝날 때까지 대기한다.	클릭했을 때 숨기기

세부 기능	스크립트 블록
2. [게임오버] 신호를 받으면, (0,0) 위치로 이동하고 [보스 생명] 값이 1보다 작은지 여부에 따라 성공 또는 실패를 판단하고 해당 모양으로 바꾼다. 크기가 점점 커지는 효과를 이용하여 재미를 더한다.	

▶ 확장해보기

• 그리핀의 크기가 시시각각 달라지게 하여 게임에 흥미를 더해보자.
• 배경이 바뀌면서 다른 보스가 출현하게 하여 여러 스테이지로 확장해보자.

나무가 미세먼지를 줄여준다는 사실을 알고 있나요? 미세먼지의 원인 물질은 주로 발전 시설, 산업 시설, 교통 수단으로부터 오는 것으로 알려져 있다. 우리는 미세먼지의 악영향으로부터 벗어나기 위해 무엇을 할 수 있을까? 환경 학자들의 연구 결과에 따르면 도시의 숲이 미세먼지를 크게 줄여준다. 우리도 미세먼지를 줄이는 일을 가상 세계에서 실천할 수 있다.

게임이 시작되면 미세먼지 없던 과거의 푸른 하늘을 회상하는 장면이 나타난다. 시작 버튼을 클릭하면 게임이 시작된다. 하늘에서 떨어지는 미세먼지를 잡아서 없애야 한다. 또한 하늘에서 떨어지는 나무 스프라이트를 잡아서 숲속의 어린 나무가 잘 성장할 수 있도록 가꿔 미세먼지를 줄인다.

왼쪽 그림은 시작화면이다. 게임이 시작되면 가운데 그림과 같이 미세먼지가 많은 어두운 하늘이 등장한다. 그리고 미세먼지와 나무가 하늘에서 무작위로 떨어진다. 미세먼지를 충분히 제거하면 오른쪽 그림과 같이 맑은 푸른 하늘을 되찾게 되며 게임은 종료된다.

시작화면

실행화면

종료화면

1단계 게임 시작하기

스프라이트 또는 실행화면	주요 기능 또는 알고리즘
 	1. 시작배경과 실행중 배경, 종료배경을 설정한다. 2. [START] 버튼을 클릭하면 게임을 시작한다.

세부 기능	스크립트 블록
1. [진행자] 스프라이트: 녹색깃발을 클릭했을 때, ① 보이기하고 [회상] 모양으로 변경한다. ② 미세먼지가 많은 자연환경에 대해 말하기한다. ③ [게임시작] 신호를 받으면, 숨기기하여 화면에서 사라진다. ④ [게임종료] 신호를 받으면, 보이기하여 다시 등장한다. [기쁨] 모양으로 바꾼다.	
2. 배경 설정: ① 녹색깃발을 클릭했을 때, 배경을 [시작]으로 설정한다. ② [게임시작] 신호를 받으면, 배경을 [화창한날]로 바꾼다. ③ [게임종료] 신호를 받으면, 배경을 [푸르른날]로 바꾼다.	

2단계 떨어지는 미세먼지 구현하기

스프라이트	주요 기능 또는 알고리즘
 먼지1	1. 복제된 미세먼지는 무대 위쪽에 나타나서 서서히 아래로 떨어진다. 2. 미세먼지가 지팡이에 닿으면 [미세먼지수] 변수를 1만큼 감소한다. 3. 미세먼지가 바닥에 닿으면 [미세먼지수] 변수를 1만큼 증가시킨다.

세부 기능	스크립트 블록
1. 녹색깃발을 클릭했을 때, 나중에 쓸 수 있게 숨기기한다.	

세부 기능	스크립트 블록
2. [게임시작] 신호를 받았을 때, 자신을 복제하는 일을 1초 간격으로 무한 반복한다.	
3. ① 크기를 30%로 설정하여 화면에 적절한 크기로 나타나게 한다. 방향을 난수로 설정하여 떨어지는 모양을 각자 다르게 한다. ② y 좌표를 150으로 설정하여 위쪽에서 출발하게 하고, x 좌표를 난수로 설정하여 떨어지는 위치를 각자 달리한다. ③ 떨어지는 일을 무한 반복한다. 이 때 y 좌표를 난수로 감소시켜 떨어지는 속도를 달리하여 재미를 더한다. ④ 떨어지는 도중에 지팡이 역할을 하는 [Wand] 스프라이트에 닿으면 [미세먼지수] 변수를 1만큼 줄인다. 벽에 닿으면 1만큼 늘린다.	복제되었을 때 크기를 30 %로 정하기 방향으로 0 부터 300 사이의 난수 도 돌기 x: -200 부터 200 사이의 난수 y: 150 (으)로 이동하기 보이기 무한 반복하기 y좌표를 -10 부터 -5 사이의 난수 만큼 바꾸기 만약 Wand 에 닿았는가? (이)라면 숨기기 미세먼지수 을(를) -1 만큼 바꾸기 이 복제본 삭제하기 만약 벽 에 닿았는가? (이)라면 숨기기 미세먼지수 을(를) 1 만큼 바꾸기 이 복제본 삭제하기

스프라이트	주요 기능 또는 알고리즘
 나무아이템	1. 복제된 [나무아이템]은 무대 위쪽에 나타난 다음 서서히 아래로 떨어진다. 2. [나무아이템]이 지팡이에 닿으면 [나무야자라라] 신호를 보낸다. 3. 바닥에 닿으면 [나무야힘내] 신호를 보낸다.

세부 기능	스크립트 블록
1. 녹색깃발을 클릭했을 때, 숨기기 한다.	
2. [게임시작] 신호를 받았을 때, 자신을 복제하는 일을 1초 간격으로 무한 반복한다.	
3. ① 크기를 50%로 설정하여 화면에 적절한 크기로 나타나게 한다. ② y 좌표를 140으로 설정하여 위쪽에서 출발하게 하고, x 좌표를 난수로 설정하여 떨어지는 위치를 각자 달리한다. ③ 떨어지는 일을 무한 반복한다. 이때 y 좌표를 난수로 감소시켜 떨어지는 속도를 달리하여 재미를 더한다. ④ 떨어지는 도중에 지팡이인 [Wand] 스프라이트에 닿으면 [나무야자라라] 신호를 보낸다. 벽에 닿으면 [나무야힘내] 신호를 보낸다.	

4단계 미세먼지로 어두워진 하늘을 표현하기

스프라이트 또는 실행화면	주요 기능 또는 알고리즘
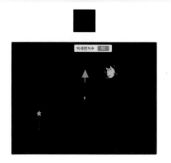	1. [하늘] 스프라이트를 화면 크기에 맞게 만든다. 이 스프라이트는 미세먼지로 어두워진 하늘을 표현한다. 2. [미세먼지수] 변수를 80으로 초기화한다. [미세먼지수] 변수가 줄어들면 투명도 효과를 이용하여 [하늘] 스프라이트를 점점 밝게 만든다.

세부 기능	스크립트 블록
1. 녹색깃발을 클릭했을 때, 　① [미세먼지수] 변수를 80으로 초기화한다. [하늘] 스프라이트를 숨긴다. 　② [미세먼지수]가 0이 되었는지 확인하는 일을 무한 반복한다. 　③ 0이면 [게임종료] 신호를 보낸다.	
2. [게임시작] 신호를 받았을 때, 　① 뒤쪽으로 순서를 바꾸고, 보이기하고, 화면의 중앙에 위치시킨다. 　② 투명도를 100-[미세먼지수]로 설정하는 일을 무한 반복한다.	
3. [게임종료] 신호를 받으면 숨기기한다.	

스프라이트	주요 기능 또는 알고리즘
나무	1. [나무아이템]을 잡으면 크기가 점점 커져서, 획득한 나무의 양을 표현한다.

세부 기능	스크립트 블록
1. 녹색깃발을 클릭했을 때, 크기를 20%로 설정하여 작게 보이도록 하고 화면 중앙에 위치시킨다. 숨기기한다.	클릭했을 때 / 숨기기 / 크기를 20 %로 정하기 / 맨 뒤쪽 ▼ 으로 순서 바꾸기 / x: 0 y: 0 (으)로 이동하기
2. [게임시작] 신호를 받으면 보이기한다.	게임시작 ▼ 신호를 받았을 때 / 숨기기
3. [게임종료] 신호를 받으면 숨기기한다.	게임종료 ▼ 신호를 받았을 때 / 숨기기
4. [나무야자라라] 신호를 받으면 크기를 5만큼 늘린다.	나무야자라라 ▼ 신호를 받았을 때 / 크기를 5 만큼 바꾸기
5. [나무야힘내] 신호를 받으면 크기를 5만큼 줄인다.	나무야힘내 ▼ 신호를 받았을 때 / 크기를 -5 만큼 바꾸기

스프라이트 또는 실행화면	주요 기능 또는 알고리즘
Wand 미세먼지가 사라지니 푸른 하늘을 볼 수 있어요. 엔딩멘트	1. [Wand] 스프라이트는 미세먼지와 나무를 잡는데 쓰는 지팡이 역할을 한다.

세부 기능	스크립트 블록
1. 녹색깃발을 클릭했을 때, 숨기기한다.	
2. [게임시작] 신호를 받았을 때, 크기를 설정하고 보이기한다. 마우스 포인터를 따라 움직이는 일을 무한 반복한다. y 좌표가 -50 위로 올라가지 않게 한다.	
3. [게임종료] 신호를 받았을 때, 숨기기한다.	
4. [엔딩멘트] 스프라이트: ① 녹색깃발을 클릭했을 때 숨기기한다. ② [게임종료] 신호를 받았을 때 보이기하고 프로그램을 종료한다.	

▶ 확장해보기

• 미세먼지 크기가 다양하게 나타나도록 만들어 본다.

• 미세먼지 수를 한번에 많이 줄일 수 있는 바람 스프라이트 등을 추가하고 소리 효과도 넣어 본다.

CHAPTER 10

문제해결 응용 실습 3

① ▸▸ 벽돌깨기 게임

우리가 스마트폰이나 게임기에서 한번쯤 해본 벽돌깨기 방식의 게임은 배트 앤 볼(Bat-and-ball)이라는 비디오게임 장르에 속한다. 최초의 벽돌깨기 방식의 게임은 1976년에 나온 브레이크아웃(Breakout)이다. 이 게임은 당시 아타리(Atari) 게임회사에서 일하던 스티브 잡스가 스티브 워즈니악과 함께 제작한 것으로 여러 게임기에 이식되어 출시된 후 크게 성공하였다. 애플II의 개발에도 영향을 미친 것으로 알려져있다.

브레이크아웃

최근에는 알파고를 개발한 구글 딥마인드에서 브레이크아웃 게임을 스스로 학습하는 인공지능 프로그램을 만들었다. 이 프로그램은 인간 수준을 능가하는 성능을 보였으며, 이 프로그램을 만드는데 사용된 인공지능 기술은 2015년 네이처지에 발표되었다.

자, 이제 이러한 놀라운 역사를 지닌 고전 명작 게임을 스크래치로 제작해보자.

게임을 시작하면 화면 위쪽에 벽돌이 여러 줄로 배치되고, 공이 화면을 오가면서 벽돌과 양옆 벽에 부딪치며 튄다. 공이 벽돌을 때리면 벽돌이 사라지면서 점수가 올라간다. 점수는 화면 왼쪽 맨 위에 배치한다. 공이 화면 아래쪽으로 빠지면 게임이 종료되므로, 플레이어는 계속해서 패들(가로 막대)을 좌우로 움직여서 공을 받아쳐야 한다. 패들은 키보드 또는 마우스, 조이스틱으로 조정하는데 여기서는 마우스를 사용한다. 게임을 더욱 흥미진진하게 만들기 위해 소리를 추가한다.

다음 첫 번째 그림은 게임 실행화면이다. 벽돌 스프라이트와 공 스프라이트, 패들(가로 막대) 스프라이트를 이용하여 만든다. 벽돌을 다 깨면 두 번째 그림과 같이 점수와 함께 축하 말을 전하는 화면이 나타나고, 공이 아래쪽으로 빠져 벽돌을 다 깨지 못한 채 종료한 경우에는 세 번째 그림과 같이 종료화면이 나타난다.

| 게임 실행화면 | 게임 승리 화면 | 게임 종료 화면 |

이제 내가 즐길 게임을 내가 스스로 만들어 보는 신나는 세상으로 들어가 보자.

1단계 좌우로 움직이는 패들 만들기

스프라이트	주요 기능 또는 알고리즘
 패들	1. [스프라이트 고르기] 또는 [그리기]를 사용하여 [패들] 스프라이트를 만든다. 2. [패들]은 좌우로만 움직인다. 플레이어는 마우스를 사용하여 [패들]을 제어한다.

세부 기능	스크립트 블록
1. 녹색깃발을 클릭했을 때, ① 배경을 설정한다. ② [패들]은 회전할 필요가 없으므로, 회전 방식을 [회전하기 않기]로 정한다. ③ [패들]은 초기에 화면 아래쪽 가운데에 위치하도록 (0,-140)으로 이동시킨다. ④ 마우스를 사용하여 [패들]을 좌우로 움직이기 위해, [패들]이 마우스 포인터 쪽을 보며 움직이도록 한다. 좌우로만 움직이므로 y좌표는 고정시킨다.	▶ 클릭했을 때 배경을 Boardwalk ▾ (으)로 바꾸기 회전 방식을 회전하지 않기 ▾ (으)로 정하기 x: 0 y: -140 (으)로 이동하기 무한 반복하기 　　마우스 포인터 ▾ 쪽 보기 　　20 만큼 움직이기 　　y좌표를 -140 (으)로 정하기

2단계 공이 벽이나 패들에 닿으면 튕기게 만들기

스프라이트	주요 기능 또는 알고리즘
⚪ 공	1. 공이 움직이다가 벽이나 패들에 닿으면 튕긴다. 2. 이 동작을 무한 반복한다.

세부 기능	스크립트 블록
1. [공]은 처음 위치(화면중앙)에서 아래쪽 방향을 향해 움직인다. 벽에 닿으면 튕기며, 이 동작을 무한 반복한다.	
2. [공]이 [패들] 스프라이트에 닿으면, [튕기기] 신호를 보내고 기다린다. 이때 소리를 재생하여 충돌 효과를 준다.	
3. [튕기기] 신호를 받았을 때, 진행 방향을 아래와 같이 (180도-현재 방향)으로 변경한 다음 패들과 떨어질 때까지 움직인다. 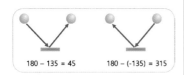	

벽돌을 복제하여 배치

스프라이트 또는 실행화면	주요 기능 또는 알고리즘
 벽돌	1. [벽돌] 스프라이트를 만든다. 이때 스프라이트에 5 종류의 모양을 만들어 둔다. 이들 모양은 색깔을 다르게 하고 이름을 1, 2, 3, 4, 5로 한다. 2. [벽돌]을 복제하여 배치한다. 1~5 사이의 난수를 생성하여 복제본의 모양 을 랜덤하게 정한다.

세부 기능	스크립트 블록
1. ① [벽돌] 스프라이트를 숨기고, 크기와 초기 위치를 지정한다. [벽돌개수] 변수와 [점수] 변수를 만들고 0으로 초기화한다. ② 반복을 사용하여 여러 줄에 걸쳐 [벽돌]을 복제 배치한다. 이 코드에서는 3행 9열로 [벽돌]을 배치하려고 9번 반복하는 일을 3번 반복한다.	 클릭했을 때 숨기기 크기를 50 %로 정하기 x -200 y 140 (으)로 이동하기 벽돌개수 ▼ 을(를) 0 로 정하기 점수 ▼ 을(를) 0 로 정하기 3 번 반복하기 　9 번 반복하기 　　나 자신 ▼ 복제하기 　　벽돌개수 ▼ 을(를) 1 만큼 바꾸기 　　x좌표를 50 만큼 바꾸기 　x좌표를 -200 (으)로 정하기 　y좌표를 -30 만큼 바꾸기
2. 복제된 [벽돌]이 다양한 색을 가지게 하기 위해 1부터 5 사이의 난수를 생성하여 모양 바꾸기를 한다.	

공이 벽돌에 닿으면 튕기게 하기

스프라이트 또는 실행화면	주요 기능 또는 알고리즘
 벽돌	1. 공이 벽돌에 닿으면 반대 방향으로 튕긴다. 2. 공과 닿은 벽돌은 사라지고, [벽돌개수] 변수는 1만큼 줄어들며, [점수] 변 수는 10만큼 증가한다.

세부 기능	스크립트 블록
1. ① [벽돌]이 [공]에 닿으면, 소리를 재생하고 [팅기기] 신호를 보내 [공]을 반대방향으로 팅기게 한다. [벽돌개수] 변수를 -1만큼 바꾸고, [점수] 변수를 10만큼 증가시킨다. 복제본을 삭제하여 [벽돌]이 사라지게 한다. ② 이 과정을 무한 반복한다.	

5단계 게임 종료 화면과 게임 승리 화면

스프라이트 또는 실행화면	주요 기능 또는 알고리즘
Game Over You Win!! 게임종료 게임승리 	1. [게임종료] 스프라이트와 [게임승리] 스프라이트를 만든다. 2. 패들이 공을 막지 못하여 공이 패들 아래로 내려가면, [게임종료] 화면이 나타나고 게임이 종료된다. 3. 모든 벽돌을 다 맞추어 화면에 벽돌이 남아있지 않으면, [게임승리] 화면이 나타나고 게임이 종료된다.

세부 기능	스크립트 블록
1. [공] 스프라이트에서, [공]의 y 좌표가 [패들]의 y 좌표보다 아래에 있으면 [게임종료] 신호를 보낸다.	
2. [게임종료] 스프라이트가 [게임종료] 신호를 받으면, 게임 종료 화면이 보이면서 이 스프라이트에 있는 다른 스크립트를 멈춘다.	 

세부 기능	스크립트 블록
3. [공] 스프라이트와 [패들] 스프라이트에서도 [게임종료] 신호를 받으면 이 스프라이트에 있는 다른 스크립트를 멈춘다.	
4. [벽돌] 스프라이트에서, 남아있는 벽돌의 개수([벽돌개수] 변수의 값)가 0이면 [게임승리] 신호를 보낸다.	
5. [게임승리] 스프라이트가 [게임승리] 신호를 받으면 배경을 [Party]로 바꾸고 승리 화면을 보여주며, 모두 멈추기를 함으로써 게임을 종료한다.	

▶ 확장해보기

- 게임 종료 화면이나 게임 승리 화면에서 바로 게임을 종료하지 않고 다시 시작할 수 있는 기능을 추가해보자.
- 벽돌의 개수나 배치를 바꾸어 점점 난이도가 높아지도록 단계별로 게임을 만들어보자.
- 게임이 지루하지 않도록 재미있는 다양한 효과를 넣어보자. (예를 들어 게임 종료나 게임 승리 시 효과음이나 글자가 회전하며 나타나는 효과 넣기, 공이 회전하며 이동, 공이 벽돌과 충돌할 때 벽돌 모양이 변한 후 사라지기 등)

골프채로 공을 쳤을 때 공이 날아가는 모습을 시뮬레이션한다. 골프채 헤드의 방향과 속도를 가이드를 사용하여 조절하여 공을 날린다. 자연스럽게 공이 날아가도록 하려면 물리 법칙에 따라 계산해야 한다. 기본 원리는 다음과 같다.

공의 속도는 x 방향 속도 성분과 y 방향 속도 성분으로 분해할 수 있다.

$$x \text{ 방향 속도} = \text{속도} \times \cos(\text{각도})$$
$$y \text{ 방향 속도} = \text{속도} \times \sin(\text{각도})$$

시간이 흐름에 따라 공의 현재 위치는 이전 위치에 속도×시간을 더하면 된다. 만약 0.5초가 흘렀다고 가정했을 때, 공의 x 좌표와 y 좌표는 다음과 같다.

$$현재 x \text{ 좌표} = \text{이전 } x \text{ 좌표} + x \text{ 방향 속도} \times 0.5 \times \text{가중치}$$
$$현재 y \text{ 좌표} = \text{이전 } y \text{ 좌표} + y \text{ 방향 속도} \times 0.5 \times \text{가중치}$$

이때 가중치는 공기의 저항과 중력가속도 등이 될 수 있다. 중력가속도는 $9.8m/sec^2$이지만 m 단위가 아닌 픽셀 단위이니 적당한 값을 주어서 조정한다.

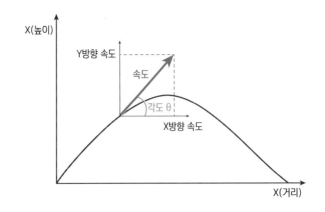

스크래치에서 방향은 오른쪽이 90도이고 위쪽이 0도이다. 이것은 공의 실제 비행 각도와 다르다. 따라서 방향을 각도로 변환하여야 한다.

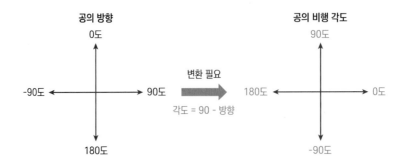

화살표 키를 이용하여 속도와 각도를 조절하고 스페이스 키를 눌러 공이 날아가도록 신호를 보내면 신호를 받은 공은 비행 계산식에 따라 궤적을 그리며 날아간다. 다시 공을 칠 수 있도록 처음 위치로 이동하고 골프채에게 [공쳐] 신호를 보낸다. [공쳐] 신호를 받은 골프채는 위에 설명한 과정을 반복한다.

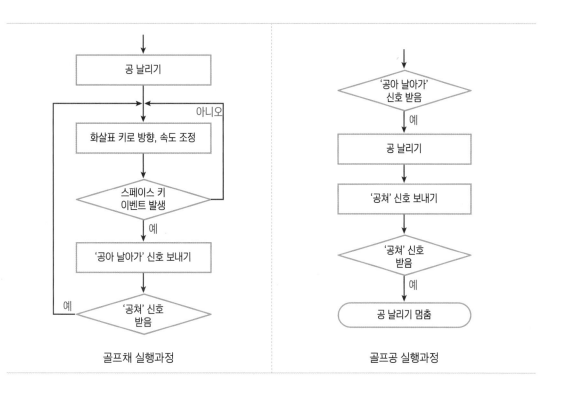

골프채 실행과정 　　　　　　　　　　　 골프공 실행과정

아래 첫번째 그림은 초기 실행화면으로 골프채와 공이 화면 왼쪽 아래에 위치한다. 플레이어는 화살표 키를 이용하여 공이 날아가는 방향과 속도를 조절한다. 오른쪽 그림은 공이 날아가는 궤적을 보여준다.

골프공 치기 초기화면

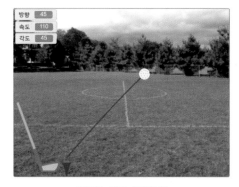

골프공 치기 실행화면

스프라이트	주요 기능 또는 알고리즘
golfclub	1. 골프채를 화면 왼쪽 아래에 위치시키고 방향과 속도의 초기값을 지정한다. 2. 왼쪽과 오른쪽 화살표 키로 방향을 조정하여 각도를 결정할 수 있게 한다. 3. 위쪽과 아래쪽 화살표 키로 속도를 조정한다. 4. 방향과 속도를 결정하고 나면 스페이스 키를 눌러 공이 날아가도록 신호를 보낸다. 5. 공이 날아가고 난 후 다시 공을 칠 수 있도록 공이 보낸 [공쳐] 신호를 받으면 방향과 속도를 초기화한다.

세부 기능	스크립트 블록
1. 골프채의 위치를 지정하고 [방향] 변수와 [속도] 변수를 초기화한다.	
2. 플레이어가 오른쪽과 왼쪽 화살표 키로 방향을 설정하면, 각도 변환 공식으로 공이 날아가는 방향을 계산하여 [각도] 변수에 저장한다.	
3. 사용자는 위쪽과 아래쪽 화살표 키로 속도를 조정한다.	

세부 기능	스크립트 블록
4. 스페이스 키를 누르면 공이 날아가도록 [공아 날아가] 신호를 보낸다.	
5. 공이 보낸 [공쳐] 신호를 받으면, 방향과 속도를 초기화하고 각도를 계산한 다음 스페이스 키를 누를 때까지 기다린다.	

스프라이트	주요 기능 또는 알고리즘
guide	1. 골프채의 방향을 나타낸다.

세부 기능	스크립트 블록
1. 골프채의 방향을 나타내기 위한 [골프채방향보기] 내 블록을 정의하여, 골프공이 날아가는 방향을 예측할 수 있도록 한다.	
2. 녹색깃발을 클릭했을 때 또는 [공쳐] 신호를 받았을 때, [골프채방향보기] 블록을 실행한다. 스페이스 키를 누르면 숨기기한다.	

스프라이트	주요 기능 또는 알고리즘
 golfball	1. 초기 상태를 설정하고 궤적을 그리기 위해 펜을 설정한다. 2. [공쳐] 신호를 받으면 공을 골프티 위치로 이동하고 날아가는 동작을 멈추어 공을 칠 수 있는 상태로 만든다. 3. [공아 날아가] 신호를 받으면 공의 위치를 계속 계산하여 공이 날아가는 궤적을 그린다. 4. 공이 벽에 닿으면 위치 이동을 중지하고 다음 공을 칠 수 있도록 [공쳐] 신호를 보낸다.

세부 기능	스크립트 블록
1. 녹색깃발을 클릭했을 때, 골프티 위치로 공을 이동하고 궤적을 그리기 위한 초기화를 수행한다.	
2. [공아 날아가] 신호를 받으면, [x방향속도]와 [y방향속도]를 계산한다. 이때 가중치를 적용하는데, x 방향 가중치는 바람의 영향을 반영하고 y 방향 가중치는 중력가속도에 따른 하강 효과를 반영한다. 위치를 계산하고 그리는 일을 반복하는데, 반복 도중에 벽에 닿으면 [공쳐] 신호를 보내고 펜을 올려 그리기를 멈춘다.	

세부 기능	스크립트 블록
3. [공쳐] 신호를 받으면, 이전 궤적을 지우고 골프티 위치로 이동하고 날아가기를 멈춘다.	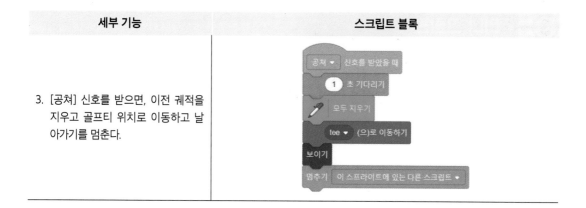

3단계 골프티 위치 설정하기

스프라이트	주요 기능 또는 알고리즘
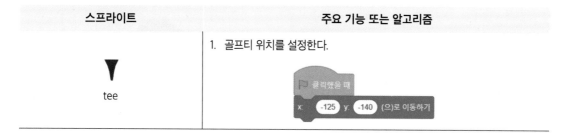 tee	1. 골프티 위치를 설정한다.

▶ **확장해보기**

- [가이드] 스프라이트로 방향 및 속도 변화를 바로바로 확인할 수 있도록 변경해보자.
- 공의 목표물인 [타켓] 스프라이트를 화면 오른쪽에 추가하여 점수를 부여해보자.

③ ·›· 미니 그림판

현실 세계에서 그림을 그리려면 펜과 물감이 필요하다. 미니 그림판은 현실 세계의 그림 그리기를 흉내내는 스크래치 프로그램이다. 마우스로 펜의 굵기와 물감의 색깔을 선택하고 드래그하여 멋진 그림을 그릴 수 있다.

프로그램을 실행하면 화면 하단에 색깔을 선택할 수 있는 색깔바와 굵기를 선택할 수 있는 굵기바가 나타난다. 그림을 지우기 위해 지우기 버튼도 배치한다. 흰색 스프라이트를 선택하면 흰색으로 칠하여 지우는 효과를 연출하게 된다. 지우기 스프라이트를 선택하면 그림을 모두 지우고 펜은 초기 상태로 되돌아간다.

초기 실행화면

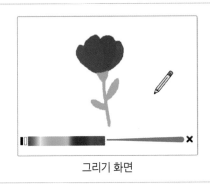

그리기 화면

1단계 색깔바 설치

스프라이트	주요 기능 또는 알고리즘
 색깔바	1. 색깔바의 위치를 지정한다. 2. 101개를 복제하여 펜의 다양한 색깔을 나타낸다. 3. 색깔의 변화는 스프라이트의 색깔효과를 이용하여 0~100 범위에서 지정한다. 4. 스프라이트를 클릭하면 펜의 색깔이 바뀔 수 있도록 신호를 보낸다.

세부 기능	스크립트 블록
1. 색깔바를 화면의 아래 왼쪽에 두고, 사용 가능한 색깔을 0부터 100까지 101가지를 제공할 수 있게 스프라이트를 101개 복제한다.	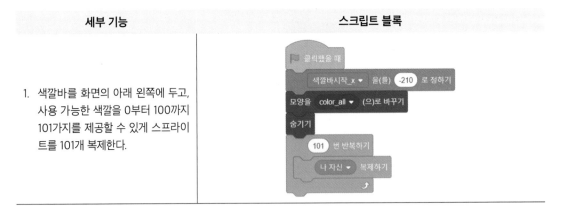

세부 기능	스크립트 블록
2. ① 서로 겹치지 않게 오른쪽으로 2 픽셀씩 이동해 가며 배치한다. 약간 두껍게 하여 쉽게 선택할 수 있게 한다. ② 색깔을 공식에 따라 설정한다. 공식에 따르면 복제된 101개의 스프라이트 색깔 효과는 왼쪽부터 오른쪽으로 가면서 0, 2, 4, … 값을 갖는다.	
3. ① 사용자가 색깔바에 있는 101개의 스프라이트 중에 하나를 클릭하면, [색깔] 변수에 해당 스프라이트의 값을 저장한다. ② [색깔 바뀜] 신호를 보내 펜의 색을 바꾼다 ([5 단계] 참조)	

2단계 굵기바 설치

스프라이트	주요 기능 또는 알고리즘
  굵기바	1. 굵기바의 위치를 지정한다. 2. 100개를 복제하여 다양한 굵기를 나타낸다. 3. 굵기는 스프라이트의 크기를 50부터 2씩 증가하여 보인다. 4. 스프라이트를 클릭하면 펜의 굵기가 바뀔 수 있도록 신호를 보낸다.

세부 기능	스크립트 블록
1. 굵기바가 색깔바의 오른쪽에 위치하도록 지정하고, 펜 굵기를 1부터 100까지 설정할 수 있도록 스프라이트를 100개 복제한다.	

세부 기능	스크립트 블록
2. ① 서로 겹치지 않게 오른쪽으로 2 픽셀씩 이동해 가며 배치한다. 약간 두껍게 하여 쉽게 선택할 수 있게 한다. ② 굵기를 공식에 따라 설정한다. 공식에 따르면 복제된 100개의 스프라이트 크기는 왼쪽부터 오른쪽으로 가면서 50, 52, 54, ..., 248 값을 갖는다. (i번째 스프라이트의 크기는 50+(i-1)*2)	
3. ① 사용자가 굵기바에 있는 100개의 스프라이트 중에 하나를 클릭하면, [굵기] 변수에 해당 스프라이트의 값을 저장한다. ② [굵기 바뀜] 신호를 보내 펜의 굵기를 바꾼다 ([5 단계] 참조)	이 스프라이트를 클릭했을 때 굵기 ▼ 을(를) (x좌표 / 2) + 1 로 정하기 굵기 바뀜 ▼ 신호 보내기

3단계 검정색과 흰색을 추가로 지정

스프라이트	주요 기능 또는 알고리즘
▮ ▯ 검정색 흰색	1. 검정색 또는 흰색을 선택할 수 있도록 스프라이트를 제작한다. 2. 스프라이트를 클릭하면 검정색 또는 흰색이 나타날 수 있도록 채도와 명도를 조정한다.

세부 기능	스크립트 블록
1. 메뉴 선택 영역의 가장 왼쪽에 [검정색] 스프라이트, 오른쪽 옆에 [흰색] 스프라이트를 위치시킨다.	

세부 기능	스크립트 블록
2. ① [검정색] 스프라이트를 클릭하면, 채도를 0으로 명도를 0으로 지정하고, [검정색으로 바뀜] 신호를 보내 검정색으로 변경한다. ② [흰색] 스프라이트를 클릭하면, 채도를 0으로 명도를 100으로 지정하고, [흰색으로 바뀜] 신호를 보내 흰색으로 변경한다.	 

4단계 지우기 버튼 만들기

스프라이트	주요 기능 또는 알고리즘
✖ 지우기	1. [Button5] 스프라이트를 고른다. 2. 스프라이트를 클릭하면 그림을 깨끗이 지우고 펜을 초기 상태로 되돌린다.

세부 기능	스크립트 블록
1. 메뉴 영역의 맨 오른쪽에 위치시킨다.	🏳 클릭했을 때 숨기기 크기를 30 %로 정하기 x: 220 y: -140 (으)로 이동하기 보이기
2. 스프라이트를 클릭하면, 화면을 지우고 펜이 초기 상태로 돌아갈 수 있도록 [펜 초기화] 신호를 보낸다.	이 스프라이트를 클릭했을 때 ✏ 모두 지우기 펜 초기화 ▾ 신호 보내기

5단계 연필을 따라 선 그리기

스프라이트	주요 기능 또는 알고리즘
✏✏ 연필	1. [Pencil] 스프라이트를 고른다. 2. [펜 초기화] 블록으로 그림을 그릴 준비를 한다. 3. [Pencil] 스프라이트가 마우스를 따라다니면서 선을 그린다. (마우스를 클릭한 채로 움직이면 펜을 내려 지정된 색깔과 굵기로 선을 그리고, 클릭하지 않은 채로 움직이면 선을 그리지 않는다.)

세부 기능	스크립트 블록
1. [펜 초기화] 내 블록을 정의한다. 이 블록은 펜의 [채도], [명도], [굵기], [색깔] 변수를 초기화하고, 이들 변수값으로 펜의 속성을 설정한다.	
2. [펜 초기화] 신호를 받았을 때, [펜 초기화] 블록을 호출하여 펜의 속성을 설정한다.	
3. ① 마우스를 클릭한 채로 드래그하면, 펜을 내려 선이 그어지도록 하고, 마우스 클릭을 해제하면 펜을 올려 선이 그려지지 않고 이동만 할 수 있도록 한다. ② 선을 그릴 때는 메뉴 영역 위쪽까지만 그리도록 제한한다.	

세부 기능	스크립트 블록
4. [검정색으로 바뀜] 또는 [흰색으로 바뀜] 신호를 받았을 때, 채도와 명도값을 바꾸는 [채도명도바뀜] 내 블록을 호출하여 펜의 속성을 해당 채도와 명도로 설정한다.	
5. [색깔 바뀜] 신호를 받았을 때, 해당 색깔을 말하고 [색깔] 값을 바꾸는 [색깔바뀜] 내 블록을 호출하여 펜의 속성을 설정한다.	
6. [굵기 바뀜] 신호를 받았을 때, 해당 굵기를 말하고 [굵기] 값을 바꾸는 [굵기바뀜] 내 블록을 호출하여 펜의 속성을 설정한다.	

▶ 확장해보기

• 명도와 채도를 조정하여 다양한 색깔을 표현할 수 있도록 해보자.

• 원과 사각형 등의 기본 모양을 [도장찍기] 기능을 활용하여 그릴 수 있도록 해보자.

숫자맞히기 게임은 숫자업다운 게임이라고도 하며, 레크레이션 시간에 쉽게 해볼 수 있는 재미있는 게임이다. 출제자는 약속한 범위 내에서 정수 하나를 생각하고 종이에 적고 감춘다. 예를 들어 약속한 출제 범위가 [1,100]이고, 출제자가 34라는 정수를 기록했다고 하자. 플레이어는 숫자를 반복적으로 추정하여 정답인 34를 맞혀야 한다. 가령 플레이어가 "정답! 60입니다"를 외치면 추정치가 정답보다 높으므로 출제자는 "더 작은 수입니다"라고 응답한다. 플레이어는 정답이 [1,59] 범위에 있다는 사실을 알게 되었으므로 좁아진 범위에서 숫자를 추정하여 또 외친다. 가령 플레이어가 25를 외치면 출제자는 "더 높은 수입니다"라고 응답한다. 이런 과정을 통해 점점 숫자의 범위를 좁혀가면서 정답을 맞히는 게임이다. 추정을 적게 하여 맞힐수록 높은 점수를 받는다. 보통 친구와 둘이 즐기는데, 한번은 내가 출제자 역할을 맡고 친구가 플레이어가 되고, 다음번에는 친구가 출제자 역할을 하고 내가 플레이어가 된다.

숫자맞히기를 컴퓨터 게임으로 만들어보자. 흥미를 더하기 위해 로봇과 내(사용자)가 대결하는 방식으로 제작해본다.

아래 첫 번째 그림은 게임 실행화면이다. 게임 분위기를 띄우기 위해 사회자 스프라이트를 배치하는데 사회자는 게임에 대한 설명을 하고 게임이 끝났을 때 재미있는 멘트를 하여 흥미를 돋운다. 로봇 스프라이트를 배치하고, [내가 플레이어] 버튼과 [로봇이 플레이어] 버튼을 만든다. [내가 플레이어] 버튼을 누르면 로봇이 생각한 숫자를 내(사용자)가 맞히는 게임을 진행한다. [로봇이 플레이어] 버튼을 누르면 내가 생각한 숫자를 로봇이 맞히는 게임을 진행한다.

게임 실행화면

내가 플레이어 화면

로봇이 플레이어 화면

로봇이 플레이어가 되어 숫자를 맞혀야 하는 상황에서 로봇은 어떤 추정 알고리즘을 사용해야 할까? 가장 손쉬운 알고리즘은 주어진 범위 안에서 난수를 생성하는 것이다. 그런데 난수를 사용하면 추정 횟수가 많아져 낮은 점수를 받게 될 것이 뻔하다. 이진탐색(binary search) 알고리즘을 사용하면 매우 빠르게 정답을 찾을 수 있다.

이진탐색 알고리즘이란 오름차순으로 정렬된 리스트에서 특정한 값의 위치를 찾는 효율적인 알고리즘이다. 예를 들어, [김가람, 김나라, 김홍도, 나도향, 이순신, 이홍도, 한가람, 한홍도]라는 정렬된 리스트에서 한가람을 찾을 때 리스트의 중간에 있는 값과 비교한다. 나도향이 중간인데, 찾고자하는 한가람이 나도향보다 크기 때문에 찾을 범위를 [이순신, 이홍도, 한가람, 한홍도]로 줄인다. 새로운 리스트는 원래 리스트의 1/2 크기가 된다. 같은 과정을 새로운 리스트에 반복적으로 적용한다.

숫자맞히기 게임을 하는 로봇도 이진탐색 알고리즘을 사용할 수 있다. 이때는 리스트에 [1,2,3,4,5,....]가 배치되어 있다고 생각하면 된다. 출제 범위가 [1,100]이고 출제자가 34를 생각했다고 가정하자. 아래 그림은 로봇이 이진탐색을 이용하여 정답을 찾아가는 과정을 보여준다. 처음에는 범위가 [1,100]이므로 중간 위치를 계산하면 (1+100)/2=50.5가 되는데 버림을 하여 50으로 결정한다. 로봇은 "정답, 50입니다"를 외치고 출제자는 추정치 50이 정답 34보다 크므로 "정답이 50보다 작습니다."라고 응답한다. 이제 로봇은 범위를 [1,49]로 좁히고, 중간 위치 (1+49)/2=25를 계산하여 "정답, 25입니다"를 외친다. 이런 과정을 반복하면 5번 만에 정답에 도달하게 된다.

이진탐색 알고리즘을 사용하는 로봇이 얼마나 똑똑한지 생각해보자. 앞의 예제는 출제 범위가 [1,100]이라 실감이 안 나는데, 범위를 넓혀 [1,1000000]이라고 하면 실감이 난다. 최초 범위의 길이가 100만인데, 한번 추정할 때마다 길이가 반으로 줄어드니 100만이 50만, 50만이 25만, ..., 8이 4, 4가 2, 2가 1이 되어 20번을 넘지 않고 답을 찾을 수 있다. 일반적으로 범위가 [1,n]이면 $ceil(\log_2(n))$번 이내에 답을 찾을 수 있다. ceil은 올림 연산자이다. n=1000000이면 $ceil(\log_2(1000000))=ceil(19.9315)=20$이 된다.

이진탐색은 운이 좋을 때도 있고 나쁠 때도 있다. 출제 범위가 [1,100]인 앞의 예에서는, 정답이 50일 때가 운이 가장 좋을 때로서 단 한번 만에 맞힐 수 있다. 운이 가장 나쁠 때는 리스트 길이가 1이 될 때까지 가봐야 하는 경우인데, 이때 추정 횟수는 $ceil(\log_2(100))=7$번이다. 범위가 [1,100만]일 때 운이 가장 좋을 때는 한 번의 추정, 운이 제일 나쁠 때는 20번의 추정으로 답을 찾을 수 있다. 길이가 100만인데 20번을 넘지 않고 정답을 찾을 수 있으므로 매우 효율적인 알고리즘이라고 평가할 수 있다.

우리가 만드는 게임에서는 [이진탐색이란] 버튼이 있는데, 이 버튼은 이진탐색 알고리즘의 원리를 설명한다.

1단계 사회자 스프라이트 만들기

스프라이트	주요 기능 또는 알고리즘
사회자	1. [게임시작] 신호를 보낸다. 2. [게임시작] 신호를 받았을 때, [로봇시도횟수], [내 시도횟수], [로봇이 생각한 숫자] 변수를 0으로 초기화하고, 게임 시작을 알린다.

세부 기능	스크립트 블록

1. 게임을 간단히 소개하고, [게임시작] 신호를 보낸다.

2. [게임시작] 신호를 받았을 때, 로봇이 시도한 횟수를 저장하는 [로봇시도횟수] 변수, 내가 시도한 횟수를 저장하는 [내 시도횟수] 변수, 로봇이 생각한 숫자를 저장하는 [로봇이 생각한 숫자] 변수를 0으로 초기화하고, 게임 시작을 말한다.

2단계 플레이어를 정하는 버튼 만들기

스프라이트	주요 기능 또는 알고리즘
내가 플레이어 로봇이 플레이어	1. [내가 플레이어] 버튼을 누르면, 내(사용자)가 플레이어가 된다. 2. [로봇이 플레이어] 버튼을 누르면, 로봇이 플레이어가 된다.

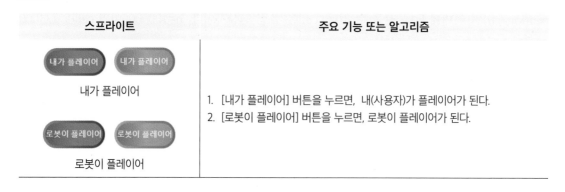

세부 기능	스크립트 블록
1. [내가 플레이어] 버튼을 누르면 로봇이 생각한 숫자를 내가 맞히는 [내가 풀기 시작] 신호를 보낸다. 내가 플레이어인 상황을 나타내는 버튼 모양으로 바꾼다.	
2. [로봇이 플레이어] 버튼을 클릭하면 내가 생각한 숫자를 로봇이 맞히는 [로봇이 풀기 시작] 신호를 보낸다. 로봇이 플레이어인 상황을 나타내는 버튼 모양으로 바꾼다.	

3단계 내가 플레이어인 경우 처리

실행화면	주요 기능 또는 알고리즘
	1. 로봇이 출제자이고 내(사용자)가 플레이어 역할을 한다. 2. 플레이어에게 추정 기회를 최대 10회 준다. 도중에 숫자를 맞혔으면 [내가 맞힘] 신호를 보낸다. 10회 시도에도 맞히지 못하면, [내 횟수초과] 신호를 보낸다. 3. [내가 맞힘] 신호를 받았을 때, [내 시도횟수]를 말한다. 4. [내 횟수초과] 신호를 받으면, 정답을 맞히지 못했음을 말한다.

세부 기능	스크립트 블록

1. [로봇] 스프라이트가 [내가 풀기 시작] 신호를 받으면,
   ① [내 시도횟수] 변수를 0으로 설정한다.
   ② 로봇이 생각한 숫자를 1에서 1000 사이의 난수로 정한 다음 [로봇이 생각한 숫자] 변수에 저장한다.
   ③ 내가 최대 10번까지 시도해 볼 수 있도록, [내 시도횟수]가 10과 같아질 때까지 묻고 답하는 과정을 반복한다. 입력한 [대답]이 정답에 해당하는 [로봇이 생각한 숫자]와 같으면, [내가 맞힘] 신호를 보내고 반복을 빠져나온다. [대답]이 [로봇이 생각한 숫자]보다 크면, "정답이 대답보다 작습니다"라고 말하고, 그렇지 않으면 "정답이 대답보다 큽니다"라고 말하고 반복을 계속한다.
   ④ [내 시도횟수]가 10보다 커서 반복을 빠져나왔다면, [내 횟수초과] 신호를 보내 게임을 종료한다.

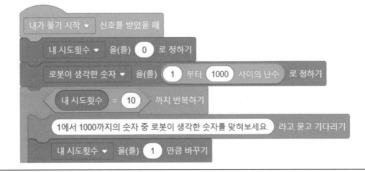

세부 기능	스크립트 블록

2. [사회자] 스프라이트가 [내가 맞힘] 신호를 받았을 때, [내 시도횟수]를 말한다.

3. [사회자] 스프라이트가 [내 횟수초과] 신호를 받았을 때, 아쉽게도 10번의 시도로 정답을 맞히지 못했음을 말한다.

4단계 로봇이 플레이어인 경우 처리

실행화면	주요 기능 또는 알고리즘
	1. 내(사용자)가 출제자이고 로봇이 플레이어 역할을 한다. 2. 로봇이 숫자를 추정하는 과정을 반복한다. 로봇은 이진탐색 알고리즘을 사용하여 정답을 찾아간다. 3. 로봇이 답을 맞히면 [로봇맞힘] 신호를 보낸다.

1. [로봇] 스프라이트가 [로봇이 풀기 시작] 신호를 받으면,
   ① "1에서 1000까지 숫자 중 하나를 생각해보세요."라고 말한다.
   ② [로봇시도횟수]를 0으로 설정한다.
   ③ 이진탐색 알고리즘을 적용하기 위해, 최소값을 저장하는 [low], 최대값을 저장하는 [high], 중간값을 저장하는 [mid] 변수를 만들고, [low]는 1, [high]는 1000으로 초기화한다.
   ④ 이제 [low]가 [high] 보다 커질 때까지 다음 과정(ⓐ~ⓒ)을 반복한다.
      ⓐ [mid]를 (low+high)/2로 설정한다. 버림 연산을 적용하여 정수로 만든다.
      ⓑ 내가 생각한 숫자, 즉 정답이 로봇이 제시한 중간값(mid)과 비교하여 같은지 묻고 기다린다. 만일 같으면 '예', 정답이 작으면 '작다', 크면 '크다'를 입력하라고 말하고 대답을 기다린다.
      로봇이 시도한 횟수인 [로봇시도횟수]를 1만큼 증가한다.
      ⓒ 대답이 '예'이면 [로봇이 맞힘] 신호를 보낸다. 그리고 이 스크립트를 멈춘다.
      대답이 '크다'이면, 최소값인 [low]를 mid+1로 설정한다.
      대답이 '작다'이면, 최대값인 [high]를 mid-1로 설정한다.

2. [사회자] 스프라이트가 [로봇이 맞힘] 신호를 받았을 때, [로봇시도횟수]를 말한다.

실행화면	주요 기능 또는 알고리즘
	1. [이진탐색이란] 버튼을 누르면 이진탐색에 대해 설명한다.

세부 기능	스크립트 블록

1. [이진탐색이란] 버튼을 누르면, [이진탐색학습신호]를 보낸다. [이진탐색학습종료] 신호를 받으면 버튼 모양을 바꾼다. 녹색깃발을 클릭했을 때도 버튼 모양을 바꾼다.

2. [사회자] 스프라이트가 [이진탐색학습] 신호를 받으면, 이진탐색에 대해 설명한다. 설명이 끝나면 [이진탐색학습종료] 신호를 보낸다.

```
이진탐색학습 ▼ 신호를 받았을 때
  로봇이 사용하는 이진탐색은 정렬된 리스트에서 특정한 값의 위치를 찾는 매우 효율적인 알고리즘입니다. 을(를) 5 초 동안 말하기
  예제를 가지고 살펴볼까요? 을(를) 5 초 동안 말하기
  상대가 [1,1000] 범위에서 572를 선택했다고 가정합시다. 을(를) 5 초 동안 말하기
  로봇은 정답을 추정합니다. 로봇은 [1,1000]의 중간 위치 500을 계산하고 "정답은 500"이라고 말합니다. 을(를) 5 초 동안 말하기
  이때 추정값 500이 정답 572보다 작기 때문에 정답이 추정값의 오른쪽에 있다는 것을 알 수 있습니다 을(를) 5 초 동안 말하기
  따라서 범위를 [501,1000]으로 줄입니다. 범위가 반으로 줄어든 셈입니다. 을(를) 5 초 동안 말하기
  로봇은 새로운 범위에서 중간 위치 750을 계산하고 "정답은 750"이라고 다시 말합니다. 을(를) 5 초 동안 말하기
  이때 추정값 750이 정답 572보다 크기 때문에 정답이 추정값의 왼쪽에 있다는 것을 알 수 있습니다 을(를) 5 초 동안 말하기
  범위를 [501,749]로 줄입니다. 을(를) 5 초 동안 말하기
  이런 과정을 정답을 찾을 때 까지 반복합니다. 을(를) 5 초 동안 말하기
  1부터 1000 사이의 범위에서는 최대 10번 이내에 숫자를 찾게 됩니다. 을(를) 5 초 동안 말하기
  자 이제 이진탐색 알고리즘을 학습하였으니, 숫자 맞히기 게임을 다시 시작해보세요!! 을(를) 5 초 동안 말하기
  이진탐색학습종료 ▼ 신호 보내기
```

▶ 확장해보기

- 배경화면을 다양하게 적용해본다.
- 텍스트 음성 변환 기능을 사용하여 말하기를 적용해본다.
- 숫자의 범위를 조정할 수 있게 한다.
- 이진탐색 학습 부분을 애니메이션으로 작성해본다.

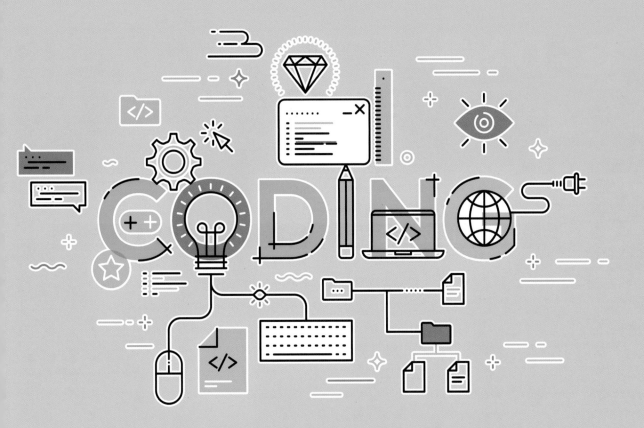

PART 4

프로젝트를 통한 컴퓨팅 사고 향상

CHAPTER 11   프로젝트 수행 방법

CHAPTER 12   프로젝트 1 : 미로 탈출하기

CHAPTER 13   프로젝트 2 : 도시 질주

CHAPTER 14   프로젝트 3 : 전염병 예방을 위한 우리의 자세

CHAPTER 15   프로젝트 4 : 의학 용어 알아맞히기 퀴즈

CHAPTER 16   프로젝트 5 : 로봇기자 만들기

CHAPTER 17   프로젝트 6 : mBlock을 이용한 감정인식

프로젝트 수행 방법

① ▸▸• 컴퓨팅 사고와 프로젝트

프로젝트는 학습자가 자기 활동을 선택하고 계획하며 유의미한 방향으로 문제를 해결하는 학습 방법이다. 학기말 프로젝트로 2~4주 안에 결과를 만들어 내야 한다면 스크래치는 창의적인 아이디어를 구현하는 데 적합하다. 제한된 시간 안에 결과물을 만들면서 겪게 되는 어려움을 극복하고 일어서는 과정을 통해 스스로 성장하는 기회를 가질 수 있다.

이러한 프로젝트의 계획과 제작, 평가의 과정을 통해 컴퓨팅 사고와의 관계를 살펴볼 수 있다.

② ▸▸• 프로젝트의 수행 절차

프로젝트를 계획하고 제작한 후 결과물을 평가하는 과정을 살펴보자.

1단계 프로젝트의 준비와 계획

- 무슨 주제를 선택할지 생각해보자.
  - 내가 경험한 것 중 좋았던 기억
  - 내 주변에서 관심 있는 문제
  - 내 전공과 연계된 문제
  - 현재 주목받는 사회문제 등

- 프로젝트 내용을 생각해보자.
  - 만들고 싶은 동작과정을 순서 없이 나열하기
  - 프로젝트의 결과 화면 시나리오 만들기
  - 중요한 모듈의 화면 시나리오 만들기
  - 순서도 혹은 의사코드로 개요 작성하기

- 필요한 스프라이트와 배경을 나열해보자.
  - 새로 만들어야 하는 스프라이트 나열하기
  - 필요한 배경 나열하기
- 일정 만들어보기
  - 예시

항목	완성도	1주	2주	3주	4주
화면흐름도 만들기	100%	▨			
개요 작성하기	100%	▨	▨		
필요한 모듈 나열하기	100%		▨		
필요한 스프라이트와 배경 조사하기	100%		▨		
스프라이트 준비하기	100%			▨	
배경 준비하기	100%			▨	
스프라이트 동작 작성하기	100%				▨
배경 동작 작성하기	100%			▨	▨

2단계 프로젝트의 제작

- 스프라이트 준비하기
- 스프라이트 동작 작성하기
- 배경 준비하기
- 배경 동작 작성하기
- 개조식 문장 혹은 순서도로 실행 방법 작성하기
- 일정 대비 진행 상황 기록하기
- 저장 및 백업 방안 고려하기

3단계 프로젝트의 평가

- 결과보고서 작성하기
  - 프로젝트 분야와 제목
  - 제작 동기
  - 전체 동작 과정
  - 전체 화면 흐름도
  - 스프라이트의 역할과 동작 상세 설명

- 배경과 동작 상세 설명
- 주요 모듈과 기능
- 중점적으로 사용한 기술
- 시간이 많이 소요되었거나 어려웠던 부분의 해결 방안
- 참고한 프로그램 혹은 발췌한 모듈 정리
- 시연 동영상

- 프로젝트 발표
  - 프로젝트의 주제와 동기 설명
  - 독창적인 아이디어 부각
  - 프로젝트의 입력과 출력, 화면 흐름도 설명
  - 프로젝트 제작 과정 설명
  - 가장 강조하고 싶은 부분과 이유 설명
  - 재미있거나 새롭게 알게 된 내용 작성
  - 아쉽거나 어려웠던 항목 작성
  - 추가, 수정, 보완 계획 작성
  - 자기평가 작성

- 프로젝트 평가
  - 평가 항목을 기반으로 프로젝트를 객관적으로 평가해보자.

평가항목	평가내용
초기 계획 대비 결과물의 완성도는 얼마인가?	
초기 계획에서 변경된 항목은 무엇인가?	
향후 수정하거나 추가하고자 하는 사항은 어떤 것이 있는가?	
프로젝트를 진행하며 새롭게 알게된 사항에는 무엇이 있는가?	
프로젝트 진행에 참고한 사항은 어떠한 것이 있는가?	

게임 프로젝트

경제 및 생활수준의 향상과 더불어 여가시간의 증대로 게임에 대한 관심이 높아지고 있다. 게임 산업은 창조적인 아이디어와 소재, 새로운 기술을 기반으로 한 고부가 가치 산업으로 2020년 10월 기준 국내 게임 시장의 규모는 16조원을 넘을 것으로 전망된다.

게임의 종류는 수만 가지가 있고 다양한 장르를 기반으로 생산되고 있다. 게임 장르 중 하나를 선택하고 재미있는 게임을 만들어 보자.

12장 미로 탈출하기
13장 도시 질주

재난 예방 프로젝트

우리 주변에는 늘 수많은 위험이 도사리고 있다. 산업화에 따른 자연재해나 산업재해로 인간의 위험은 과거보다 늘어 가고 있다. 컴퓨터 과학자가 여러 종류의 재해 문제에 봉착했을 때 어떤 도움을 줄 수 있을지 생각해 보고 프로그래밍을 통해 해결하는 방법을 생각해 보자.

14장 전염병 예방을 위한 우리의 자세

전공 융합 프로젝트

전공 지식의 폭과 활용 범위를 높이고, 전공 영역에 대한 문제해결 능력을 배양하고 새로운 지식을 만들 수 있는 융합 프로젝트를 개발해 보자. 취업에 필요한 포트폴리오를 구성하는데 활용할 수도 있다.

15장 의학용어 알아맞히기 퀴즈
16장 로봇기자 만들기

4차 산업혁명 관련 프로젝트

인공지능, 빅데이터 등 4차 산업혁명의 주제를 이해하는 데 가장 좋은 방법은 직접 경험하고 만들어 보고 활용하는 것이다.

17장 mBlock을 이용한 감정 인식

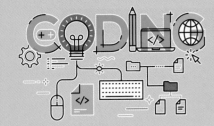

CHAPTER 12

프로젝트 1 : 미로 탈출하기

분야	게임
제목	미로 탈출하기

① ▸▸ 프로젝트의 준비와 계획

1.1 무슨 내용을 할지 생각해보자.

- 내가 경험한 것 중 좋아하는 스크래치 프로그램 : 미로 게임

1.2 프로젝트 내용을 생각해보자.

- 만들고 싶은 동작과정을 순서 없이 나열하기

- 탈출 주인공은 고양이다.
- 고양이가 장애물을 피해 보석에 닿으면 탈출 성공이다.
- 내가 만든 미로를 사용한다.
- 미로 모양이 게임 도중에 변경되어 재미를 더한다.
- 미로 모양 변경이 탈출에 불리할 수도 유리할 수도 있어서 미로 난이도가 게임 도중에 변하는 셈이다.
- 미로 벽에 닿으면 출발점으로 되돌아간다.
- 장애물이 계속 움직인다.
- 장애물의 종류와 크기는 다양하다.
- 주인공 고양이는 마우스로 움직인다.

- 프로젝트의 화면 흐름도 만들기

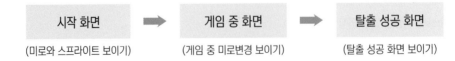

시작 화면	➡	게임 중 화면	➡	탈출 성공 화면
(미로와 스프라이트 보이기)		(게임 중 미로변경 보이기)		(탈출 성공 화면 보이기)

■ 순서도로 개요 작성하기

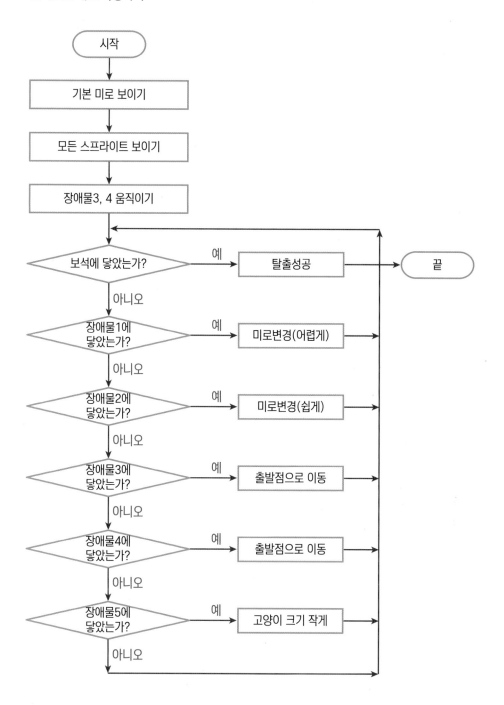

1.3 필요한 스프라이트와 배경을 나열해보자.

- 스크래치에 있는 스프라이트 나열

  - 고양이
  - 장애물1
  - 장애물2
  - 장애물3
  - 장애물4
  - 장애물5

- 새로 만들어야 하는 스프라이트 나열

  - 막다른 길 1
  - 막다른 길 2

2.1 스프라이트 준비하기

스프라이트	이름	주요 기능
	고양이	마우스를 따라 이동한다. 임무는 미로를 탈출하는 것이다.
	보석(도착점)	고양이가 보석(도착점)에 닿으면 미로 탈출에 성공한다.
	버튼1	고양이가 버튼1에 닿으면 막다른 길1(장애물)이 3초간 사라진다.
	막다른 길1(장애물)	막다른 길1(장애물)이 사라진 동안 탈출 난이도가 낮아진다.
	박쥐(장애물)	좁은 범위 안의 무작위 위치로 계속 움직인다. 고양이는 박쥐(장애물)에 닿으면 출발점으로 이동한다.
	버튼2	고양이가 버튼2에 닿으면 막다른 길2(장애물)가 5초간 나타난다.
	막다른 길2(장애물)	막다른 길2(장애물)가 5초간 나타나는 동안 탈출 난이도가 높아진다.
	공룡(장애물)	좌우로 크게 계속 움직인다. 고양이는 공룡(장애물)에 닿으면 출발점으로 이동한다.
	사과	고양이는 사과에 닿으면 크기가 작아져 탈출 난이도가 낮아진다.

2.2 스프라이트 동작 작성하기

1단계 장애물을 피해 미로를 탈출하는 고양이 블록 만들기

스프라이트	주요 기능
고양이	1. 마우스를 따라 움직이는 고양이를 만든다. 2. 미로의 벽 또는 장애물에 닿으면 출발점으로 되돌아간다. 3. 탈출하는 도중에 미로가 변경되면 탈출 경로를 바꾼다. 4. 사과를 먹으면 모양이 작아진다. 5. 보석까지 이동하면 탈출 성공이다.

세부 기능	스크립트 블록
1. 고양이의 크기와 출발점을 초기화한다.	(클릭했을 때) 보이기 모양을 탈출 중 ▼ (으)로 바꾸기 크기를 20 %로 정하기 x: -216 y: -167 (으)로 이동하기
2. 고양이는 마우스를 따라 이동한다. 이를 위해 고양이는 계속해서 마우스 쪽을 바라보고 마우스와 일정한 거리 이내에 있도록 이동한다.	무한 반복하기 만약 〈 마우스 포인터 ▼ 까지의 거리 〉 > 3 〉 (이)라면 마우스 포인터 ▼ 쪽 보기 2 만큼 움직이기
3. 탈출하는 도중에 출발점으로 되돌아가는 경우는 3가지이다. ① 미로에 닿았을 때 : 미로색은 ▉ 색이다. 고양이가 미로에 닿으면 출발점으로 되돌아간다. 크기는 미로를 통과할 수 있도록 20%로 줄인다.	만약 〈 ◯ 색에 닿았는가? 〉 (이)라면 마우스 포인터 ▼ 쪽 보기 x: -216 y: -167 (으)로 이동하기 크기를 20 %로 정하기
② [박쥐(장애물)]에 닿았을 때 : 박쥐에 닿으면 출발점으로 되돌아간다. 크기는 미로를 통과할 수 있도록 20%로 줄인다.	만약 〈 박쥐 (장애물) ▼ 에 닿았는가? 〉 (이)라면 x: -216 y: -167 (으)로 이동하기 크기를 20 %로 정하기
③ [공룡(장애물)]에 닿았을 때 : 공룡에 닿으면 출발점으로 되돌아간다. 크기는 미로를 통과할 수 있도록 20%로 줄인다.	만약 〈 공룡 (장애물) ▼ 에 닿았는가? 〉 (이)라면 x: -216 y: -167 (으)로 이동하기 크기를 20 %로 정하기

세부 기능	스크립트 블록
4. 실행 중 미로 모양이 바뀌는 경우는 2가지이다. ① [버튼1]에 닿을 때 : [막다른 길 제거] 신호를 보낸다. 막혀 있던 미로 일부를 제거해서 탈출 통로를 한 개 만들어 준다. 탈출하기 쉬워진다. ② [버튼2]에 닿을 때 : [막다른 길 추가] 신호를 보낸다. 미로 일부를 추가하는데 통로가 막다른 길이 되어 탈출하기 어려워진다. 다른 탈출 경로를 찾아야 한다.	 

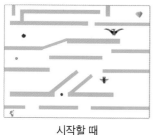

시작할 때

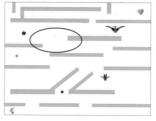

[버튼1]에 닿을 때: 막다른 길 제거

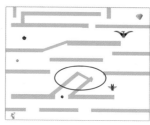

[버튼2]에 닿을 때: 막다른 길 추가

5. 고양이가 [사과]에 닿으면, 고양이 크기가 10%로 작아져서 탈출하기 쉬워진다.	
6. 고양이가 [보석(도착점)]에 닿으면, [성공] 신호 보내기를 하여 탈출에 성공했음을 알린다. 게임이 끝난다.	
7. [성공] 신호를 받았을 때 : ① 90도 방향을 보고, 무대 왼쪽 상단으로 이동한다. ② 모양을 [성공]으로 바꾸고 크기를 100%로 한다. 화면에 보이게 한다. ③ 다른 스크립트의 동작을 모두 멈춘다.	

미로 모양을 바꾸기

스프라이트	주요 기능
⬤ 버튼1	1. 고양이가 탈출할 때 [버튼1]에 닿으면 미로 일부가 제거된다.
⬤ 버튼2	1. 고양이가 탈출할 때 [버튼2]에 닿으면 미로 일부가 추가된다.

세부 기능	스크립트 블록
1. [버튼1] 스프라이트(녹색 버튼) : ① 녹색깃발을 클릭했을 때, 무대 왼쪽 상단에 위치시키고 보이기한다. ② [성공] 신호를 받았을 때 숨긴다.	 클릭했을 때 / 보이기 / x: -201 y: 9 (으)로 이동하기 성공 신호를 받았을 때 / 숨기기
2. [버튼2] 스프라이트(보라색 버튼) : ① 녹색깃발을 클릭했을 때, 무대 중앙 하단에 위치시키고 보이기한다. ② [성공] 신호를 받았을 때 숨긴다.	 클릭했을 때 / x: -51 y: -106 (으)로 이동하기 / 보이기 성공 신호를 받았을 때 / 숨기기

막다른 길을 제거하거나 추가하기

스프라이트	주요 기능
╱ 막다른 길1(장애물)	1. [막다른 길1(장애물)] 스프라이트가 [막다른 길 제거] 신호를 받았을 때, [막다른 길1(장애물)]을 3초 동안 제거한다. 제거된 곳에 통로가 생겨 고양이가 탈출하기 쉽게 된다. 탈출 난이도가 낮아진다.
╲ 막다른 길2(장애물)	2. [막다른 길2(장애물)] 스프라이트가 [막다른 길 추가] 신호를 받았을 때, [막다른 길2(장애물)]가 5초 동안 추가된다. 통로였던 곳에 미로가 추가되어 길이 막혀 고양이가 탈출하기 어려워진다. 탈출 난이도가 높아진다.

세부 기능	스크립트 블록
1. [막다른 길1(장애물)] 스프라이트 : ① 녹색깃발을 클릭했을 때, 무대 중앙 상단에 보인다.	 클릭했을 때 / 보이기 / x: -75 y: 57 (으)로 이동하기

세부 기능	스크립트 블록
② [막다른 길 제거] 신호를 받았을 때, 3초 동안 숨기고 다시 보인다.	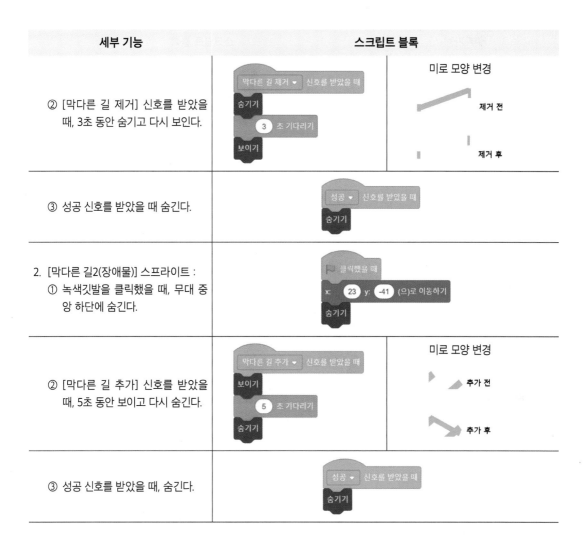
③ 성공 신호를 받았을 때 숨긴다.	
2. [막다른 길2(장애물)] 스프라이트 : ① 녹색깃발을 클릭했을 때, 무대 중앙 하단에 숨긴다.	
② [막다른 길 추가] 신호를 받았을 때, 5초 동안 보이고 다시 숨긴다.	
③ 성공 신호를 받았을 때, 숨긴다.	

4단계 사과 장애물

스프라이트	주요 기능
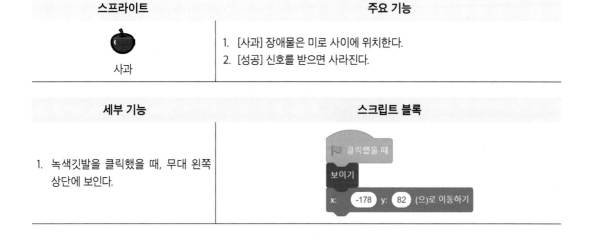 사과	1. [사과] 장애물은 미로 사이에 위치한다. 2. [성공] 신호를 받으면 사라진다.

세부 기능	스크립트 블록
1. 녹색깃발을 클릭했을 때, 무대 왼쪽 상단에 보인다.	

세부 기능	스크립트 블록
2. [성공] 신호를 받았을 때 숨긴다.	성공 ▾ 신호를 받았을 때 숨기기

5단계 박쥐 장애물

스프라이트	주요 기능
박쥐(장애물)	1. [막다른 길2(장애물)]가 제거되어 탈출 통로가 생긴 부근에서 계속 상하좌우로 이동하면서 고양이의 탈출을 방해하는 장애물이다. 2. 고양이가 [박쥐(장애물)]에 닿으면 출발점으로 되돌아간다.

세부 기능	스크립트 블록
1. 녹색깃발을 클릭했을 때, 　① [막다른 길2(장애물)] 부근에 보인다. 　② 0.5초 동안 [막다른 길2(장애물)] 주변에서 상하좌우 임의의 위치로 이동하기를 반복한다.	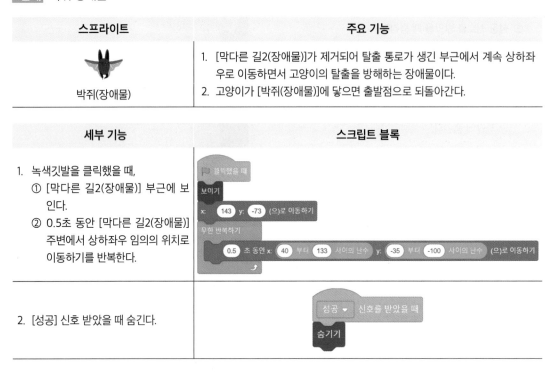
2. [성공] 신호 받았을 때 숨긴다.	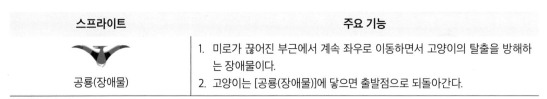

6단계 공룡 장애물

스프라이트	주요 기능
공룡(장애물)	1. 미로가 끊어진 부근에서 계속 좌우로 이동하면서 고양이의 탈출을 방해하는 장애물이다. 2. 고양이는 [공룡(장애물)]에 닿으면 출발점으로 되돌아간다.

세부 기능	스크립트 블록
1. 녹색깃발을 클릭했을 때, 　① 무대 중앙 상단에서 미로가 끊어 　　진 부근에 보인다. 　② 0.5초 동안 오른쪽으로 이동하고 　　다시 0.5초 동안 왼쪽으로 이동하 　　는 동작을 반복한다.	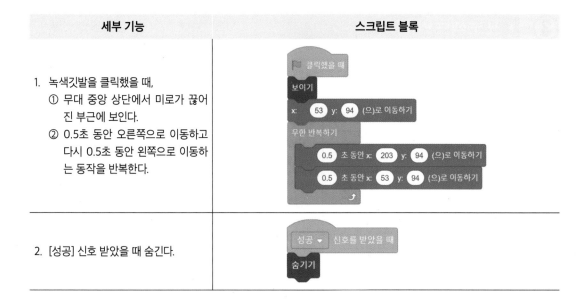
2. [성공] 신호 받았을 때 숨긴다.	

2.3 배경 준비하기

배경	주요 기능
시작	시작할 때 배경이다.
탈출 성공! 성공	탈출에 성공했을 때 배경이다.

세부 기능	스크립트 블록
1. 녹색깃발을 클릭했을 때, 배경을 [시작]으로 바꾼다.	클릭했을 때 배경을 시작 ▼ (으)로 바꾸기
2. [성공] 신호를 받았을 때, 배경을 [성공]으로 바꾼다.	성공 ▼ 신호를 받았을 때 배경을 성공 ▼ (으)로 바꾸기

평가항목	평가내용
초기 계획 대비 결과물의 완성도는 얼마인가?	• 초기 계획한 사항에 해당하는 모든 내용을 구현하였음
초기 계획에서 변경된 항목은 무엇인가?	• 미로의 모양이 게임 중 변하는 것으로 계획하였으나, 게임 진행이 매끄럽지 못하여 미로의 모양 중 움직이는 부분을 추가하였음
향후 수정하거나 추가하고자 하는 사항은 어떤 것이 있는가?	• 체력(HP)를 추가하여 벽에 닿거나 장애물에 닿았을 때 체력이 감소되고, 0이 되면 게임이 종료되도록 함 • 체력을 회복하는 물약 아이템을 추가함 • 리스트를 이용하여 게임 순위를 저장할 수 있도록 함
프로젝트를 진행하며 새롭게 알게된 사항에는 무엇이 있는가?	• 수업을 들었을 때에는 '신호보내기'가 왜 중요한지 몰랐지만, 프로젝트를 진행해보니 '신호보내기'가 다양하게 사용될 수 있으며, 스프라이트들의 여러 동작을 제어할 때 가장 효과적이라는 것을 알게 되었음
프로젝트 진행에 참고한 사항은 어떠한 것이 있는가?	• 교과서의 신호보내기 예제를 참고하였음

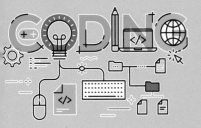

CHAPTER 13

프로젝트 2 : 도시 질주

분야	게임
제목	도시 질주

① ▸▸ • 프로젝트의 준비와 계획

1.1 무슨 내용을 할지 생각해보자.

- 자동차 드라이브를 통해 시원하게 도시를 질주하는 게임 : 도시 질주

1.2 프로젝트 내용을 생각해보자.

- 만들고 싶은 동작과정을 순서 없이 나열하기

> - 화살표 키를 이용하여 차를 제어한다.
> - 자동차가 달리는 느낌이 들도록 배경을 움직인다.
> - 내 차가 앞에 있는 차를 피하면서 추월한다.
> - 차선 개념을 도입하자.
> - 내 차의 질주를 방해하는 추월차가 여러 대 나오도록 하자.
> - 추월차에게도 차선 개념을 적용한다.
> - 추월차와 접촉하면 생명 값이 1만큼 줄어든다.
> - 추월차와 몇 번 접촉했는지 보여준다. 생명이 0이 되면 'Game Over' 문구가 보이면서 게임이 끝난다.

- 프로젝트의 화면 흐름도 만들기

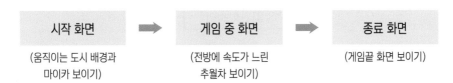

시작 화면 ➡ 게임 중 화면 ➡ 종료 화면

(움직이는 도시 배경과   (전방에 속도가 느린   (게임끝 화면 보이기)
마이카 보이기)   추월차 보이기)

■ 순서도로 개요 작성하기

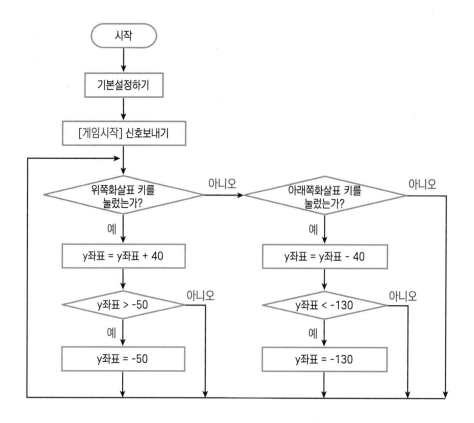

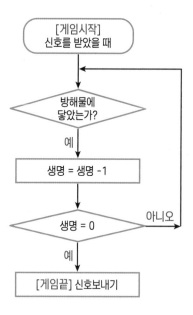

1.3 필요한 스프라이트와 배경을 나열해보자.

■ 스크래치에 있는 스프라이트 나열

- 마이카
- 추월차
- 생명3
- 생명2
- 생명1

■ 새로 만들어야 하는 스프라이트 나열

- 배경1
- 배경2
- 게임끝

② ▸▸ 프로젝트의 제작

2.1 스프라이트 준비하기

스프라이트	이름	주요 기능
	마이카	내가 운전하는 차이다. 화살표 키에 따라 위아래로 움직인다. 추월차와 접촉하면 생명 값이 1만큼 감소된다.
	추월차	내 차인 마이카 주위에 있는 다른 차로서 이들을 피해 운전해야 한다. 주기적으로 복제된다. 복제된 추월차는 랜덤한 차선에 등장한다.
	배경1	움직이는 배경 효과를 제공한다.
	배경2	움직이는 배경 효과를 제공한다.
	생명3	생명이 3개 남은 상태를 보여준다.
	생명2	생명이 2개 남은 상태를 보여준다.
	생명1	생명이 1개 남은 상태를 보여준다.
Game Over	게임끝	게임이 끝나면 화면에 'Game Over'를 보여준다.

2.2 스프라이트 동작 작성하기

1단계 [배경1]과 [배경2] 스프라이트 만들기

스프라이트	스프라이트 만들기
배경1	1. [배경 고르기]에서 [Night City With Street]를 선택한다. 그리고 무대의 [배경]에서 [Night City With Street] 를 복사( )한다. 복사 2. [스프라이트 고르기]의 [그리기]를 클릭하여 스프라이트를 새로 만든 후, [모양]에 붙이기( )를 한다. 스프라이트 이름을 [배경1]로 한다. 붙이기 3. 무대의 [배경]에서 [Night City With Street]는 삭제한다.
배경2	1. 스프라이트 목록 창에서 [배경1] 스프라이트를 복사한 후, 스프라이트 이름을 [배경2]로 변경한다.

2단계 [배경1]과 [배경2] 스프라이트를 움직이는 배경으로 만들기

스프라이트 또는 실행화면	주요 기능
 배경1, 배경2	1. 시작 위치를 설정하고 맨 뒤쪽으로 순서를 바꾼다. 2. x좌표를 -5만큼 감소하기를 반복함으로써 차가 오른쪽으로 움직이는 효과를 낸다.

세부 기능	스크립트 블록
1. [배경1] 스프라이트 : 녹색깃발을 클릭했을 때, 시작 위치를 (0,0)으로 설정하고 맨 뒤쪽으로 순서를 바꾼다. 그리고 다음 과정을 무한 반복한다. ① x좌표가 -460보다 작을 때까지 -5만큼씩 감소시키는 일을 반복한다. ② x좌표가 -460보다 작아지면 시작 위치 (460,0)으로 되돌아간다.	
2. [배경2] 스프라이트 : 녹색깃발을 클릭했을 때, 시작 위치를 (460,0)으로 설정하고 맨 뒤쪽으로 순서를 바꾼다. 그리고 다음 과정을 무한 반복한다. ① x좌표가 -460보다 작을 때까지 -5만큼씩 감소시키는 일을 반복한다. ② x좌표가 -460보다 작아지면 시작 위치 (460,0)으로 되돌아간다.	

스프라이트	주요 기능
마이카	1. 화살표 키로 운전한다. 2. 자동차 질주 소리를 낸다. 3. 추월차와 접촉하면 생명이 줄어들고, 생명이 없으면 게임이 끝난다.

세부 기능	스크립트 블록
1. 녹색깃발을 클릭했을 때, 시작 위치를 (-170,-90)로 설정하고 크기를 80%로 설정한다. [생명] 변수를 3으로 초기화하고, [게임시작] 신호를 보낸다.	▶ 클릭했을 때 x: -170 y: -90 (으)로 이동하기 크기를 80 %로 정하기 생명 ▾ 을(를) 3 로 정하기 게임시작 ▾ 신호 보내기

2. [게임시작] 신호를 받으면, [Traffic] 음원을 반복적으로 재생한다.	게임시작 ▾ 신호를 받았을 때
	무한 반복하기
	  Traffic ▾ 끝까지 재생하기
	  1 초 기다리기

3. [게임시작] 신호를 받으면, 다음 과정을 무한 반복한다. ① 추월차와 접촉했다면 [생명] 값을 1만큼 줄이고 [Bonk]라는 충돌 소리를 낸다. ② [생명]이 0이 되면 [게임끝] 신호를 보낸다.	게임시작 ▾ 신호를 받았을 때
	무한 반복하기
	  만약 추월차 ▾ 에 닿았는가? (이)라면
	    Bonk ▾ 재생하기
	    생명 ▾ 을(를) -1 만큼 바꾸기
	    만약 생명 = 0 (이)라면
	      게임끝 ▾ 신호 보내기

세부 기능	스크립트 블록
4. [게임시작] 신호를 받으면, 다음 작업을 무한 반복한다. ① 위쪽 화살표 키가 눌리면, y 좌표를 40만큼 바꾸어 위쪽 차선으로 바꾼다. 이때 이미 1차선(맨 위 차선)에 있다면 1차선에 머문다. ② 아래쪽 화살표 키가 눌리면, y 좌표를 -40만큼 바꾸어 아래쪽 차선으로 바꾼다. 이때 이미 3차선(맨 아래 차선)에 있다면 3차선에 머문다.	
5. [게임끝] 신호를 받으면 스프라이트의 모든 동작을 멈추도록 한다.	게임끝 ▼ 신호를 받았을 때 멈추기 이 스프라이트에 있는 다른 스크립트 ▼

4단계 내 차의 질주를 방해하는 추월차들

스프라이트	주요 기능
 추월차	1. 5초 간격으로 자신을 복제하여 꾸준히 나타난다. 2. 복제된 [추월차]는 랜덤한 차선에 나타나며 [마이카]와 반대 방향인 왼쪽으로 달린다. 3. [마이카]와 접촉하면 사라진다.

세부 기능	스크립트 블록
1. [게임시작] 신호를 받았을 때, 크기를 70%로 설정하고 안보이도록 숨기기 한다. 5초 간격으로 자신을 복제하는 일을 무한 반복한다.	 **게임시작** 신호를 받았을 때 / 크기를 **70** %로 정하기 / 숨기기 / 무한 반복하기 { **나 자신** 복제하기 / **5** 초 기다리기 }
2. 복제되었을 때, 1~3 차선 중에 랜덤하게 배치한다. 위치는 1차선이면 (240,-65), 2차선이면 (240,-105), 3차선이면 (240,-145)로 한다. 차량의 색깔을 랜덤하게 설정하여 도로를 다채롭게 한다. x 좌표를 -2만큼 줄이는 일을 반복하여 [마이카] 스프라이트보다 느리게 가는 효과를 낸다. 왼쪽 끝에 도달하거나 [마이카] 스프라이트와 부딪치면 사라진다.	복제되었을 때 / **차선** 을(를) **1** 부터 **3** 사이의 난수 로 정하기 / 만약 (**차선** = **1**) (이)라면 { x **240** y **-65** (으)로 이동하기 } 아니면 { 만약 (**차선** = **2**) (이)라면 { x **240** y **-105** (으)로 이동하기 } 아니면 { x **240** y **-145** (으)로 이동하기 } } / **색깔** 효과를 **0** 부터 **200** 사이의 난수 (으)로 정하기 / 보이기 / (x좌표 < **-270** 또는 (**마이카** 에 달았는가?)) 까지 반복하기 { x좌표를 **-2** 만큼 바꾸기 } / 이 복제본 삭제하기
3. [게임끝] 신호를 받았을 때, 스프라이트에서 동작하고 있는 모든 스크립트 실행을 멈춘다. 또한 화면상에 보이는 복제본도 삭제한다.	**게임끝** 신호를 받았을 때 / 멈추기 **이 스프라이트에 있는 다른 스크립트** / 이 복제본 삭제하기

스프라이트	주요 기능
Game Over 게임끝	1. 게임이 끝났다는 사실을 알리기 위해 소리 효과를 내면서 'Game Over'를 화면에 보여준다.

세부 기능	스크립트 블록
1. 녹색깃발을 클릭했을 때, 시작 위치와 크기를 설정하고 겹침 순서를 맨 앞쪽으로 설정한다. 나중에 쓸 수 있게 숨기기한다.	
2. [게임끝] 신호를 받으면, 잠시 뜸을 들여 1초 후에 보인다. [Tada]를 재생하여 게임이 끝난 소리 효과를 낸다. 'Game Over' 문구가 점점 커지도록 연출하고 프로그램을 종료한다.	

스프라이트	주요 기능
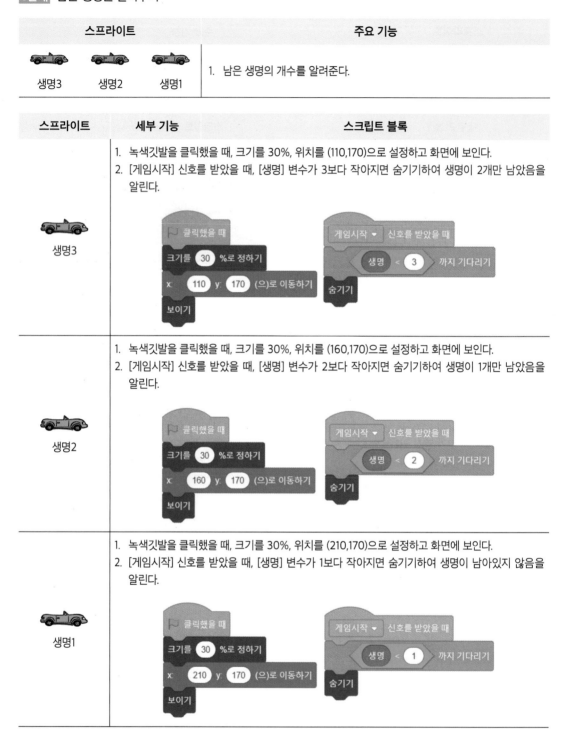 생명3 　생명2 　생명1	1. 남은 생명의 개수를 알려준다.

스프라이트	세부 기능	스크립트 블록
생명3	1. 녹색깃발을 클릭했을 때, 크기를 30%, 위치를 (110,170)으로 설정하고 화면에 보인다. 2. [게임시작] 신호를 받았을 때, [생명] 변수가 3보다 작아지면 숨기기하여 생명이 2개만 남았음을 알린다.	▷ 클릭했을 때 크기를 30 %로 정하기 x: 110 y: 170 (으)로 이동하기 보이기 　 게임시작 ▾ 신호를 받았을 때 생명 < 3 까지 기다리기 숨기기
생명2	1. 녹색깃발을 클릭했을 때, 크기를 30%, 위치를 (160,170)으로 설정하고 화면에 보인다. 2. [게임시작] 신호를 받았을 때, [생명] 변수가 2보다 작아지면 숨기기하여 생명이 1개만 남았음을 알린다.	▷ 클릭했을 때 크기를 30 %로 정하기 x: 160 y: 170 (으)로 이동하기 보이기 　 게임시작 ▾ 신호를 받았을 때 생명 < 2 까지 기다리기 숨기기
생명1	1. 녹색깃발을 클릭했을 때, 크기를 30%, 위치를 (210,170)으로 설정하고 화면에 보인다. 2. [게임시작] 신호를 받았을 때, [생명] 변수가 1보다 작아지면 숨기기하여 생명이 남아있지 않음을 알린다.	▷ 클릭했을 때 크기를 30 %로 정하기 x: 210 y: 170 (으)로 이동하기 보이기 　 게임시작 ▾ 신호를 받았을 때 생명 < 1 까지 기다리기 숨기기

평가항목	평가내용
초기 계획 대비 결과물의 완성도는 얼마인가?	• 초기 계획한 사항에 해당하는 모든 내용을 구현하였음
초기 계획에서 변경된 항목은 무엇인가?	• 복제된 추월차에 랜덤 색상을 적용하여 재미를 더함 • 남은 생명의 개수를 화면에 미니 아이콘으로 배치함
향후 수정하거나 추가하고자 하는 사항은 어떤 것이 있는가?	• 일정한 시간이 지나면 도시 배경을 도심, 숲길, 농장, 사막 등으로 전환하여 게임의 몰입도를 높임 • 차의 속도와 차선의 수를 늘림으로써 점점 난이도를 높임
프로젝트를 진행하며 새롭게 알게 된 사항에는 무엇이 있는가?	• 추월차가 등장하는 차선과 추월차의 색상을 난수로 설정하여 게임의 역동성을 높였는데, 이를 통해 난수의 중요성을 깨달았음
프로젝트 진행에 참고한 사항은 어떠한 것이 있는가?	• 교과서의 난수 생성과 움직이는 배경 만들기 예제를 참고하였음

CHAPTER 14

프로젝트 3 :
전염병 예방을 위한 우리의 자세

분야	재난과 예방
제목	전염병 예방을 위한 우리의 자세

① ▸▸• 프로젝트의 준비와 계획

1.1 무슨 내용을 할지 생각해보자.

- 내가 경험한 것 중 좋아하는 스크래치 프로그램 : COVID-19를 극복하기 위해 지켜야할 규칙에 대해 학습

1.2 프로젝트 내용을 생각해보자.

- 만들고 싶은 동작과정을 순서 없이 나열하기

> • 주인공은 서진이다.
> • 바이러스가 유행하는 상황에서 서진이는 외출을 계획한다.
> • 외출하기 전 필요한 것은 무엇인지 확인한다.
> • 마스크를 확인하고 착용한다.
> • 길거리에서 사람들과 거리두기를 하며 친구를 만나러 카페를 간다.
> • 카페에 도착하여 친구인 짱구를 만난다.
> • 짱구는 손씻기를 권유한다.
> • 물(세제)을 이용하여 손을 씻는다.
> • 친구와 헤어져 집에 돌아온다.
> • 오늘 경험한 예방 수칙을 하나씩 점검하고 마무리 한다.

- 프로젝트의 화면 흐름도 만들기

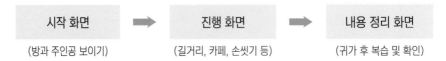

시작 화면 ➡ 진행 화면 ➡ 내용 정리 화면

(방과 주인공 보이기)　　(길거리, 카페, 손씻기 등)　　(귀가 후 복습 및 확인)

② ▸▸ • 프로젝트의 제작

2.1 스프라이트 준비하기

스프라이트	이름	주요 기능
(서진 이미지)	서진	주인공 서진이다. 스크래치가 제공하는 다양한 모양으로 dee-a, dee-b, dee-c, dee-d, dee-e를 사용한다. dee-b에 마스크를 씌운 dee-b-mask, dee-c에 마스크를 씌운 dee-c-mask, dee-e에 마스크를 씌운 dee-e-mask 모양을 만든다.
(마스크 이미지)	마스크	얼굴 부착용 마스크다.
Tip!	팁	클릭하면 힌트를 알려준다.
벽에 걸려있는 마스크를 눌러보자!	메시지	홍보 메시지(벽에 걸린 마스크 착용 안내문)를 제시한다.
(행인1 이미지)	행인1	길거리를 배회하는 마스크를 착용한 행인(1)이다. 3개의 행인 모양을 가진 Dani 스프라이트를 사용한다.
(행인2 이미지)	행인2	길거리를 배회하는 마스크를 착용한 행인(2)이다. 3개의 행인 모양을 가진 Dani 스프라이트를 사용한다.
(연필 이미지)	Pencil	약속장소인 카페의 위치를 알려준다.
카페	Button3	카페 배경으로 이동하는 버튼이다.
(짱구 이미지)	짱구	서진의 친구인 짱구이다. 서진의 대화 상대이다.
스페이스바를 이용해 물을 뿌리고 방향키를 이용해 손을 씻어보자!!! <누르면 시작>	Button4	손씻기 장면으로 이동하는 버튼이다.
(물방울 이미지)	물(세제)	스페이스 키를 누르면 구름에서 물(세제)이 떨어진다.
(구름 이미지)	Cloud	물(세제)이 숨어있는 공간이다. 이곳에서 물(세제)이 떨어진다.
(손 이미지)	손	오염된 손이다. 5회 물(세제)에 닿으면 손씻기가 완료된다. 오염 정도가 점점 줄어드는 5개의 모양을 갖는다.
감사합니다!!!	감사멘트	마무리 인사를 한다. 소리를 들려주고 콘텐츠를 종료한다.

배경	이름	주요 기능
	Bedroom 3	낮의 방안 배경이다.
	Bedroom 2	밤의 방안 배경이다.
	Colorful City	거리 배경이다.
	Room 2	카페 배경 1이다.
	Room 3	카페 배경 2이다.
	Blue Sky 2	구름을 나타내는 배경이다.
	Rays	게임이 끝났음을 알린다.

2.2 스프라이트 동작 작성하기

1단계 주인공 서진의 외출 준비하기

실행화면	주요 기능
	1. 자기소개를 한다. 2. 코로나 상황에서 외출을 위해 필요한 것이 무엇인지 질문을 유도한다. 3. 벽에 걸린 마스크를 착용한다. 4. 마스크 착용 후 거리 장면으로 전환된다.

세부 기능	스크립트 블록

[서진] 스프라이트 코딩 :

1. 녹색깃발을 클릭했을 때, 아래 과정을 실행한다.
   ① [코로나 예방수칙] 리스트를 만든다. 나중에 사용하기 위해 숨기기 한다.
   ② 배경을 [Bedroom3]으로 바꾸고, 스프라이트의 크기와 위치, 모양을 설정한다.
   ③ "안녕! 난 서진이야"를 시작으로 네 개 문장을 말하고, [recording1]을 재생하여 걸어가는 소리를 연출하며 1초간 이동한다.
   ④ 모양을 바꾸고 "잠깐!"을 시작으로 두 개 문장을 말하고 다시 모양을 바꾼다.
   ⑤ [팁1] 신호를 보낸다.

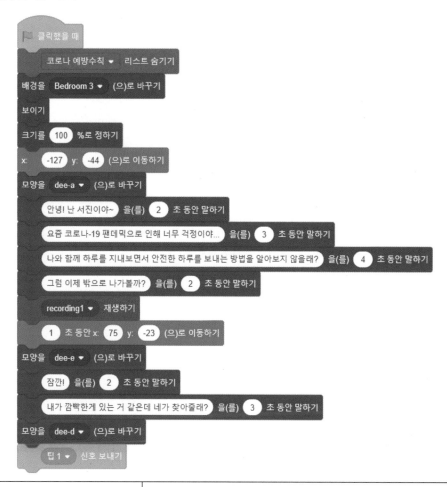

[팁] 스프라이트 코딩 :

1. [팁1] 신호를 받았을 때, 보이게 하고 "여기를 눌러 힌트를..." 을 생각풍선으로 표시한다.

세부 기능	스크립트 블록
2. [팁] 스프라이트를 클릭했을 때, [Coin]을 재생하여 소리 효과를 내고 [팁1 보이기] 신호를 보낸다.	이 스프라이트를 클릭했을 때 / Coin ▼ 재생하기 / 팁1 보이기 ▼ 신호 보내기
[메시지] 스프라이트 코딩 : 1. [팁1 보이기] 신호를 받았을 때, [메시지] 스프라이트를 보이기 하여 "벽에 걸려있는 마스크를 눌러보자!"를 화면에 띄운다.	팁1 보이기 ▼ 신호를 받았을 때 / 보이기
[마스크] 스프라이트 코딩 : 1. [마스크] 스프라이트를 클릭했을 때, [마스크 씌우기] 신호를 보내고 [팝]을 재생하여 소리 효과를 주고 숨기기 한다.	이 스프라이트를 클릭했을 때 / 마스크 씌우기 ▼ 신호 보내기 / 팝 ▼ 재생하기 / 숨기기

[서진] 스프라이트 코딩 :

1. [마스크 씌우기] 신호를 받았을 때,
   ① [dee-c] 모양으로 바꾸고 "맞아! 마스크를 깜박했네~"를 말한다.
   ② 마스크를 쓴 [dee-c-mask] 모양으로 바꾸고 "밖에 나갈 때는.."이라고 말한다.
   ③ 거리 장면으로 전환하기 위해 배경을 [Colorful City]로 바꾸고 숨기기 한다.

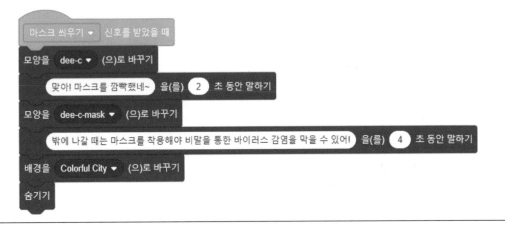

실행화면	주요 기능
	1. [서진]이 거리에 나타나 카페로 이동한다. 2. [행인1]과 [행인2]가 오른쪽에서 왼쪽으로 이동한다. 모습을 바꾸면서 반복적으로 나타난다. 3. 카페의 위치를 펜으로 표시한다. 4. [서진]이 펜에 닿으면 카페에 도착했다고 간주하고 카페 장면으로 바뀐다.

세부 기능	스크립트 블록
[서진] 스프라이트 코딩 : 1. 배경이 [Colorful City]로 바뀌었을 때, 　① [서진]의 위치를 설정하고 보이기 한다. 　② 마스크 쓴 모양의 [dee-e-mask]로 바꾸고, "카페까지 가야하는데...."를 말한다. 　③ 화살표 키의 방향에 따라 이동하는 일을 무한 반복하여 카페를 찾아간다.	배경이 Colorful City (으)로 바뀌었을 때 x: -199 y: -83 (으)로 이동하기 보이기 모양을 dee-e-mask (으)로 바꾸기 크기를 30 %로 정하기 카페까지 가야하는데 사람들이 너무 많아 을(를) 2 초 동안 말하기 사회적 거리두기 2m를 지켜서 카페까지 가보자! 을(를) 3 초 동안 말하기 무한 반복하기 　만약 위쪽 화살표 키를 눌렀는가? (이)라면 　　y좌표를 5 만큼 바꾸기 　만약 아래쪽 화살표 키를 눌렀는가? (이)라면 　　y좌표를 -5 만큼 바꾸기 　만약 오른쪽 화살표 키를 눌렀는가? (이)라면 　　x좌표를 5 만큼 바꾸기 　만약 왼쪽 화살표 키를 눌렀는가? (이)라면 　　x좌표를 -5 만큼 바꾸기

세부 기능	스크립트 블록
[행인1]과 [행인2] 스프라이트 코딩 : 1. 배경이 [Colorful City]로 바뀌었을 때, 보이기하고 다음 과정을 무한 반복한다. 　① 거리 오른쪽에 나타나서 5초 동안 왼쪽으로 이동한다. 이때 난수를 통해 위치에 변화를 준다. 이동하다가 벽에 닿으면 숨긴다. 　② 다음 모양으로 바꾸어 다른 행인을 등장시키는 효과를 낸다.	배경이 [Colorful City ▼] (으)로 바뀌었을 때 보이기 무한 반복하기 　x: (229) y: (-69) 부터 (-150) 사이의 난수 (으)로 이동하기 　(5) 초 동안 x: (-240) y: (-69) 부터 (-150) 사이의 난수 (으)로 이동하기 　만약 〈 벽 ▼ 에 닿았는가? 〉(이)라면 　　숨기기 　다음 모양으로 바꾸기 　보이기
[Pencil] 스프라이트 코딩 : 1. 배경이 [Colorful City]로 바뀌었을 때, 보이기하고 다음 과정을 수행한다. 　① [Pencil]의 위치를 카페 앞으로 설정하고, 색깔과 굵기를 설정하고 펜 내리기하여 그릴 준비를 한다. 　② 길이가 5인 선을 그리고 10도 회전하는 일을 36번 반복하여 원을 그려 카페 위치를 알린다. 　③ [Pencil]과 [서진]이 닿으면 [pop]을 재생하고 [카페 안으로] 신호를 보내고 숨긴다.	배경이 [Colorful City ▼] (으)로 바뀌었을 때 x: (182) y: (-73) (으)로 이동하기 (5) 초 기다리기 보이기 펜 올리기 펜 색깔을 ⬤ (으)로 정하기 펜 굵기를 (2) (으)로 정하기 펜 내리기 (36) 번 반복하기 　(5) 만큼 움직이기 　방향으로 (10) 도 돌기 무한 반복하기 　만약 〈 서진 ▼ 에 닿았는가? 〉(이)라면 　　[pop ▼] 재생하기 　　모두 지우기 　　[카페 안으로 ▼] 신호 보내기 　　숨기기

3단계 카페에서 짱구와 대화하기

실행화면	주요 기능
	1. 말하기 블록을 사용하여 코로나 관련 대화를 나눈다. 2. 대화 도중 손씻기 버튼이 나타난다. 3. 손씻기 버튼을 누르면 손씻기 장면으로 바뀐다.

세부 기능	스크립트 블록
[배경] 코딩 : 1. [카페 안으로] 신호를 받았을 때, 배경을 [Room2]로 바꾼다.	카페 안으로 ▼ 신호를 받았을 때 배경을 Room 2 ▼ (으)로 바꾸기
[서진] 스프라이트 코딩 : 1. [카페 안으로] 신호를 받았을 때, 　① [이 스프라이트에 있는 다른 스크립트] 멈추기를 한다. 　② 위치를 설정하고 마스크를 쓴 모양인 [dee-b-mask]로 바꾼다. 크기를 설정한다. 　③ [짱구]와 대화를 하고, [재채기 막기] 신호를 보낸다.	카페 안으로 ▼ 신호를 받았을 때 멈추기 이 스프라이트에 있는 다른 스크립트 ▼ x 197 y -62 (으)로 이동하기 모양을 dee-b-mask ▼ (으)로 바꾸기 크기를 100 %로 정하기 2 초 기다리기 안녕 짱구야~ 너도 카페 왔구나 을(를) 2 초 동안 말하기 2 초 기다리기 아니 아직 지금 바로 갔다올게 을(를) 2 초 동안 말하기 재채기 막기 ▼ 신호 보내기
[짱구] 스프라이트 코딩 : 1. 배경이 [Room2]로 바뀌었을 때, 　① 위치를 설정하고 보이기한다. 크기를 설정한다. 　② 마스크 쓴 모양의 [devin-a-mask]로 바꾼다. 　③ [서진]과 대화를 한다.	배경이 Room 2 ▼ (으)로 바뀌었을 때 x -186 y -61 (으)로 이동하기 보이기 크기를 100 %로 정하기 모양을 devin-a-mask ▼ (으)로 바꾸기 안녕! 서진아~ 을(를) 2 초 동안 말하기 2 초 기다리기 너 손은 씻었니? 을(를) 2 초 동안 말하기

세부 기능	스크립트 블록
[Button4] 스프라이트 코딩 : 1. [재채기 막기] 신호를 받았을 때, 보이기하고 지정된 위치로 이동한다. 2. 이 스프라이트를 클릭하면, [High Whoosh]를 재생하고 배경을 [Blue Sky2]로 바꾸고 숨긴다.	**[재채기 막기 ▼] 신호를 받았을 때** 보이기 x: (17) y: (9) (으)로 이동하기 **이 스프라이트를 클릭했을 때** (High Whoosh ▼) 재생하기 배경을 (Blue Sky 2 ▼) (으)로 바꾸기 숨기기
[서진] 스프라이트 코딩 : 1. 배경이 [Blue Sky 2]로 바뀌었을 때, 숨기기하여 화면에서 사라지게 한다.	**배경이 (Blue Sky 2 ▼) (으)로 바뀌었을 때** 숨기기
[짱구] 스프라이트 코딩 : 1. 배경이 [Blue Sky 2]로 바뀌었을 때, 숨기기하여 화면에서 사라지게 한다.	**배경이 (Blue Sky 2 ▼) (으)로 바뀌었을 때** 숨기기

4단계 손씻기 과정을 게임 방식으로 진행

실행화면	주요 기능
	1. [Cloud] 스프라이트가 왼쪽에서 오른쪽으로 이동하며, 스페이스 키를 누를 때마다 [물(세제)]이 떨어진다. 2. [손]을 화살표 키로 좌우로 이동하여 물을 받는다. 3. [더러움 수치]는 5에서 시작하여 [손]에 [물(세제)]이 닿을 때마다 1씩 줄어들면서 [손]이 깨끗해지며 커진다.

세부 기능	스크립트 블록
[Cloud] 스프라이트 코딩 : 1. 배경이 [Blue Sky 2]로 바뀌었을 때, ① 화면에 보이고, 무한 반복하여 왼쪽에서 오른쪽으로 이동한다. ② 맨 앞쪽으로 순서를 바꾸어 화면에 보이게 한다. 스페이스 키를 누르면 [물(세제)] 스프라이트를 복제하는 일을 무한 반복한다.	

세부 기능	스크립트 블록
[물(세제)] 스프라이트 코딩 : 1. 복제되었을 때, [Cloud] 스프라이트 위치에서 물방울 소리인 [Water Drop]을 재생하며 아래로 떨어진다. 바닥에 닿거나 손에 닿으면 사라진다.	

[손] 스프라이트 코딩 :

1. 배경이 [Blue Sky 2]로 바뀌었을 때,
   ① [더러움 수치] 변수를 만든다. 5로 초기화하고 화면에 보이게 한다.
   ② 모양을 가장 오염도가 높은 [손-a] 모양으로 바꾸고 화면 아래에 배치한다. 크기를 설정하고 보이게 한다. 다음 ③~④ 과정을 무한 반복한다.
   ③ [물(세제)]에 닿으면 [더러움 수치]를 -1만큼 바꾼다. 크기는 1만큼 바꾸어 크게 만든다. 또한 오염이 조금 덜한 다음 모양으로 바꾼다.
   ④ 크기가 105이고 [더러움 수치]가 0이면, 모양을 오염이 안된 [손-a-5]로 바꾸고 [Magic Spell] 소리를 재생한다. [손 씻기 완료] 신호를 보내고, 이 스크립트를 멈춘다.

세부 기능	스크립트 블록
[배경] 스크립트 코딩 : 1. [손씻기 완료] 신호를 받았을 때, 배경을 [Room3]으로 바꾼다.	
[Cloud]와 [물(세제)] 스프라이트 코딩 : 1. [손씻기 완료] 신호를 받았을 때, 숨기기한다.	
[서진] 스프라이트 코딩 : 1. 배경이 [Room3]으로 바뀌었을 때, 화면에 보이고 [짱구]와 대화를 한다.	
[짱구] 스프라이트 코딩 : 1. 배경이 [Room3]으로 바뀌었을 때, 화면에 보이고 [서진]과 대화를 한다. [집으로] 신호를 보낸다.	

5단계 코로나 예방 수칙에 대해 복습하기

실행화면	주요 기능
 	1. 코로나 예방 수칙을 작성한다. 2. 항목을 하나씩 꺼내어 말한다. 3. [감사합니다] 신호를 보내 감사 인사를 하고 프로그램을 종료한다.

세부 기능	스크립트 블록

[서진] 스프라이트 코딩 :

1. [집으로] 신호를 받았을 때
    ① [코로나예방수칙] 리스트를 보인 다음, 걷는 소리가 나는 [recording1]을 재생하며 지정한 위치로 이동하고 모양을 바꾼다.
    ② 코로나 예방수칙에 대해 [묻고 기다리기]를 수행한다. [대답]을 리스트에 추가하는 과정을 세 번 수행한다. 작성이 끝 나면 항목을 하나씩 말한다.
    ③ [Ya]를 재생하고 [감사합니다] 신호를 보낸다.

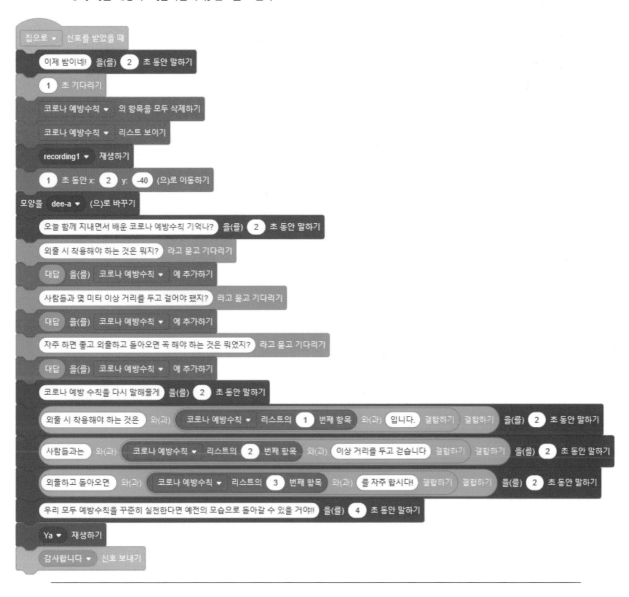

세부 기능	스크립트 블록
[짱구] 스프라이트 코딩 : 1. [집으로] 신호를 받았을 때, 화면에서 숨긴다.	집으로 ▼ 신호를 받았을 때 숨기기
[배경] 스크립트 코딩 : 1. [감사합니다] 신호를 받았을 때, 배경을 [Rays]로 바꾼다.	감사합니다 ▼ 신호를 받았을 때 배경을 Rays ▼ (으)로 바꾸기
[감사멘트] 스프라이트 코딩 : 1. [감사합니다] 신호를 받았을 때, 박수 소리가 나는 [Clapping] 소리를 끝까지 재생하고 모두 멈춘다. 프로그램이 종료된다.	감사합니다 ▼ 신호를 받았을 때 x: 10 y: -3 (으)로 이동하기 보이기 Clapping ▼ 끝까지 재생하기 멈추기 모두 ▼
[서진] 스프라이트 코딩 : 1. [감사합니다] 신호를 받았을 때, [코로나예방수칙] 리스트를 숨기고, 숨기기 하여 화면에서 사라진다.	감사합니다 ▼ 신호를 받았을 때 코로나 예방수칙 ▼ 리스트 숨기기 숨기기

평가항목	평가내용
초기 계획 대비 결과물의 완성도는 얼마인가?	• 초기 계획한 사항에 해당하는 모든 내용을 구현하였음
초기 계획에서 변경된 항목은 무엇인가?	• 당초 계획하였으나, 스토리 진행이 매끄럽지 못하여 일부 모양 중 움직이는 부분을 추가하였음
향후 수정하거나 추가하고자 하는 사항은 어떤 것이 있는가?	• 물(세제)이 손에 닿았을 때 점수가 올라가게 되고 5회 적중되면 세척이 종료되도록 함
프로젝트를 진행하며 새롭게 알게된 사항에는 무엇이 있는가?	• 스프라이트가 여러 개의 모양을 가질 수 있고 모양 바꾸기를 쉽게 할 수 있다는 점의 유용성을 깨닫게 됨
프로젝트 진행에 참고한 사항은 어떠한 것이 있는가?	• 교과서의 신호보내기 예제를 참고하였음

CHAPTER 15

프로젝트 4 :
의학 용어 알아맞히기 퀴즈

분야	전공 융합
제목	의학 용어 알아맞히기 퀴즈

① ▸▸ 프로젝트의 준비와 계획

1.1 무슨 내용을 할지 생각해보자.

- 전공 관련 의학 용어 문제 풀이 : 의학 용어 알아맞히기 퀴즈

1.2 프로젝트 내용을 생각해보자.

- 만들고 싶은 동작과정을 순서 없이 나열하기

- 전공관련 의학용어 문제은행을 만든다.
- 문제보기, 문제풀기, 문제추가, 문제삭제에 해당하는 메뉴 스프라이트를 제공한다.
- 문제와 정답이 준비될 때까지 메뉴를 사용할 수 없다.
- 문제와 정답을 확인할 수 있다.
- 필요할 경우 문제를 추가할 수 있다.
- 문제를 잘못 만들었을 경우 삭제할 수 있다.
- 새로 추가된 문제까지 확인할 수 있다.
- 4지 선다형 문제를 푼다.
- 선택한 답이 맞았는지 틀렸는지 알 수 있다.
- 문제 풀이가 끝나면 몇 문제 맞혔는지 알 수 있다.

■ 프로젝트의 화면 흐름도 만들기

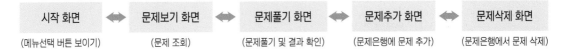

시작 화면	⟺	문제보기 화면	⟺	문제풀기 화면	⟺	문제추가 화면	⟺	문제삭제 화면
(메뉴선택 버튼 보이기)		(문제 조회)		(문제풀기 및 결과 확인)		(문제은행에 문제 추가)		(문제은행에서 문제 삭제)

■ 순서도 혹은 의사코드로 개요 작성하기

● 문제풀기 순서도

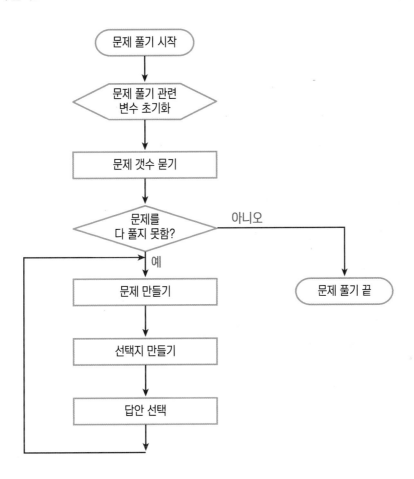

- 문제추가 순서도

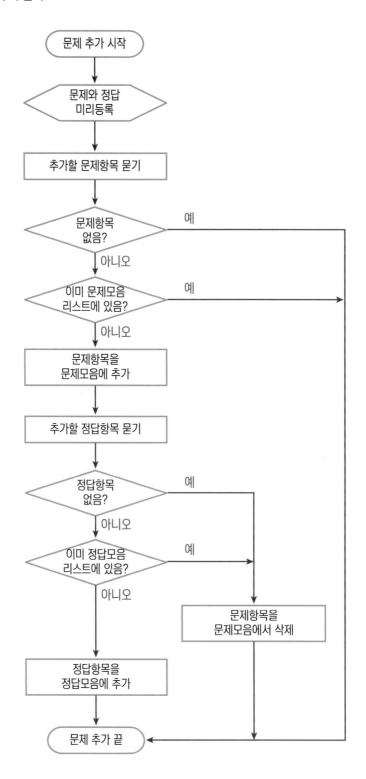

1.3 필요한 스프라이트와 배경을 나열해보자.

- 스크래치에 있는 스프라이트 나열

- 문제보기 버튼
- 문제추가 버튼
- A선택지
- C선택지

- 문제풀기 버튼
- 문제삭제 버튼
- B선택지
- D선택지

- 새로 만들어야 하는 스프라이트 나열

- 간호학과생

- 항목보기

- 배경 나열

- 기본
- 문제풀기
- 문제삭제

- 문제보기
- 문제추가

2.1 스프라이트 준비하기

스프라이트	이름	주요 기능
간호학과생	간호학과생	퀴즈 스토리를 진행한다.
문제보기	문제보기 버튼	버튼을 클릭하면 [문제보기] 신호를 보낸다.
문제풀기	문제풀기 버튼	버튼을 클릭하면 [문제풀기] 신호를 보낸다.
문제추가	문제추가 버튼	버튼을 클릭하면 [문제추가] 신호를 보낸다. 추가할 문제와 정답을 묻고 리스트에 추가한다.
문제삭제	문제삭제 버튼	버튼을 클릭하면 [문제삭제] 신호를 보낸다. 삭제할 문제 또는 정답을 입력하면 리스트를 조회하여 삭제한다.
	항목보기	[문제보기] 신호를 받았을 때, [문제모음] 리스트와 [정답모음] 리스트의 항목을 차례대로 말풍선으로 보여준다. (스프라이트 모양은 없음)
A B C D	선택지 버튼	해당 버튼을 클릭하면, 선택지가 선택되었음을 표시하고 문제의 정답과 같으면 맞힌 문제 개수를 증가시킨다. 기본 모양, 마우스로 클릭했을 때 모양, 정답임을 나타내는 O가 표시된 모양으로 구성한다.

2.2 스프라이트 동작 작성하기

1단계 [문제모음] 리스트와 [정답모음] 리스트를 만들고 문제와 정답을 입력

1. 문제와 정답 준비
   - 문제와 정답을 텍스트파일(예: 문제모음.txt, 정답모음.txt)로 작성하여 저장해둔다.

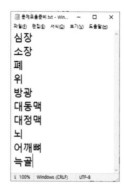
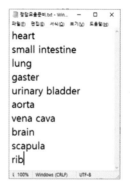

2. [문제모음] 리스트와 [정답모음] 리스트를 만든다.

3. 리스트의 가져오기 기능(리스트 위에서 마우스 오른쪽 버튼을 누르면 메뉴가 나타남)을 활용하여 문제 텍스트파일(문제모음.txt)에 있는 문제를 [문제모음] 리스트에 추가한다. 같은 방식으로 정답 텍스트 파일(정답모음.txt)에 있는 정답을 [정답모음] 리스트에 추가한다.

 TIP

리스트의 내보내기 기능을 활용하면 [문제모음] 리스트와 [정답모음] 리스트를 텍스트파일로 저장하여 다시 활용할 수 있다. 이 기능은 [문제추가]로 새로운 문제를 추가했을 때 유용하다.

2단계 학생 스프라이트 코딩

스프라이트	주요 기능
 간호학과생	1. 화면 왼쪽 상단에 나타난다. 2. 배경을 [기본] 배경으로 설정한다. 3. 문제풀이 관련 변수들을 숨긴다.

세부 기능	스크립트 블록

1. 녹색 깃발을 클릭했을 때,
  ① 크기와 위치를 설정한다. 화면 왼쪽 상단에 나타나도록 한다.
  ② 배경을 [기본] 배경으로 설정한다.
  ③ [문제]와 답안 문항들이 처음 시작 화면에 보이지 않도록 [문제풀이 변수 숨기기] 내 블록을 만들어 호출한다.

스프라이트 또는 실행화면	주요 기능
심장 : heart 소장 : small intestine 폐 : lung 위 : gaster 방광 : urinary bladder 대동맥 : aorta 대정맥 : vena cava 뇌 : brain 어깨뼈 : scapula 녹골 : rib 문제보기 문제풀기 문제추가 문제삭제 문제보기 문제보기　　　항목보기	1. [문제보기] 스프라이트를 클릭하면, [문제보기] 신호를 보낸다. 2. [항목보기] 스프라이트는 말하기 기능을 이용하여 [문제모음] 리스트와 [정답모음] 리스트의 항목을 하나씩 말한다.

세부 기능	스크립트 블록
[문제보기] 스프라이트 코딩 : 1. 녹색깃발을 클릭했을 때, 크기와 모양을 설정하고 지정된 위치로 이동한다.	클릭했을 때 크기를 90 %로 정하기 모양을 button3-a ▼ (으)로 바꾸기 x: 180 y: 130 (으)로 이동하기
2. 이 스프라이트를 클릭했을 때, 모양을 바꾸고 [문제보기] 신호를 보낸다.	이 스프라이트를 클릭했을 때 모양을 button3-b ▼ (으)로 바꾸기 0.2 초 기다리기 모양을 button3-a ▼ (으)로 바꾸기 문제보기 ▼ 신호 보내기
3. [문제보기] 신호를 받았을 때, 배경을 [문제보기]로 설정한다.	문제보기 ▼ 신호를 받았을 때 배경을 문제보기 ▼ (으)로 바꾸기

세부 기능	스크립트 블록
[항목보기] 스프라이트 코딩 : 1. [문제보기] 신호를 받았을 때, 다음 과정을 거쳐 항목들을 보여준다. 　① 첫 번째 항목부터 마지막 항목까지 접근해야 하므로 [위치] 변수를 0으로 초기화한다. 화면에 표시한 항목의 개수를 나타내는 [보기갯수] 변수를 0으로 초기화한다. 　② [문제모음] 리스트의 길이, 즉 항목 개수만큼 ③을 반복한다. 　③ y 좌표를 30만큼씩 줄여 위에서 아래로 나열해간다. x 좌표를 조정하여 한 열에 10개씩 두 열에 표시한다. 매 반복마다 [보기횟수]를 1만큼 증가시켜 다음 문제로 진행하고 [나 자신] 복제하기로 다음 문제를 표시한다.	

2. 복제되었을 때,
　① [문제모음] 리스트의 항목과 [정답모음] 리스트의 항목을 결합하고 말풍선으로 나타낸다.
　② 전체 항목이 다 표시될 때까지 기다린다.
　③ 맨 뒤 문제부터 역순으로 하나씩 사라진다.

스프라이트	주요 기능
문제풀기 문제풀기	1. [풀 문제수]를 입력받고, [문제풀기] 신호를 보낸다. 2. [문제풀기] 신호를 받았을 때, 문제를 선택하여 출제하기 위해 [문제만들기]와 [선택지만들기] 신호를 보낸다. 3. 문제를 다 풀지 않았으면 [정답선택] 신호를 보내고, 다 풀었으면 [문제풀기 끝] 신호를 보낸다.

세부 기능	스크립트 블록
1. 녹색깃발을 클릭했을 때, 　① 크기와 모양, 위치를 설정하고 배경을 [기본] 배경으로 설정한다. 버튼이 드래그되지 않도록 [드래그 모드를 드래그 할 수 없는 상태로 정하기] 한다. 　② 문제풀이와 관련된 변수들([풀 문제수], [푼 문제수], [선택여부], [맞힌 문제수])을 만들고 0으로 초기화한다. 같은 문제가 출제되지 않도록 이미 푼 문제의 번호를 저장하는 [이미 푼 문제] 리스트를 만들고 빈 상태로 초기화한다.	

세부 기능	스크립트 블록

2. 이 스프라이트를 클릭했을 때,
   ① 모양과 배경을 바꾼다.
   ② 풀고자 하는 문제수를 물어보고 [풀 문제수] 변수에 저장한다. [문제번호] 변수를 만들어 0으로 초기화한다. [맞힌 문제수]와 [푼 문제수] 변수를 0으로 초기화한다.
   ③ "문제 풀기 시작!"을 말하고, [문제풀기] 신호를 보낸다.

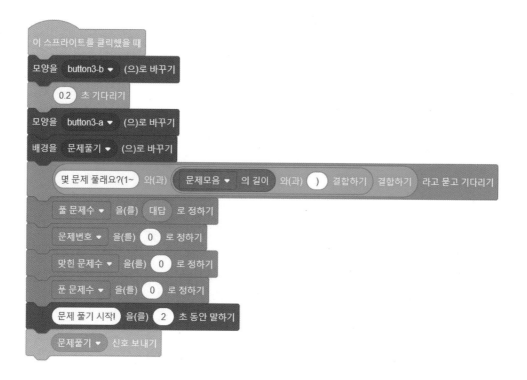

3. [문제풀기] 신호를 받았을 때, 문제와 객관식 선택지를 만들도록 신호를 보낸다.
   ① 문제를 다 풀지 않았으면, 즉 [푼 문제수]가 [풀 문제수]보다 적으면, [문제 만들기] 신호와 [선택지 만들기] 신호를 보내고 기다린다. 문제를 풀 때마다 [푼 문제수]를 1만큼 증가시킨다. 답을 선택할 수 있도록 [정답선택] 신호를 보낸다.
   ② 문제를 다 풀었으면 [문제풀이끝] 신호를 보낸다.

세부 기능	스크립트 블록

4. [문제 만들기] 신호를 받았을 때, 문제를 임의로 선택한다. 이미 푼 문제인지 확인하고 그렇지 않으면 문제를 보여준다.

① [문제] 변수와 [선택여부] 변수를 만들고 각각 빈 문자열과 0으로 초기화한다.

② 1부터 [문제모음] 리스트 길이 사이의 난수를 생성하여 랜덤하게 문제를 선택한다. 선택한 문제가 [이미 푼 문제 리스트]에 없을 때까지 랜덤 선택을 반복하여 중복 풀기를 방지한다.

③ 선택된 문제를 나타내는 [문제번호]를 [이미 푼 리스트]에 추가한다.

④ [문제모음] 리스트의 [문제번호] 번째 항목에 '?'를 결합하여 [문제] 변수에 저장하고 화면에 보이기한다.

⑤ [정답] 변수를 만들고, [정답모음] 리스트의 [문제번호] 번째 항목으로 설정한다.

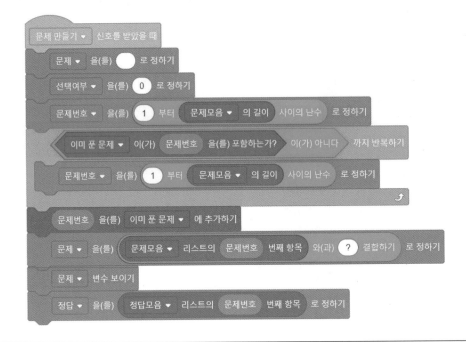

5. [선택지 만들기] 신호를 받았을 때, 다음 과정을 거쳐 선택지를 만든다.

① 4개의 답안이 들어갈 [선택지] 리스트를 만들고 빈 상태로 초기화 한다. [선택지] 리스트에는 정답이 포함되어야 하므로 [정답]을 [선택지] 리스트에 추가한다.

② 정답을 제외한 나머지 3개의 선택지를 [정답모음] 리스트에서 임의로 선정하여 [선택지] 리스트에 중복되지 않도록 추가한다. 이를 위해 [선택지번호] 변수를 만들어 1부터 [정답모음] 리스트 길이 사이의 난수를 만들어 사용한다.

③ [정답]이 [선택지] 리스트의 맨 앞에 추가되었으므로 순서를 섞는다. 이를 위해 [선택지순서] 변수를 만들어 1부터 [선택지] 리스트 길이 사이의 난수를 만들어 사용한다.

④ [A답지], [B답지], [C답지], [D답지] 변수를 만들어, [선택지] 리스트의 4개 항목을 차례로 이들 변수에 저장한다.

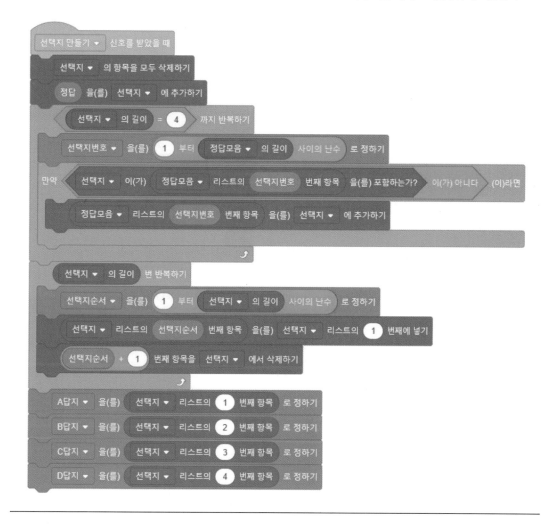

스프라이트 또는 실행화면	주요 기능
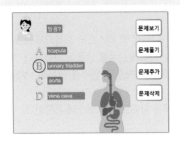 A선택지　B선택지　C선택지　D선택지	1. [정답선택] 신호를 받았을 때, 사용자가 정답을 선택할 때까지 기다린다. 2. 선택한 항목이 정답이면 [맞힌 문제수]를 1만큼 증가하고, 정답이 아니면 소리 효과로 틀렸음을 알린다. 3. 정답 처리가 끝나면 [선택완료] 신호를 보내 다음 문제를 풀 수 있도록 한다. 4. [문제풀이끝] 신호를 받았을 때, 숨기기하여 보이지 않도록 한다.

세부 기능	스크립트 블록
[A선택지] 스프라이트 코딩 : 1. 녹색 깃발을 클릭했을 때, 크기와 모양, 위치를 설정하고 숨기기한다. [A답지] 변수를 안보이게 숨기기한다.	

2. [정답선택] 신호를 받았을 때, 다음 과정을 거쳐 선택 여부를 확인하고 정답 또는 오답 처리를 한다.
   ① 모양을 바꾼 다음 보이기하고, [A답지] 답안을 보이게 한다. 사용자가 마우스로 클릭하면 모양을 바꾼다. [선택여부] 변수를 1로 설정하여 선택하였음을 표시한다.
   ② 선택한 답안이 [정답]과 같으면 [Suspense] 소리를 재생하고 O가 표시된 모양인 [A-o]로 모양을 바꾸고 [맞은 문제수]를 1만큼 증가한다. [정답]이 아니면 [Bonk] 소리를 재생하여 틀렸음을 알린다.
   ③ [선택완료] 신호를 보낸다.

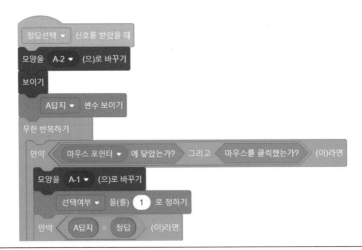

세부 기능	스크립트 블록

3. [선택완료] 신호를 받았을 때, 이 스크립트에 있는 다른 스크립트의 동작을 멈추고, 다음 문제를 풀 수 있도록 [문제풀기] 신호를 보낸다.	
4. [문제풀이끝], [문제보기], [문제추가], [문제삭제] 신호를 받았을 때 무대에 나타나지 않도록 숨기기한다.	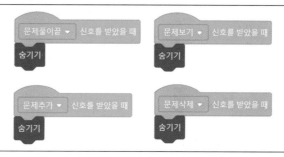

[B선택지] 스프라이트 코딩 :

1. [A선택지] 스프라이트 코딩과 동일하게 작성한다. 단, 코드에서 [A선택지] 모양을 [B선택지] 모양으로 변경하고 [A답지] 변수를 [B답지] 변수로 변경한다.

[C선택지] 스프라이트 코딩 :

1. [A선택지] 스프라이트 코딩과 동일하게 작성한다. 단, 코드에서 [A선택지] 모양을 [C선택지] 모양으로 변경하고 [A답지] 변수를 [C답지] 변수로 변경한다.

[D선택지] 스프라이트 코딩 :

1. [A선택지] 스프라이트 코딩과 동일하게 작성한다. 단, 코드에서 [A선택지] 모양을 [D선택지] 모양으로 변경하고 [A답지] 변수를 [D답지] 변수로 변경한다.

실행화면	주요 기능
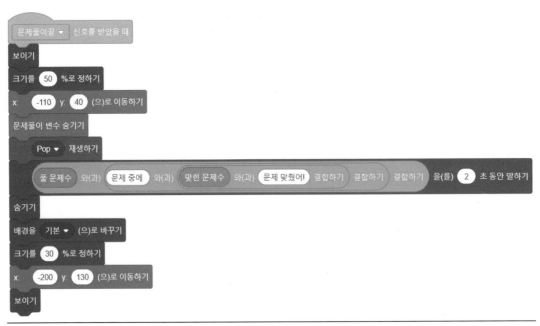	1. 결과 점수를 알려준다.

세부 기능	스크립트 블록

[간호학과생] 스프라이트 코딩 :

1. [문제풀이끝] 신호를 받았을 때,

   ① 크기와 위치를 변경하고, [문제풀이 변수 숨기기] 내 블록을 사용하여 문제와 객관식 답안 항목을 숨긴다. ([문제풀이 변수 숨기기] 내 블록은 2 단계를 참조한다.)

   ② [Pop] 소리를 재생하고 문제 풀이 결과, 즉 [풀 문제수]와 [맞힌 문제수]를 말한다.

   ③ 원래 크기와 원래 위치로 복귀한다.

2. [문제보기], [문제추가], [문제삭제] 신호를 받았을 때, 무대에 나타나도록 보이기하고 문제와 정답을 숨기기 위해 [문제 풀이 변수 숨기기] 내 블록을 호출한다.

스프라이트	주요 기능
문제추가 문제추가	1. 버튼을 클릭하면 [문제추가] 신호를 보낸다. 2. [문제추가] 신호를 받았을 때, 문제와 정답을 입력받아 [문제모음] 리스트와 [정답모음] 리스트에 추가한다.

세부 기능	스크립트 블록
1. 녹색깃발을 클릭했을 때, 크기와 모양을 설정하고 지정된 위치로 이동한다.	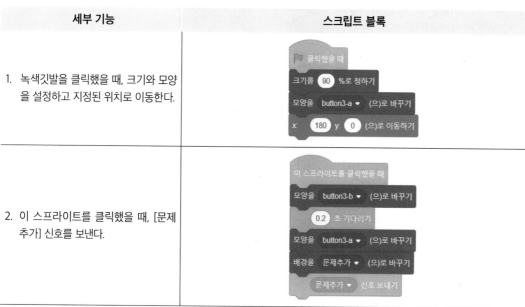
2. 이 스프라이트를 클릭했을 때, [문제추가] 신호를 보낸다.	

3. 문제와 정답을 리스트에 추가할 수 있도록 [문제추가하기] 내 블록과 [정답추가하기] 내 블록을 만든다.
   ① 문제가 중복되지 않도록, 추가하려는 문제와 정답이 [문제항목] 리스트와 [정답항목] 리스트에 없는 경우에만 추가한다.
   ② 추가 여부를 [문제추가] 변수와 [정답추가] 변수에 'o' 또는 'x'로 표시한다.

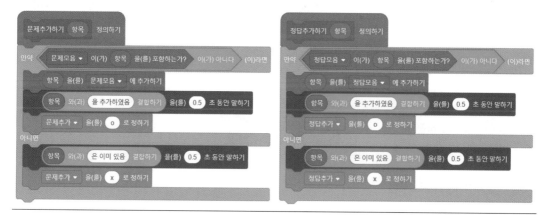

세부 기능	스크립트 블록

4. [문제추가] 신호를 받았을 때, 추가할 문제와 정답을 입력받아 리스트에 추가한다.
   ① [문제추가] 변수와 [정답추가] 변수를 'x'로 초기화한다.
   ② 추가할 문제를 입력받아 [문제항목] 변수에 저장하고, [문제추가하기] 내 블록을 사용해 [문제모음] 리스트에 추가한다. [문제항목]의 내용이 비어 있으면 [문제추가끝] 신호를 보내 문제 추가를 취소한다.
   ③ 문제가 추가된 경우만 [정답항목]을 입력받아 [정답모음] 리스트에 저장한다. 만일 [정답항목]이 비어 있으면, 마지막 항목을 삭제하여 취소한다.
   ④ [정답항목]이 리스트에 추가되지 않은 경우에도 [문제항목] 리스트에 입력된 마지막 항목을 삭제하여 취소한다.
   ⑤ [문제추가끝] 신호를 보낸다.

5. [문제추가끝] 신호를 받았을 때, 배경을 [기본] 배경으로 바꾼다.

8단계 [문제삭제] 기능의 구현

스프라이트	주요 기능
 문제삭제	1. 버튼을 클릭하면, [문제삭제] 신호를 보낸다. 2. [문제삭제] 신호를 받았을 때, 삭제할 문제 또는 정답을 입력받아 [문제모음] 리스트와 [정답모음] 리스트에서 해당 문제와 정답을 삭제한다.

세부 기능	스크립트 블록
1. 녹색깃발을 클릭했을 때, 크기와 모양을 설정하고 지정된 위치로 이동한다.	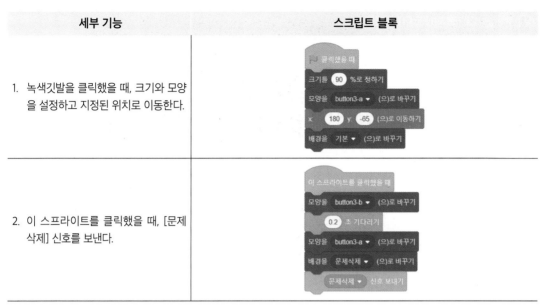
2. 이 스프라이트를 클릭했을 때, [문제삭제] 신호를 보낸다.	

3. [문제삭제] 신호를 받았을 때, 다음 과정을 거쳐 문제와 정답을 삭제한다.
   ① 삭제할 문제 또는 삭제할 정답을 입력받고, [문제모음] 리스트 또는 [정답모음] 리스트에 포함되어 있는지 확인한다.
   ② 만약 포함되어 있다면 [삭제위치] 변수에 해당 항목의 위치를 저장하고, [문제모음] 리스트와 [정답모음] 리스트에서 [삭제위치] 번째 항목을 삭제한다.
   ③ [문제삭제끝] 신호를 보낸다.

세부 기능	스크립트 블록
4. [문제삭제끝] 신호를 받았을 때, 배경을 [기본] 배경으로 바꾼다.	

평가항목	평가내용
초기 계획 대비 결과물의 완성도는 얼마인가?	• 초기 계획대로 모든 내용을 구현하였음
초기 계획에서 변경된 항목은 무엇인가?	• 문제등록을 하기위해 리스트의 가져오기 기능을 활용하였음 • 문제가 등록되기 전에는 메뉴가 시작될 수 없도록 처리 • 문제삭제 기능을 추가 • 배경 추가
향후 수정하거나 추가하고자 하는 사항은 어떤 것이 있는가?	• 문제보기에서 전체 항목이 한 화면을 넘어갈 때 처리
프로젝트를 진행하며 새롭게 알게된 사항에는 무엇이 있는가?	• 리스트에 입력, 조회, 삭제하는 기능에서 항목의 위치를 나타내는 변수의 필요성을 알게 됨 • 신호보내기 받기 기능을 사용하여 동작 순서를 제어함 • 다양한 변수의 활용
프로젝트 진행에 참고한 사항은 어떠한 것이 있는가?	• 교과서에서 신호보내기, 리스트 활용을 참고하였음

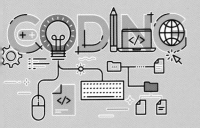

CHAPTER 16

프로젝트 5 : 로봇기자 만들기

분야	전공 융합 또는 4차 산업혁명
제목	로봇기자 만들기

① ▸▸ 프로젝트의 준비와 계획

1.1 무슨 내용을 할지 생각해보자.

- 스포츠 및 언론과 관련된 4차 산업혁명 기술을 이해 : 로봇기자 만들기

1.2 프로젝트 내용을 생각해보자.

- 만들고 싶은 동작과정을 순서 없이 나열하기

> - 로봇기자가 프리미어리그 선수 이름을 물어본다.
> - 선수가 오늘 경기에서 활약한 데이터를 입력한다.
> - 기사를 완성한다.
> - 기사를 음성합성으로 읽어준다.
> - 기사를 다른 언어로 번역하고 읽어준다.
> - 비슷한 의미를 갖는 여러 문장 중에서 랜덤하게 선택하여 기사의 단조로움을 피한다.
> - 배경화면을 바꾸어 분위기를 조성한다.

- 프로젝트의 화면 흐름도 만들기

시작 화면	⇒	경기 데이터 입력 화면	⇒	자동 기사작성과 번역화면
(로봇기자와 버튼 보이기)		(데이터 입력)		(기사 작성과 화면 보이기)

■ 순서도 혹은 의사코드로 개요 작성하기

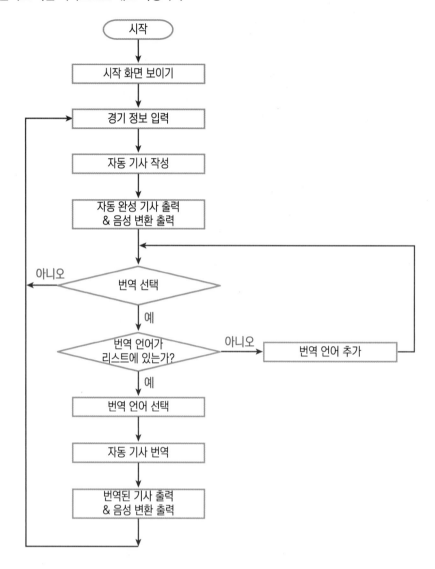

1.3 필요한 스프라이트와 배경을 나열해보자.

■ 스크래치에 있는 스프라이트 나열

- 로봇기자 마이크
- 로보기자 데이빗
- 경기정보입력버튼
- 기사작성버튼
- 번역버튼
- 번역언어추가버튼

2.1 스프라이트 준비하기

스프라이트	이름	주요 기능
(로봇 이미지)	로봇기자 마이크	경기정보를 입력받아 기사를 자동으로 작성한다.
(로봇 이미지)	로봇기자 데이빗	작성된 기사를 특정 언어로 번역한다.
경기정보입력	경기정보입력버튼	버튼을 클릭하면 [경기정보입력] 신호를 보낸다.
기사작성	기사작성버튼	버튼을 클릭하면 [기사작성] 신호를 보낸다.
번역	번역버튼	버튼을 클릭하면 [번역버튼클릭] 신호를 보낸다.
번역언어추가	번역언어추가버튼	버튼을 클릭하면 [번역언어추가] 신호를 보낸다. 번역할 수 있는 언어를 리스트에 추가한다.

2.2 스프라이트 동작 작성하기

1단계 변수 초기화 및 선수 이름 입력받기

스프라이트	주요 기능
(로봇 이미지) 로봇기자 마이크	1. 기사작성을 위해 필요한 변수들을 만들고 초기화한다. 변수들이 화면에서 보이지 않도록 숨기기한다. 2. 번역할 언어 리스트를 만든다. 3. 기사를 다채롭게 작성하기 위해 랜덤문장 리스트를 만든다. 4. 기사를 작성할 선수 이름을 입력받는다.

세부 기능	스크립트 블록

1. 녹색깃발을 클릭했을 때, 다음 과정을 실행한다.
    ① 스프라이트 위치와 배경, 크기를 설정하고 보이기한다.
    ② 경기정보를 저장하는 변수([경기장소], [경기시간], [상대팀], [선수골수], [선수도움수], [선수팀골수], [상대팀골수])
       를 만들고 초기화한다. ([변수초기화] 내 블록 사용)
    ③ 변수들이 화면에 보이지 않게 숨기기한다.([입력변수숨기기] 내 블록 사용)
    ④ 번역할 언어를 저장한 [번역언어리스트]를 만든다. ([번역언어리스트만들기] 내 블록 사용)

세부 기능	스크립트 블록

⑤ 다양한 문장을 작성할 수 있도록 7개의 랜덤문장리스트([선수활약_골], [선수활약_골도움], [선수활약_도움], [선수활약_없음], [팀승부_이김], [팀승부_비김], [팀승부_패함])를 만들고 문장을 추가한다. ([랜덤문장리스트만들기] 내 블록 사용)
⑥ 기사를 작성할 선수 이름을 입력받는다.
⑦ [경기정보입력버튼]을 누르라고 말한다.

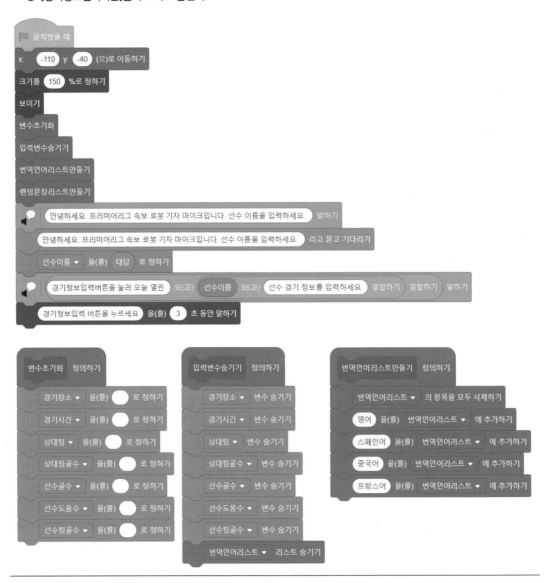

세부 기능	스크립트 블록

랜덤문장리스트만들기 정의하기

경기를 이끌었습니다. 을(를) 선수활약_골 ▼ 에 추가하기

뛰어난 활약을 펼쳤습니다. 을(를) 선수활약_골 ▼ 에 추가하기

팀 분위기를 활발하게 이끌었습니다. 을(를) 선수활약_골 ▼ 에 추가하기

경기를 크게 이끌었습니다. 을(를) 선수활약_골도움 ▼ 에 추가하기

경기에서 맹활약을 펼쳤습니다. 을(를) 선수활약_골도움 ▼ 에 추가하기

눈부신 활약을 펼쳤습니다. 을(를) 선수활약_골도움 ▼ 에 추가하기

경기에 공헌하였습니다. 을(를) 선수활약_도움 ▼ 에 추가하기

좋은 활약을 펼쳤습니다. 을(를) 선수활약_도움 ▼ 에 추가하기

열심히 경기를 펼쳤습니다. 을(를) 선수활약_도움 ▼ 에 추가하기

아쉽게도 이번 경기에서 와(과) 선수이름 와(과) 의 발끝은 침묵을 지켰습니다. 결합하기 결합하기 을(를) 선수활약_없음 ▼ 에 추가하기

아쉽게도 승점을 기록하지 못하였습니다. 을(를) 선수활약_없음 ▼ 에 추가하기

승점을 기록하지 못하였습니다. 다음 경기를 기대해봅니다. 을(를) 선수활약_없음 ▼ 에 추가하기

을 이겼습니다. 을(를) 팀승부_이김 ▼ 에 추가하기

을 대상으로 통쾌한 승리를 거머쥐었습니다. 을(를) 팀승부_이김 ▼ 에 추가하기

을 꺾었습니다. 을(를) 팀승부_이김 ▼ 에 추가하기

으로 비겼습니다. 을(를) 팀승부_비김 ▼ 에 추가하기

으로 무승부를 기록하였습니다. 을(를) 팀승부_비김 ▼ 에 추가하기

으로 승부를 가르지 못하였습니다. 을(를) 팀승부_비김 ▼ 에 추가하기

에게 졌습니다. 을(를) 팀승부_패함 ▼ 에 추가하기

에게 패하였습니다. 을(를) 팀승부_패함 ▼ 에 추가하기

에게 무릎을 꿇었습니다. 을(를) 팀승부_패함 ▼ 에 추가하기

2단계 버튼 만들기

스프라이트	주요 기능
경기정보입력 경기정보입력버튼	버튼을 클릭하면 [경기정보입력] 신호를 보낸다. 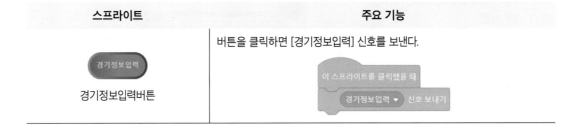

스프라이트	주요 기능
 기사작성버튼	버튼을 클릭하면 [기사작성] 신호를 보낸다.
번역버튼	버튼을 클릭하면 [번역버튼클릭] 신호를 보낸다.
번역언어추가버튼	버튼을 클릭하면 [번역언어추가] 신호를 보낸다.

3단계 경기 정보 입력 받기

스프라이트	주요 기능
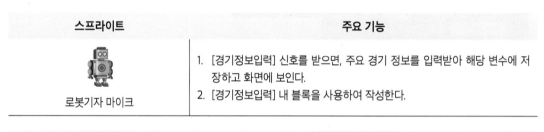 로봇기자 마이크	1. [경기정보입력] 신호를 받으면, 주요 경기 정보를 입력받아 해당 변수에 저장하고 화면에 보인다. 2. [경기정보입력] 내 블록을 사용하여 작성한다.

세부 기능	스크립트 블록
1. [경기정보입력] 신호를 받았을 때, [로봇기자 마이크] 스프라이트의 위치와 크기를 설정하고 다음 과정을 실행한다. 　① 변수 초기화 및 숨기기를 한다. ([변수초기화]와 [입력변수숨기기] 내 블록 사용) 　② 주요 경기정보(경기장소, 경기시간, 상대팀, 상대팀골수, 선수골수, 선수도움수, 선수팀골수)를 입력받아 변수에 저장하고 화면에 보인다. ([경기정보입력] 내 블록 사용) 　③ [기사작성버튼]을 클릭하라고 말한다.	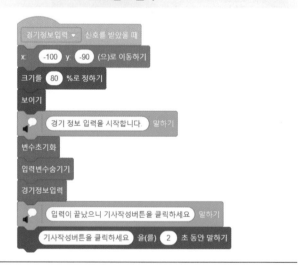

세부 기능	스크립트 블록

4단계 | 자동 기사 작성하기

스프라이트	주요 기능
  로봇기자 마이크	1. [선수활약소식작성]과 [팀승부소식작성] 내 블록을 사용하여 다양한 표현의 문장을 만든다. 2. [기사작성] 신호를 받으면, 입력받은 경기정보를 사용하여 기사를 자동 작성한다. 3. [기사제목], [경기정보], [선수활약소식], [팀승부소식]을 결합하여 [전체기사]를 완성한다. 4. [전체기사]를 화면에 보여주고, 텍스트 음성 변환을 사용하여 음성으로 들려준다.

1. [선수활약소식작성] 내 블록을 만든다.
   ① [선수골수]와 [선수도움수]를 비교하여 네 가지 경우로 나눠 문장을 작성한다.
   ② 기사를 다양한 표현의 문장으로 작성하기 위해, 4개의 랜덤문장리스트([선수활약_골], [선수활약_골도움], [선수활약_도움], [선수활약_없음])에서 난수를 사용하여 임의로 서술어를 선택한다.
   ③ 입력받은 정보와 선택된 서술어를 결합하여 [선수활약소식]을 완성한다

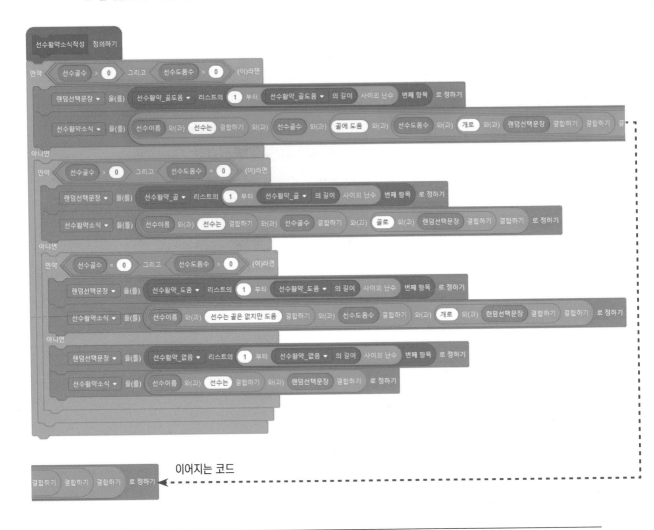

이어지는 코드

2. [팀승부소식작성] 내 블록을 만든다.
   ① [선수팀골수]와 [상대팀골수]를 비교하여 세 가지 경우로 나눠 문장을 작성한다.
   ② 다양한 표현의 문장을 작성하기 위해, 3개의 랜덤문장리스트([팀승부_이김], [팀승부_패함], [팀승부_비김])에서 난수를 사용하여 임의로 서술어를 선택한다.
   ③ 입력받은 정보와 선택된 서술어를 결합하여 [팀승부소식]을 완성한다.

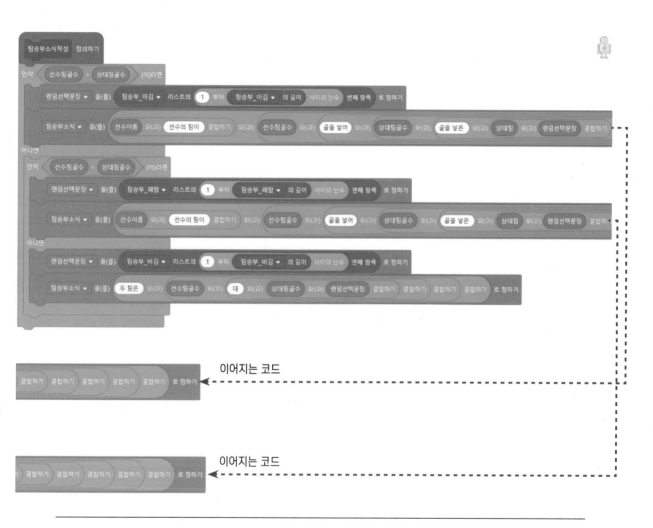

세부 기능	스크립트 블록

3. [기사작성] 신호를 받았을 때, 다음 과정을 실행한다.
   ① 스프라이트의 크기와 위치를 설정한다.
   ② 변수들이 화면에 보이지 않게 숨기기한다. ([입력변수숨기기] 내 블록 사용)
   ③ [선수활약소식작성] 내 블록을 사용하여 [선수활약소식] 문장을 만든다.
   ④ [팀승부소식작성] 내 블록을 사용하여 [팀승부소식] 문장을 만든다.
   ⑤ 현재 시간을 알려주는 [현재] 감지블록을 이용하여, [기사작성시간]을 현재시간(년월일시분)으로 설정한다.
   ⑥ [기사작성시간]과 제목 정보를 결합하여 [기사제목] 문장을 만든다.
   ⑦ [선수이름], [경기장소], [상대팀] 정보를 결합하여 [경기정보] 문장을 만든다.
   ⑧ [기사제목], [경기정보], [선수활약소식], [팀승부소식]을 결합하여 [전체기사]를 완성한다.
   ⑨ [전체기사]를 화면에 보여주고, 텍스트 음성 변환의 말하기 블록을 사용하여 음성으로 말한다. 이때 말하기 블록은 문장 길이에 한계가 있어, 전체 기사를 여러 개의 문장으로 나눠서 말한다.

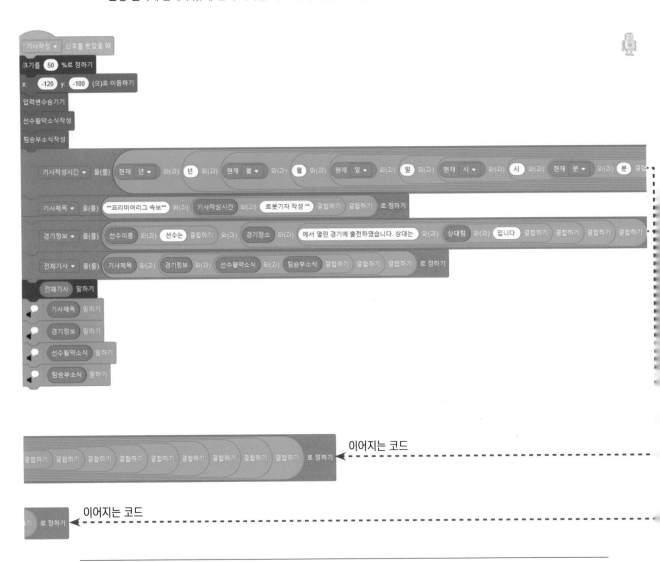

스프라이트	주요 기능
  로봇기자 데이빗	1. 번역할 언어를 입력받아, 로봇기자 마이크가 작성한 기사를 번역한다. 2. 번역한 기사를 화면에 보여주고, 텍스트 음성 변환 기능을 이용하여 음성으로 말한다. 3. 번역 언어를 추가로 입력받아 [번역언어리스트]에 추가한다.

세부 기능	스크립트 블록

1. [번역버튼클릭] 신호를 받았을 때, 다음 과정을 거쳐 기사를 번역한다.
   ① 크기와 위치를 설정하고 보이기한다.
   ② [번역언어리스트]를 보이고, 번역할 언어를 입력받는다.
   ③ 입력받은 언어를 번역 언어로 설정한다.
   ④ [기사제목], [경기정보], [선수활약소식], [팀승부소식]을 번역하여 변수에 저장한다.
   ⑤ [번역된 기사제목], [번역된 경기정보], [번역된 선수활약소식], [번역된 팀승부소식]을 음성으로 말한다.
   ⑥ 언어를 다시 한국어로 설정한다.

```
번역버튼클릭 ▼ 신호를 받았을 때
크기를 50 %로 정하기
x -120 y -100 (으)로 이동하기
보이기
번역언어리스트 ▼ 리스트 보이기
안녕하세요. 로봇 기자 데이빗입니다. 번역할 언어를 입력하세요 말하기
데이빗입니다. 번역할 언어를 입력하세요 라고 묻고 기다리기
번역언어 ▼ 을(를) 대답 로 정하기
번역언어리스트 ▼ 리스트 숨기기
번역된기사제목 ▼ 을(를) [번역] 기사제목 을(를) 번역언어 로 번역하기 로 정하기
번역된경기정보 ▼ 을(를) [번역] 경기정보 을(를) 번역언어 로 번역하기 로 정하기
번역된선수활약소식 ▼ 을(를) [번역] 선수활약소식 을(를) 번역언어 로 번역하기 로 정하기
번역된팀승부소식 ▼ 을(를) [번역] 팀승부소식 을(를) 번역언어 로 번역하기 로 정하기
언어를 번역언어 로 정하기
번역된기사제목 말하기
번역된기사제목 달하기
번역된경기정보 말하기
번역된경기정보 달하기
번역된선수활약소식 말하기
번역된선수활약소식 달하기
번역된팀승부소식 말하기
번역된팀승부소식 말하기
언어를 한국어 ▼ 로 정하기
```

2. [번역언어추가] 신호를 받았을 때, 추가할 번역 언어를 입력받아 [번역언어리스트]에 추가한다.

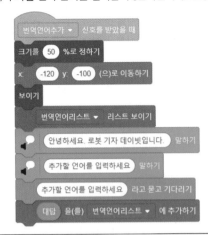

3. [경기정보입력] 또는 [기사작성] 신호를 받았을 때, 로봇기자를 바꾸기 위해 숨기기한다. 녹색깃발을 클릭했을 때도 숨기기한다.

[로봇기자 마이크] 스프라이트에 추가 코딩 :

1. [번역버튼클릭] 또는 [번역언어추가] 신호를 받았을 때, 다른 로봇기자로 바꾸기 위해 화면에서 숨긴다.

평가항목	평가내용(예시)
초기 계획 대비 결과물의 완성도는 얼마인가?	• 초기 계획대로 모든 내용을 구현하였음
초기 계획에서 변경된 항목은 무엇인가?	• 로봇 스프라이트를 2개 사용
향후 수정하거나 추가하고자 하는 사항은 어떤 것이 있는가?	• 축구 이외의 경기 종목을 추가하기 • 경기 종목에 맞는 다양한 배경을 사용하기
프로젝트를 진행하며 새롭게 알게 된 사항에는 무엇이 있는가?	• 다양한 내 블록(변수초기화, 입력변수숨기기, 랜덤문장리스트 만들기, 선수활약소식, 팀승부소식 등)을 사용하여 코드가 간결해진다는 점 • 버튼을 클릭했을 때 신호보내기를 사용하여 효과적으로 동작을 제어한다는 점 • 랜덤문장리스트에서 랜덤하게 임의 문장을 선택하여 기사를 다양한 표현으로 작성할 수 있다는 점 • 기사작성을 위해 결합연산을 중첩 사용한다는 점
프로젝트 진행에 참고한 사항은 어떠한 것이 있는가?	• 교과서의 신호보내기 및 번역, 텍스트음성변환을 참고하였음

⏳ **TIP** **로봇 저널리즘**

■ **로봇 저널리즘이란?**
- 기자를 대신해서 기사를 작성하는 인공지능
- 기존 언론의 정확성과 신뢰성을 유지하면서 컴퓨터 알고리즘을 이용하여 자동으로 작성되는 기사, 혹은 이러한 언론의 변화 흐름을 지칭함

■ **인공지능 저널리스트 사례**

언론사	프로그램 이름	활용 분야
포브스	퀼(Quill)	증권시황과 스포츠 경기 결과를 바탕으로 기사 작성
LA타임즈	퀘이크봇	지진관련 정보를 자동으로 수집하여 기사 작성
AP통신	워드스미스	기업실적 기사 작성
연합뉴스	사커봇, 올림픽봇	EPL 중계보도, 2018 동계올림픽 보도

■ 실제로 언론사가 사용할 수 있는 수준이 되기 위해서 추가되어야 하는 기능들을 생각해보자.
- 웹 크롤링(Web Crawling)을 사용한 경기 소식 자동 수집
- 자연언어처리 기술을 사용한 기사의 품질 개선
- 로봇기자 인공지능 알고리즘의 정확성과 신뢰도 개선

CHAPTER 17

프로젝트 6 :
mBlock을 이용한 감정인식

분야	4차 산업혁명(인공지능)
제목	mBolck을 이용한 감정인식

① ▸▸• 프로젝트의 준비와 계획

1.1 무슨 내용을 할지 생각해보자.

■ 현재 주목되고 있는 4차 산업혁명 기술 중에서 인공지능 기술을 경험 : 감정인식

1.2 프로젝트 내용을 생각해보자.

■ 만들고 싶은 동작과정을 순서 없이 나열하기

- 인공지능으로 감정을 인식한다.
- 웹캠으로 입력된 얼굴 표정을 분석하여 8종류의 감정(행복, 중립, 놀람, 슬픔, 분노, 경멸, 싫음, 무서움) 중의 하나로 분류한다.
- 스크래치에서 인공지능 기술을 지원하는 mBlock을 써본다.
- 행복, 슬픔, 분노 등 여러 종류의 감정을 점수로 표현한다.
- 감정지수를 그래프로 나타낸다.

■ 프로젝트의 화면 흐름도 만들기

시작 화면	⇨	인식 화면	⇨	그래프 생성 화면
(표정과 데이터차트 준비)		(감정인식과 데이터 입력)		(데이터 출력과 그래프 종류 선택)

■ 순서도로 개요 작성하기

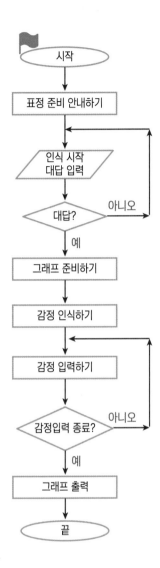

2.1 mBlock을 사용하기 위한 사전 준비

- mBlock : 스크래치 3.0의 소스를 바탕으로 확장 모드에서 인공지능, 데이터처리 프로그래밍 환경을 제공한다.

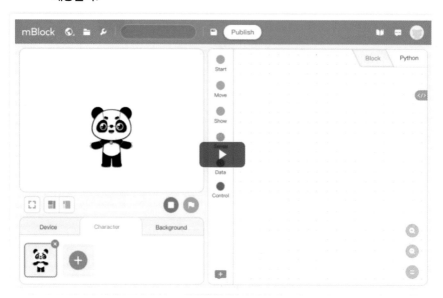

- mBlock을 사용하려면 다음 절차대로 수행한다.

  ① 공식 웹사이트(https://mblock.makeblock.com)에 접속한다. [Block-based coding editor]를 선택한 후 [Code with blocks] 버튼을 클릭하여 실행을 시작한다.

  ② 로그인한다. (처음 접속한 경우에는 회원 가입을 한다.)

  ③ 코딩을 한다.

1단계 mBlock의 확장 모드인 [인식 서비스]와 [데이터 차트]를 추가

모듈 실행화면	주요 기능
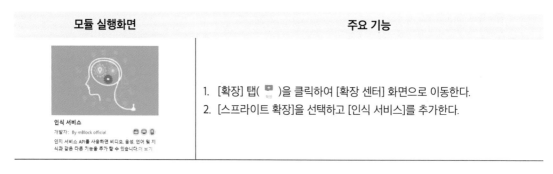	1. [확장] 탭( )을 클릭하여 [확장 센터] 화면으로 이동한다. 2. [스프라이트 확장]을 선택하고 [인식 서비스]를 추가한다.

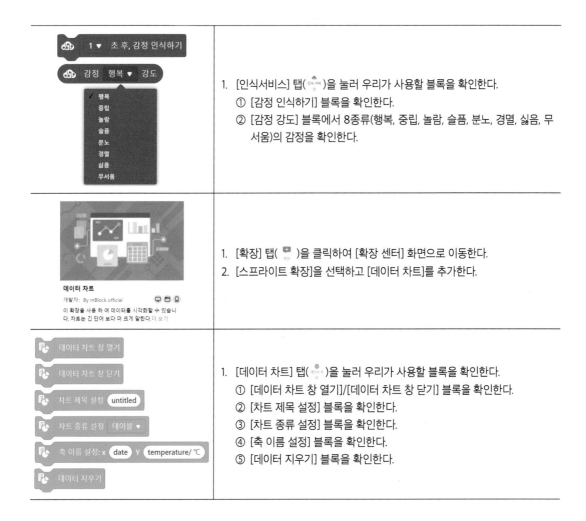

1. [인식서비스] 탭(인식 서비스)을 눌러 우리가 사용할 블록을 확인한다.
   ① [감정 인식하기] 블록을 확인한다.
   ② [감정 강도] 블록에서 8종류(행복, 중립, 놀람, 슬픔, 분노, 경멸, 싫음, 무서움)의 감정을 확인한다.

1. [확장] 탭(확장)을 클릭하여 [확장 센터] 화면으로 이동한다.
2. [스프라이트 확장]을 선택하고 [데이터 차트]를 추가한다.

1. [데이터 차트] 탭(데이터차트)을 눌러 우리가 사용할 블록을 확인한다.
   ① [데이터 차트 창 열기]/[데이터 차트 창 닫기] 블록을 확인한다.
   ② [차트 제목 설정] 블록을 확인한다.
   ③ [차트 종류 설정] 블록을 확인한다.
   ④ [축 이름 설정] 블록을 확인한다.
   ⑤ [데이터 지우기] 블록을 확인한다.

2.2 스프라이트 준비하기

스프라이트	이름	주요 기능
	판다	1. 프로그램을 안내한다.

2.3 스프라이트 동작 작성하기

1단계 감정을 인식하고 그래프를 출력한다.

스프라이트	주요 기능
판다	1. 인사하고, 웹캠 앞에서 표정을 짓는 방법을 안내한다. 2. 그래프를 준비한다. 3. 감정을 인식한다. 4. 감정 데이터를 그래프에 입력하고 그래프를 그린다. 5. 그래프 종류를 선택한다.

세부 기능	스크립트 블록

1. 녹색깃발을 클릭했을 때,
   ① "안녕!" 인사를 하고 웹캠을 통해 표정을 짓는 방법을 안내한다.
   ② 인공지능으로 감정을 인식할 것인지 물어본다. 대답이 예이면, ③~⑤를 실행한다.
   ③ [그래프 준비] 신호를 보내 그래프를 그릴 준비를 한다.
   ④ [2초후 감정인식하기]를 실행한다. 2초 후에 아래와 같은 인식창이 뜨고, 인공지능은 2초 후에 화면을 캡쳐하여 감정 인식을 수행한다.

인식 결과는 8가지 [감정 강도] 변수에 저장된다. (예를 들어 행복의 경우 감정 행복 ▼ 강도 에 저장된다.)

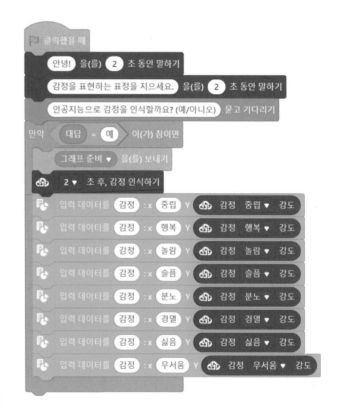

세부 기능	스크립트 블록
⑤ 8가지 [감정 강도] 변수의 값이 테이블에 입력된다. 입력된 사례는 오른쪽과 같다.	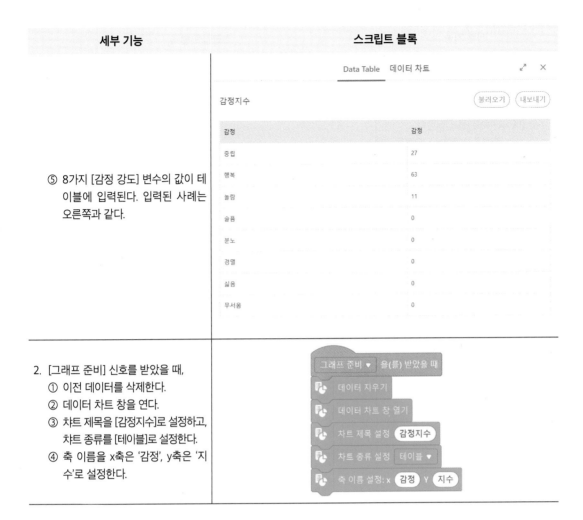
2. [그래프 준비] 신호를 받았을 때, ① 이전 데이터를 삭제한다. ② 데이터 차트 창을 연다. ③ 챠트 제목을 [감정지수]로 설정하고, 챠트 종류를 [테이블]로 설정한다. ④ 축 이름을 x축은 '감정', y축은 '지수'로 설정한다.	

2단계 감정인식 결과로 다양한 그래프를 그려본다.

실행화면	주요 기능
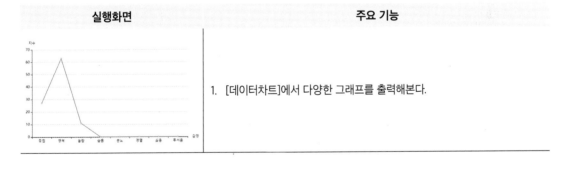	1. [데이터차트]에서 다양한 그래프를 출력해본다.

세부 기능	스크립트 블록
1. 다음 단계를 거쳐 그래프를 그린다. ① [데이터 차트]를 선택한다. ② 차트 종류를 선택한다. 오른쪽 그림은 [꺾은선형 차트]와 [파이 차트]를 선택한 예이다. ③ 다양한 차트를 그려보고 마음에 드는 것을 선택한다. ④ 파일로 저장하고 싶을 때는 [내보내기]를 클릭한다. 그러면 png 파일로 저장된다.	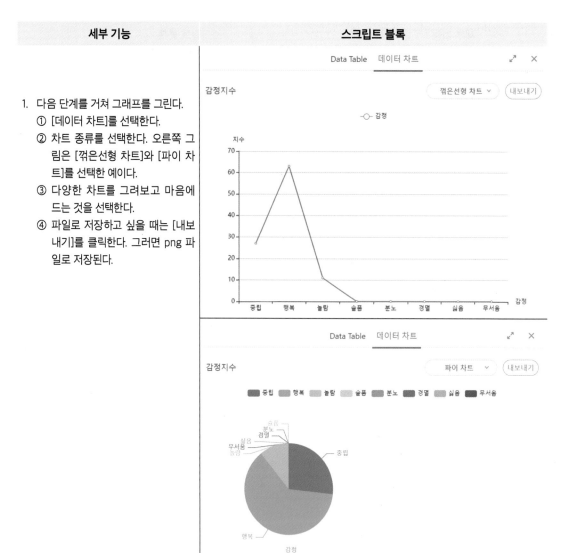

실행화면	주요 기능
커뮤니케이션 - 마이크(Synaptics Sr ∨)	1. 텍스트 입출력 인터페이스를 음성합성(TTS)과 음성인식 인터페이스로 확장해본다.

세부 기능	스크립트 블록
1. 1단계 코드를 수정하여 사용한다. 빨간색 사각형으로 표시한 영역이 1단계 코드에서 바뀐 곳이다. 이 곳이 음성합성과 음성인식 인터페이스를 담당한다. ① 언어를 한국어로 설정한다. ② 안내사항을 음성으로 들려준다. ③ 음성인식을 수행한다. ④ 음성인식 결과가 "예" 또는 "네" 이면 아래 블록을 실행한다.	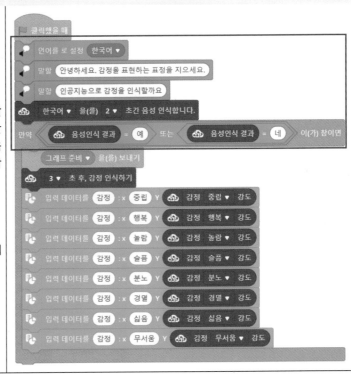

4단계 확장하기 2 : 반복하여 감정인식하기

스프라이트	주요 기능
  판다	1. 반복적으로 감정인식을 수행한다.

세부 기능	스크립트 블록
1. 3단계 코드를 수정하여 사용한다. 빨간색 사각형으로 표시한 영역이 3단계 코드에서 바뀐 곳이다. 10번 반복을 담당한다. [5초 기다리기] 블록을 추가하여 사용자가 표정을 지을 시간을 준다.	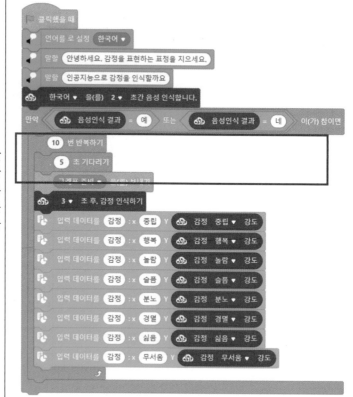

평가항목	평가내용
초기 계획 대비 결과물의 완성도는 얼마인가?	• 초기 계획한 사항에 해당하는 모든 내용을 구현하였음
초기 계획에서 변경된 항목은 무엇인가?	• 감정인식 후 감정별 지수값을 이용한 다각형 그리기를 계획하였으나, 확장모드에 있는 데이터 차트 블록을 이용하여 그래프 그리기로 변경되었음
향후 수정하거나 추가하고자 하는 사항은 어떤 것이 있는가?	• 감정인식 후 감정별 지수값을 이용한 다각형 그리기를 추가하고자 함
프로젝트를 진행하며 새롭게 알게된 사항에는 무엇이 있는가?	• 인공지능 감정인식을 이용하여 두려움, 슬픔, 분노 등의 감정지수를 자동 파악함으로써, 부정적인 감정으로 인해 도움이 필요한 사람과의 소통에 도움이 된다는 것을 알게 되었음
프로젝트 진행에 참고한 사항은 어떠한 것이 있는가?	• mBlock의 인식 서비스와 데이터 차트 기능 블록에 관한 예제를 참고하였음

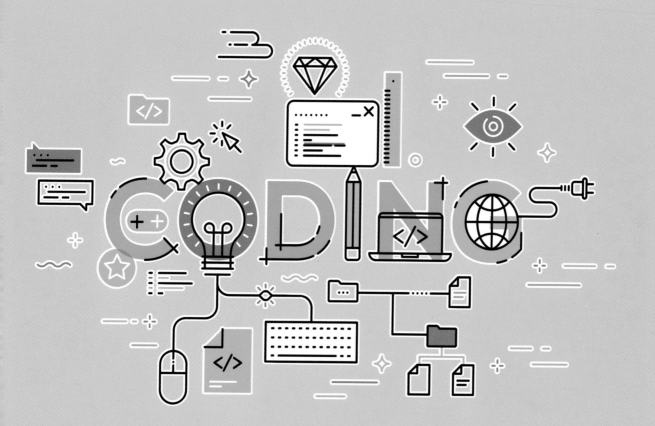

INDEX

A

A 12-year-old app developer 014
abstraction 018
AI 최강의 수업 014
assembler 025
assembly language 025

B

binary search 254
Breakout 236

C

compiler 026
computational thinking 017
CSTA(computer science teachers
   association) 004

D

decomposition 017
divide-and-conquer 022

F

FLOPS 003

H

Hat block 070

L

Lets teach kids to code 014
Lifelong Kindergarten 027

M

machine language 025
mBlock 336
merge sort 021

O

OA 사용법 위주의 교육 008

P

problem solving 016
pseudo code 025

S

sorting 021
sprite 039
SW 중심사회 014

T

thread 073

W

wearable computer 003
Why programming is important? 015

ㄱ

가상 세계	229
가상 코드	025
가상현실 도구	003
감정인식	334
감정지수	334
감지	101
개인 저장소	033
게임 프로젝트	265
결과보고서	263
공동작업	036
그래픽 효과	054
그림판	034
기계어	025

ㄴ

난수	117
내 블록	144
내 작업실	036
논리 연산	119
논리 연산자	120
논리적 사고	016
농업 인공지능	015

ㄷ

다국어	190
데이터 차트	336
동작	037
동작 관찰값	177
딥드림 사이트	005

ㄹ

로봇 저널리즘	333
리믹스	036
리스트	134

ㅁ

말풍선	053
매개변수	144
멈추기	089
명령어 블록	033
모듈화	145
모양 탭	034
무대	040
무대 영역	032
문자열 결합하기	122
문자열 정보	124
문제은행	302
문제해결	016
미첼 레스닉	014
미첼 레스닉의 평생 유치원	014

ㅂ

반복	024, 087
방향 관찰값	177
배경	072
배경 바꾸기	057
배경음악	067
버튼	064
번역	188
벡터 형식	034
변수	131
병렬 처리	018, 022, 072

복제 094
분할 정복 022
분해 017, 020
브레이크아웃 236
블록 언어 027
블록 팔레트 영역 031
비교 연산자 119
비디오 감지 176
비주얼 기반 언어 026
비트맵 형식 034

ㅅ

4차 산업혁명 관련 프로젝트 265
사칙 연산 115
생각풍선 053
선택 024, 087
센서 214
소리 065
소리 탭 035
소리 편집기 035
소프트웨어 융합 교육 007
소프트웨어 재사용성 144
소프트웨어정책 연구소 014
소프트웨어 중심 사회 004
순서도 023
순차 024
슈팅 게임 222
슈퍼컴퓨터 003
스레드 073
스크래치 030
스크래치 에디터 031
스크립트 영역 031
스튜디오 036

스프라이트 032, 039
시뮬레이션 242
시작 블록 070
신호 073
신호 보내기 074

ㅇ

알고리즘 020
알고리즘 설계 019, 023
어셈블러 025
어셈블리어 025
언플러그드 코딩 교육 009, 027
연산 114
연주 210
예술 융합 005
오프라인 방식 030
오프라인 에디터 031
온라인 방식 030
융합 교육 004
융합 프로젝트 012
음량 077
음성인식 341
음성합성 341
음악 156
음향 효과 158
이벤트 069
이진탐색 254
이진탐색 알고리즘 254
인공지능 334
인공지능 저널리스트 333
인식 서비스 336
일정 263
입는 컴퓨터 003

ㅈ

재난 예방 프로젝트	265
전공 융합 프로젝트	265
전산 개론 위주의 교육	008
전역 변수	131
정렬	021
제어	087
조건	119
지역 변수	131
진행 방향	041

ㅊ

초중고 소프트웨어 교육	006
추상화	018, 022, 144

ㅋ

커뮤니티	036
컴파일러	026
컴퓨터과학이 여는 세계	014
컴퓨터 교육	004
컴퓨팅 사고	017
컴퓨팅 사고 교육	009
컴퓨팅 사고력 증진	011
코드 간소화	076
코딩	025
코딩 위주의 교육	009
퀴즈	218, 302
클라우드 방식	031

ㅌ

타이머	077
텍스트 기반 언어	026
텍스트 음성 변환(TTS)	188
토마스 슈어즈	014

ㅍ

펜	169
평생 유치원	027
프로젝트	262
프로젝트 발표	264
프로젝트의 수행 절차	262
프로젝트의 제작	263
프로젝트의 준비와 계획	262
프로젝트 평가	264
플롭스	003

ㅎ

하버드 대학교의 CS50	007
함수	144
합병 정렬	021
형태	051
화면 흐름도	266
확장기능	156
회전 방식	041
후가쿠 슈퍼컴퓨터	003